D0271562

HENNING
MANKELL

Honden van Riga

MISDAADROMAN

Uit het Zweeds vertaald
door Cora Polet

UITGEVERIJ DE GEUS

Negende druk

Oorspronkelijke titel *Hundarne i Riga*, verschenen bij Ordfronts Förlag AB, Stockholm 1992

Uit het Zweeds vertaald door Cora Polet

Published by agreement with Ordfronts Förlag AB, Stockholm, and Leonhardt & Høier Literary Agency aps, København
Omslagontwerp Robert Nix
Omslagillustratie James Abbott McNeil Whistler, *Nocturne in Blue and Gold, Old Battersea Bridge*
Foto auteur © Ulla Montan
Drukkerij Haasbeek bv, Alphen a/d Rijn
ISBN 90 445 0513 0
NUR 332, 305

Verspreiding in België via Libridis nv, Industriepark-Noord 5a, 9100 Sint-Niklaas

Honden van Riga

I

's Ochtends even over tienen begon het te sneeuwen.

De man aan het roer in de stuurhut van de vissersboot vloekte. Hij had op de radio al gehoord dat er sneeuw op komst was, maar hij had gehoopt in de buurt van de Zweedse kust te zijn voordat het slechte weer hem genaderd was. Als hij de vorige avond bij Hiddensee geen vertraging had opgelopen, had hij Ystad al moeten zien liggen en had hij zijn koers een paar graden naar het oosten kunnen verleggen. Nu had hij nog zeven zeemijl voor de boeg en als de sneeuwjacht te hevig werd, zou hij bij moeten draaien om op beter zicht te wachten.

Hij vloekte opnieuw. Zuinigheid is een slechte raadgever, dacht hij. Ik had in de herfst moeten doen wat ik toen van plan was. Ik had een nieuwe radar moeten aanschaffen. Ik kan niet meer op mijn oude Decca vertrouwen. Ik had een van die nieuwe Amerikaanse installaties moeten kopen, maar ik was te zuinig. En ik vertrouwde de Oost-Duitsers niet. Ik had zo mijn twijfels of ze me niet zouden flessen.

Hij kon maar niet inzien dat een natie, die Oost-Duitsland heette, niet meer bestond. Dat een heel volk, het Oost-Duitse, opgehouden had te bestaan. In één nacht had de geschiedenis haar oude grenzen geslecht. Nu bestond alleen Duitsland nog maar en niemand wist hoe het zou gaan als de twee bevolkingen dagelijks met elkaar op moesten trekken. In het begin, toen de Berlijnse Muur gevallen was, had hij zich zorgen gemaakt. Betekende deze ingrijpende verandering dat er van het ene moment op het andere geen bestaansreden meer zou zijn voor waar hij zich mee bezighield? Maar zijn Oost-Duitse partner had hem gerustgesteld. Binnen afzienbare tijd zou er niets veranderen. Misschien zou zelfs blijken dat wat er nu plaatsvond nieuwe mogelijkheden bood.

De sneeuw werd dichter en de wind draaide naar zuidzuidwest.

Hij stak een sigaret op en schonk koffie in een kroes die in een speciale houder naast het kompas stak. De warmte in de stuurhut deed hem zweten. De lucht van dieselolie prikkelde zijn neus. Hij wierp een blik in de machinekamer. In de smalle kooi zag hij een van de voeten van Jakobson. Diens grote teen stak door een gat in zijn geitenharen sok. Het kan geen kwaad dat hij slaapt, dacht hij. Als we bij moeten draaien, moet hij de wacht overnemen, terwijl ik een paar uur ga rusten. Hij dronk van zijn lauwe koffie en moest opnieuw aan de vorige avond denken. Meer dan vijf uur hadden ze in het vervallen haventje aan de westkant van Hiddensee liggen wachten voordat de rammelende vrachtwagen in het donker opdook om de goederen op te halen. Weber had beweerd dat de vertraging te wijten was aan het feit dat de vrachtwagen pech had gehad. Dat kon zijn. De vrachtwagen was een oud, omgebouwd Russisch militair voertuig en hij had zich er vaak genoeg over verbaasd dat de wagen het nog deed. Maar ook Weber wantrouwde hij. Weber mocht hem dan nooit bedrogen hebben, hij had eens en voor al besloten hem te wantrouwen. Tenslotte vervoerde hij op iedere reis een zeer kostbare lading naar de Oost-Duitsers.

Tussen de twintig en dertig computers met randapparatuur, een honderdtal mobiele telefoons en een even groot aantal stereoboxen voor auto's. Dat betekende dat hij iedere reis verantwoordelijk was voor een bedrag dat in de honderdduizenden liep. Als hij gepakt werd, kon hij zich niet onder een fikse straf uitkletsen. En hij hoefde evenmin op hulp van Weber te rekenen. In de wereld waarin hij verkeerde was het ieder voor zich.

Hij controleerde de koers op het kompas en stuurde twee graden noordelijker. De log toonde aan dat hij constant acht knopen voer. Het was nu nog ruim zes en een halve zeemijl voor hij de Zweedse kust in zicht zou krijgen en de koers naar Brantevik moest verleggen. Nog zag hij de grijsblauwe golven, maar de sneeuw leek voortdurend dichter te worden.

Nog vijf reizen, dacht hij. Dan heb ik het gehad. Dan heb ik geld genoeg en kan ik gaan waar ik wil. Hij stak weer een sigaret op en glimlachte bij die gedachte. Binnenkort zou hij zijn doel bereikt hebben. Binnenkort zou hij alles achter zich kunnen laten en zich op de lange reis naar Porto Santos begeven, waar hij zijn eigen bar zou openen. Binnenkort zou hij geen kou meer hoeven lijden in de lekkende, tochtige stuurhut, terwijl Jakobson beneden in de kooi in de smerige machinekamer lag te snurken. Wat zijn nieuwe leven zou brengen wist hij niet precies, maar hij verlangde er wel naar.

Plotseling hield het op met sneeuwen, even snel als het begonnen was. Eerst durfde hij zijn geluk niet te geloven, maar toen zag hij dat de sneeuwvlokken niet langer voor zijn ogen dwarrelden. Misschien haal ik het toch nog, dacht hij. Misschien trekt het slechte weer zuidelijker weg in de richting van Denemarken.

Hij schonk nog wat koffie in en begon voor zich uit te fluiten. Aan een wand in de stuurhut hing een tas met geld. Weer dertigduizend kronen dichter bij Porto Santos, het kleine eiland voor Madeira: het onbekende paradijs dat wachtte...

Hij wilde juist een slok van zijn lauwe koffie nemen, toen hij het rubbervlot zag. Als het niet zo plotseling opgehouden had met sneeuwen zou hij het nooit gezien hebben. Maar nu deinde het slechts vijftig meter van bakboord op de golven. Het was een rood reddingsvlot. Hij veegde met de mouw van zijn jack de wasem van de ruit en kneep zijn ogen samen om het vlot te fixeren. Het is leeg, dacht hij. Het is van een schip gevallen.

Hij draaide aan het stuurwiel en minderde vaart. Jakobson werd met een schok wakker door het veranderde geluid van de dieselmotor. Hij stak zijn ongeschoren hoofd uit de machinekamer.

'Zijn we er?' vroeg hij.

'Er drijft een vlot aan bakboord', zei de man aan het stuur, die Holmgren heette. 'We zouden het binnen kunnen halen. Het brengt het nodige op. Ik pak de bootshaak, neem jij het stuur even over.'

Jakobson nam het stuur over, terwijl Holmgren zijn muts over zijn oren trok en naar buiten ging. De wind sneed hem in het gezicht, hij hield zich aan de verschansing vast om zich tegen de golfslag teweer te stellen. Het vlot kwam langzaam dichterbij. Hij maakte de bootshaak los, die tussen het dak van de stuurhut en de winch vastzat. Zijn vingers werden stijf toen hij aan de bevroren knopen rukte en trok. Eindelijk had hij de bootshaak los en draaide hij zich om.

Hij schrok. Het vlot lag nu nog maar op enkele meters van de schroef van de vissersboot en hij besefte dat zijn conclusie fout was geweest. Het vlot was niet leeg. Er lagen twee mensen in. Dode mensen. Vanuit de stuurhut brulde Jakobson iets wat hij niet verstond. Jakobson had ook gezien wat er in het vlot lag.

Het was niet de eerste keer dat Holmgren doden zag. Op een keer, toen hij jong was en zijn dienstplicht vervulde, was er tijdens een manoeuvre een stuk artillerie geëxplodeerd en vier van zijn kameraden waren in stukken gereten. Later, tijdens zijn vele jaren als beroepsvisser, had hij opnieuw dode mensen gezien, die op een kust waren aangespoeld of in het water hadden gelegen.

Er lagen twee mannen in het vlot. Holmgren zag meteen dat ze vreemd gekleed waren. Het waren geen vissers of zeelieden. Ze droegen een net kostuum en beiden hadden een stropdas om. Ze omarmden elkaar alsof ze geprobeerd hadden elkaar tegen het onvermijdelijke in bescherming te nemen. Hij probeerde zich voor te stellen wat er gebeurd was. Wie konden het zijn? Op dat moment kwam Jakobson de stuurhut uit en ging naast hem staan.

'Verdomme', zei hij. 'Godverdomme. Wat moeten we nou doen?'

Holmgren dacht snel na.

'Niets', antwoordde hij. 'Als we ze aan boord nemen moeten we een heleboel lastige vragen beantwoorden. We hebben ze domweg niet gezien. Het sneeuwt toch.'

'Laten we ze gewoon drijven?' vroeg Jakobson.

'Ja', antwoordde Holmgren. 'Ze zijn dood. We kunnen toch niets meer doen. En ik heb geen zin om te zeggen waar we met deze boot geweest zijn. Jij wel soms?'

Jakobson schudde aarzelend zijn hoofd. Zwijgend keken ze naar de dode mannen. Ze waren nog jong, nauwelijks dertig. Hun gezichten waren wit en verstijfd en Holmgren merkte dat hij rilde.

'Wat vreemd dat er geen naam op het vlot staat', zei Jakobson. 'Van welk schip zou het zijn?'

Holmgren pakte de bootshaak en manoeuvreerde het vlot zo dat ze het van alle kanten konden bekijken. Jakobson had gelijk, er stond geen naam op.

'Wat kan er in godsnaam gebeurd zijn?' mompelde hij. 'Wie zijn ze? Hoelang drijven ze al rond? Met een kostuum aan en een stropdas om?'

'Hoe ver is het naar Ystad?' vroeg Jakobson.

'Ruim zes zeemijl.'

'We zouden ze mee kunnen slepen tot een stukje dichter onder de kust', zei Jakobson. 'Dan drijven ze aan land op een plek waar ze gevonden zullen worden.'

Holmgren dacht opnieuw na. Hij kon niet ontkennen dat het hem tegen de borst stuitte hen hier zo achter te laten. Maar tegelijk was het een risico om het vlot op sleeptouw te nemen. Ze konden gezien worden door een veerboot of een vrachtschip.

Hij woog de voors en tegens af.

Toen nam hij haastig een besluit. Hij maakte een vanglijn los, boog zich over de verschansing en bond de lijn aan het vlot. Jakobson verlegde hun koers naar Ystad en Holmgren trok de lijn strak toen het vlot op een afstand van tien meter achter de vissersboot lag en niet meer in de golfslag van de schroef op en neer stuiterde.

Toen ze de Zweedse kust in zicht kregen sneed Holmgren de vanglijn door. Het vlot met de dode mannen verdween snel in de verte. Jakobson verlegde de koers weer naar het oosten en een paar uur later liepen ze de haven van Brantevik binnen. Jakobson kreeg zijn vijf briefjes van duizend kronen, stapte in zijn Volvo en reed naar zijn huis in Svarte. Holmgren sloot de stuurhut af en trok het dekzeil over het luik van de laadruimte. De haven lag er verlaten bij en hij werkte langzaam en systematisch bij het controleren van de trossen. Daarna pakte hij zijn tas met geld en liep naar zijn oude Ford, die met tegenzin startte.

Normaal zou hij nu weggedroomd zijn naar Porto Santos, maar nu bleef het rode reddingsvlot almaar voor zijn ogen dobberen.

Hij probeerde uit te rekenen waar het aan land zou kunnen drijven. De zeestromingen waren grillig en veranderden constant. De wind was veranderlijk en woei uit wisselende richtingen.

Hij kwam tot de conclusie dat het vlot eigenlijk overal langs de kust aan kon spoelen. Toch had hij zo'n idee dat het in de buurt van Ystad zou zijn. Als het tenminste niet eerder door de bemanning of de passagiers van een van de vele veerboten uit Polen gezien was. Hij wist het niet, hij kon er alleen maar naar raden.

Het was al gaan schemeren toen hij Ystad binnenreed. Hij moest wachten voor het rode stoplicht op de hoek bij hotel Continental.

Twee mannen, gekleed in kostuum en stropdas, dacht hij. In een reddingsvlot? Er klopte iets niet. Hij had iets gezien, maar er verder niet over nagedacht. Juist toen het licht op groen sprong, wist hij wat het was. De twee dode mannen waren niet in het vlot beland na een ongeluk op zee. Ze waren al dood geweest toen ze erin gelegd werden. Hij kon het niet bewijzen, had er eigenlijk geen argumenten voor. Toch wist hij het. De twee mannen waren dood in het vlot gelegd.

In een opwelling nam hij een besluit. Hij sloeg rechtsaf en stopte bij de telefooncellen tegenover de boekhandel op het plein.

Hij dacht goed na wat hij zou zeggen. Daarna draaide hij het alarmnummer en vroeg naar de politie. Toen er opgenomen werd zag hij door het vuile raam van de telefooncel dat het opnieuw was gaan sneeuwen.

Het was 12 februari 1991.

2

Hoofdinspecteur Kurt Wallander van de recherche zat in zijn kamer op het politiebureau van Ystad en geeuwde. Hij geeuwde zo krachtig dat hij plotseling kramp kreeg in een spier onder zijn kin. Het deed ontzettend pijn. Om de knoop in de spier te laten verdwijnen sloeg hij met de knokkels van zijn rechterhand tegen de onderkant van zijn kin. Op dat moment kwam Martinson, een van de jongere agenten uit het district Ystad, de kamer binnen. Hij bleef verbluft in de deuropening staan. Kurt Wallander ging door met het bewerken van de spier tot de pijn verdwenen was. Martinson draaide zich om om weer weg te gaan.

'Kom binnen', zei Wallander. 'Heb je wel eens zo krachtig gegeeuwd dat er een knoop onder je kin ontstond?'

Martinson schudde zijn hoofd.

'Nee', zei hij. 'Ik moet bekennen dat ik me afvroeg wat je aan het doen was.'

'Nu weet je het', zei Wallander. 'Wat is er?'

Martinson ging zitten en trok een gezicht. Hij had een blocnote in zijn hand.

'We hebben een paar minuten geleden een raar telefoontje binnengekregen', begon hij. 'Daar wou ik het met je over hebben.'

'We krijgen iedere dag rare telefoontjes binnen', antwoordde Wallander.

'Ik weet niet wat ik ervan moet denken', ging Martinson verder. 'Het kwam uit een telefooncel. Een man beweerde dat er binnenkort hier op de kust een vlot aan land zal drijven met twee dode mannen erin. Hij zei zijn naam niet, ook niet wie de doden waren of waarom ze dood zijn. Daarna hing hij op.'

Wallander keek verbaasd naar Martinson.

'Is dat alle informatie die je hebt?' vroeg hij. 'Wie heeft dat gesprek aangenomen?'

'Ik', zei Martinson. 'Hij zei precies wat ik je nu vertel. Ik had de indruk dat hij de waarheid sprak.'

'De waarheid?'

'Je krijgt in de loop der tijd een zekere ervaring', zei Martinson aarzelend. 'Soms hoor je meteen dat het flauwekul is. Maar degene die belde klonk heel stellig.'

'Twee dode mannen in een reddingsvlot? Dat hier ergens op de kust aan land zou drijven?'

Martinson knikte.

Wallander onderdrukte een nieuwe geeuw en leunde achterover in zijn stoel.

'Is er iets bekend van een ongeluk op zee?' vroeg hij.

'Nee, niets', antwoordde Martinson.

'Waarschuw de andere kustdistricten', zei Wallander. 'Praat met de reddingsbrigade van de kustwacht. We kunnen op een anoniem telefoontje alleen geen onderzoek instellen. We moeten afwachten.'

Martinson knikte en stond op.

'Ik ben het met je eens', zei Martinson. 'We moeten afwachten.'

'Het zou wel eens een afschuwelijke nacht kunnen worden', zei Wallander en knikte naar het raam. 'Al die sneeuw.'

'Ik ga in ieder geval nu naar huis', zei Martinson en keek op zijn horloge. 'Sneeuw of geen sneeuw.'

Martinson ging weg en Kurt Wallander rekte zich uit in zijn stoel. Hij voelde hoe moe hij was. Twee nachten achtereen was hij uit zijn slaap gehaald, omdat ze uit hadden moeten rukken voor dingen die niet tot de volgende ochtend konden wachten. Eerst had hij de jacht op een vermoedelijke verkrachter geleid, die zich in een verlaten zomerhuisje in Sandskogen had verschanst. Omdat de man onder de drugs zat en ze vermoedden dat hij gewapend was, hadden ze met ingrijpen gewacht tot vijf uur 's ochtends. Toen had hij zich vrijwillig overgegeven. De nacht daarop was Wallander uit zijn slaap gehaald in verband met een doodslag in het centrum van de stad. Een verjaardagsfeestje was uit de hand gelopen en het slot van het liedje was geweest dat het feestvarken, een man van in de veertig, met een voorsnijmes precies in zijn slaap was gestoken.

Wallander stond op en trok zijn dikke jack aan. Nu moet ik

gaan slapen, dacht hij. Het slechte weer is de sores van een ander. Toen hij het politiebureau uitkwam, moest hij zich vanwege de veranderlijke tegenwind diep bukken. Hij ontsloot het portier van zijn Peugeot en kroop in zijn auto. De sneeuw op de ramen gaf hem het gevoel in een warm en knus vertrek te zitten. Hij startte de motor, schoof een muziekcassette in de recorder en sloot zijn ogen. En meteen moest hij aan Rydberg denken. Er was nog geen maand verstreken sinds zijn collega en vertrouweling aan kanker was overleden. Wallander had reeds het vorige jaar, toen ze zich beiden afbeulden om de brute moord op het bejaarde echtpaar in Lenarp op te lossen, van Rydbergs ziekte afgeweten. De laatste maanden van Rydbergs leven, toen het voor iedereen duidelijk was en vooral voor Rydberg zelf, dat het einde onherroepelijk in zicht kwam, had Kurt Wallander geprobeerd zich voor te stellen hoe het zou zijn om naar het bureau te gaan, wetend dat Rydberg er niet meer was. Hoe moest hij het redden zonder de raad en het inzicht van de oude, ervaren Rydberg? Hij besefte dat het nog te vroeg was om die vraag te beantwoorden. Sinds Rydberg voorgoed met ziekteverlof was gegaan en was gestorven, had hij geen moeilijke misdrijven op hoeven te lossen. Maar de pijn en het gemis waren voelbaar aanwezig.

Hij zette de ruitenwissers aan en reed naar huis. De stad leek verlaten, alsof de mensen zich voorbereidden op de komende belegering door de sneeuwstorm. Hij stopte bij een benzinestation op Österleden en kocht een avondblad. Daarna parkeerde hij zijn auto in Mariagatan en liep naar zijn flat. Hij zou een bad nemen en dan eten koken. Voor hij naar bed ging, zou hij zijn vader bellen, die in een huisje even buiten Löderup woonde. Sinds vorig jaar, toen zijn vader in een vlaag van acute zinsverbijstering op een nacht met alleen zijn pyjama aan was gaan wandelen, had Kurt Wallander er een gewoonte van gemaakt hem dagelijks te bellen. Maar hij belde eigenlijk evenveel voor zichzelf als voor zijn vader. Hij had continu last van een slecht geweten omdat hij hem zo zelden opzocht. Maar na die gebeurtenis van vorig jaar had zijn vader een huishoudelijke hulp gekregen, die regelmatig langskwam. Het soms onuitstaanbare humeur van de oude man was erdoor verbeterd. Toch knaagde Wallanders geweten, omdat hij te weinig tijd aan zijn vader besteedde.

Kurt Wallander nam een bad, maakte een omelet klaar, belde zijn vader en ging naar bed. Voordat hij het rolgordijn voor zijn slaapkamerraam naar beneden trok, keek hij de lege straat in. Een enkele straatlamp zwaaide heen en weer op de windstoten. Er dansten wat sneeuwvlokken voor zijn ogen. Op de thermometer zag hij dat het drie graden onder nul was. Misschien was het slechte weer verder naar het zuiden voorbijgetrokken. Hij liet het rolgordijn met een klap zakken en kroop onder het dekbed. Weldra viel hij in slaap.

De volgende dag voelde hij zich uitgerust. Al om kwart over zeven was hij weer in zijn kamer op het politiebureau. Afgezien van een paar kleine auto-ongelukken was het die nacht verbazingwekkend rustig geweest. De sneeuwstorm was gaan liggen voor hij begonnen was. Wallander ging naar de kantine, knikte tegen enkele verkeersagenten, die vermoeid boven hun koffie hingen, en schonk zichzelf een plastic bekertje koffie in. Al tijdens het wakker worden had hij besloten de dag te gebruiken om enkele rapporten die waren blijven liggen af te maken. Een ervan ging over een ernstig geval van mishandeling waar een paar Polen bij betrokken waren. Zoals altijd gaf iedereen iedereen de schuld. Ook beschikte de politie niet over betrouwbare getuigen die doorhadden wat zich precies afspeelde en die daardoor geen eensluidende verklaringen konden afleggen. Maar het rapport moest geschreven worden, ook al realiseerde hij zich dat er niemand aangeklaagd zou worden, omdat hij plotseling het kaakbeen van een medemens verbrijzeld had.

Om halfelf schoof hij het laatste rapport opzij en ging nog een kop koffie halen. Op de terugweg naar zijn kamer hoorde hij de telefoon op zijn bureau overgaan.

Het was Martinson.

'Herinner je je dat vlot van gisteren nog?' vroeg Martinson.

Wallander moest even nadenken voor hij doorhad wat Martinson bedoelde.

'De man die belde, wist precies waar hij het over had', vervolgde

Martinson. 'Er is bij Mossby Strand een vlot aan land gedreven. Een vrouw die haar hond uitliet, heeft het daar zien liggen. Ze belde ons, ze was hysterisch.'

'Wanneer heeft ze gebeld?' vroeg Wallander.

'Nu', zei Martinson. 'Een halve minuut geleden.'

Twee minuten later reed Wallander in westelijke richting langs de kustweg naar Mossby Strand. Hij had zijn eigen auto genomen.

Voor hem uit reden Peters en Norén in een politiewagen met loeiende sirenes. Ze reden langs de zee en Wallander rilde toen hij zag hoe de koude golven op het strand beukten. In zijn achteruitkijkspiegeltje kon hij een ambulance zien en daarachter Martinson in nog een politieauto.

Mossby Strand lag er verlaten bij. De kiosk was dichtgetimmerd en de schommels gingen knarsend heen en weer aan hun kettingen. Toen hij uit zijn auto stapte, sloeg de koude wind pal in zijn gezicht. Helemaal boven op de grasheuvel, waar de afdaling naar het zand begon, stond een eenzame figuur met haar arm te zwaaien. Naast haar trok een hond onrustig aan zijn riem. Wallander versnelde zijn pas. Zoals altijd voelde hij zich niet erg op zijn gemak om dat wat hij dadelijk te zien zou krijgen. Hij zou het nooit leren om onbewogen te blijven bij het zien van dode mensen, hij zou er nooit aan wennen. Dode mensen waren als levende mensen, ze waren nooit gelijk.

'Daar', schreeuwde een vrouw, die totaal overstuur was. Wallander volgde de richting waarin haar hand wees. Bij de vloedlijn dobberde een rood reddingsvlot. Het was vlak naast het lange plankier klem komen te zitten tussen wat stenen.

'Wacht hier', zei Wallander tegen de vrouw.

Daarna strompelde hij de helling af en rende het strand over. Hij liep het plankier op en keek in het reddingsvlot. Er lagen twee dode mannen in, bleek, ineengestrengeld. Hij probeerde wat hij zag als op een foto vast te leggen. Tijdens zijn lange loopbaan als politieman had hij geleerd hoe belangrijk de eerste indruk is. Een dode was heel vaak de laatste schakel in een gecompliceerde reeks gebeurtenissen. Soms had je van het begin af aan een vermoeden over die reeks.

Martinson, die laarzen aan had, stapte het water in en trok het vlot het strand op. Wallander ging op zijn hurken zitten en nam de dode mannen aandachtig op. De mannen van de ambulance stonden rillend en lusteloos een eindje verderop met hun brancards te wachten. Wallander keek op en zag dat Peters probeerde de hysterische vrouw tot bedaren te brengen. Daarna dacht hij: wat een geluk dat het vlot niet in de zomer aan land was gedreven, wanneer het strand vol spelende kinderen was.

Wat hij zag was geen prettig gezicht. De doden waren al aan het ontbinden, zelfs in de krachtige wind kon je een onmiskenbare lijkenlucht ruiken.

Wallander haalde een paar gummihandschoenen uit zijn jack en begon behoedzaam de zakken van de mannen te doorzoeken. Hij vond niets. Maar toen hij voorzichtig het colbertje van een van de mannen omsloeg zag hij op de borst een leverkleurige vlek op het witte overhemd. Hij keek naar Martinson.

'Dit is geen ongeluk', zei hij. 'Het is moord. Deze man is in ieder geval recht door zijn hart geschoten.'

Hij stond op en ging een paar meter verderop staan, zodat Norén het vlot kon fotograferen.

'Wat denk je?' vroeg hij aan Martinson.

Martinson schudde zijn hoofd.

'Ik weet het niet', zei hij.

Wallander liep langzaam om het vlot heen, terwijl hij de doden aandachtig opnam. Beide mannen waren blond en amper dertig. Te oordelen naar hun handen en kleren waren het geen arbeiders. Wie waren ze? Waarom hadden ze niets in hun zakken? Keer op keer liep hij om het vlot heen. Zo nu en dan wisselde hij een paar woorden met Martinson. Na een halfuur was hij van mening dat er niets meer voor hem te ontdekken viel. Inmiddels was de technische ploeg al aan haar systematische onderzoek begonnen. Over het vlot was een kleine plastic tent gespannen. Norén was klaar met het nemen van de foto's en iedereen had het koud en wilde weg. Wallander stond te piekeren over wat Rydberg in dit geval gezegd zou hebben. Wat zou Rydberg hebben gezien dat hem ontging? Hij ging in zijn auto zitten en zette de motor aan om warm te worden. De zee was grijs en hij voelde zich leeg in zijn hoofd. Wie waren deze mannen?

Vele uren later, toen Wallander zo door en door koud was dat hij zat te rillen, kon hij eindelijk tegen de mannen van de ambulance knikken, die daarop met hun brancards naar het vlot liepen. Ze moesten wrikken en breken om de mannen uit hun omarming los te maken. Toen de lijken weggedragen waren, doorzocht Wallander de rubberboot nauwkeurig, maar die was leeg, er lag zelfs geen peddel in. Wallander liet zijn blik over de zee dwalen alsof de oplossing ergens bij de horizon te vinden was.

'Je moet gaan praten met die vrouw die het vlot ontdekt heeft', zei hij tegen Martinson.

'Dat heb ik al gedaan', zei Martinson verbaasd.

'Diepgravend', zei Wallander. 'In een wind als deze kun je niet diepgravend praten. Neem haar mee naar het bureau. En Norén moet ervoor zorgen dat dit vlot precies in deze toestand naar de opslagruimte gebracht wordt.'

Daarna liep hij terug naar zijn auto.

Nu zou Rydberg hier moeten zijn, dacht hij. Wat zou die gezien hebben dat ik niet zie? Wat zou hij gedacht hebben?

Terug op het politiebureau liep hij direct door naar Björk, de hoofdcommissaris. Hij gaf een kort verslag van wat hij bij Mossby Strand gezien had. Björk luisterde met een bekommerd gezicht. Wallander had vaak het gevoel dat Björk zich persoonlijk aangevallen voelde als er in zijn district een grof geweldsdelict gepleegd was. Tegelijkertijd had Wallander een zeker respect voor zijn chef. Hij bemoeide zich niet met het onderzoek van de individuele politiemensen en hij was gul met aanmoedigingen in een onderzoek dat vast dreigde te lopen. Dat hij ook wispelturig kon zijn, daar was Wallander aan gewend geraakt.

'Ik zet jou op deze zaak', zei Björk toen Wallander uitgepraat was. 'Je krijgt Martinson en Hanson. We kunnen er op dit moment wel een paar mensen op zetten.'

'Hanson werkt aan de zaak van de verkrachter die we vannacht opgepakt hebben', wierp Wallander tegen. 'Wat zou je zeggen van Svedberg?'

Björk knikte. Wallander kreeg zijn zin. Zoals altijd.

Toen hij de kamer van Björk uitging, merkte hij dat hij honger had. Omdat hij gemakkelijk aankwam en een voortdurende strijd leverde om niet te zwaar te worden, sloeg hij de lunch meestal over. Maar de dode mannen in het rubbervlot hadden hem rusteloos gemaakt. Hij reed naar het centrum, parkeerde zijn auto net als anders in Stickgatan en liep door nauwe, kronkelige straatjes naar Fridolfs Konditori. Daar at hij een paar broodjes en dronk een glas melk. Intussen liet hij zijn gedachten over het gebeurde gaan. Gisteren, even voor zes uur, had een onbekende man de politie gebeld met een anonieme tip over wat er ging gebeuren. Nu wisten ze dat hij gelijk had gehad. Een rood vlot drijft aan land met twee dode mannen erin. Tenminste een van de mannen is vermoord door een pistoolschot in zijn hart. In hun zakken zit niets waaruit blijkt wie ze zijn. Over meer beschikte de politie niet.

Wallander haalde een pen uit zijn jack en maakte een paar notities op een papieren servetje. Hij had nu al een groot aantal vragen die om antwoord schreeuwden. De hele tijd voerde hij een zwijgend gesprek met Rydberg. Denk ik op de juiste manier, vergeet ik iets? Hij probeerde zich Rydbergs antwoorden en reacties voor de geest te halen. Soms lukte het, een andere keer zag hij alleen Rydbergs uitgemergelde, ingezonken gezicht op zijn doodsbed voor zich.

Om halfvier was hij weer op het politiebureau. Hij nam Martinson en Svedberg mee naar zijn kamer, deed de deur dicht en zei tegen de telefooncentrale geen gesprekken door te verbinden.

'Het zal geen gemakkelijke zaak worden', begon hij. 'Onze enige hoop is dat de lijkschouwing en het onderzoek aan het vlot en de kleding iets opleveren, maar er zijn wel een paar vragen waar ik nu al het antwoord op zou willen hebben.'

Svedberg leunde met een blocnote in zijn hand tegen de muur. Hij was een veertiger, nagenoeg kaal, geboren in Ystad, en boze tongen beweerden dat hij al heimwee kreeg als hij de stadsgrens passeerde. Vaak maakte hij een trage, ongeïnteresseerde indruk, maar hij was nauwgezet en dat was iets wat Wallander hogelijk op prijs stelde. Martinson was in vele opzichten Svedbergs tegenpool.

Hij was begin dertig, geboren in Trollhättan en hij deed zijn uiterste best om binnen het politiekorps carrière te maken. Bovendien was hij lid van de liberale partij en Wallander had gehoord dat hij een goede kans maakte om bij de verkiezingen in het najaar gemeenteraadslid te worden. Als politieman was Martinson impulsief en een tikje slordig. Maar hij had vaak goede invallen en zijn eerzucht zorgde ervoor dat hij heel energiek te werk ging als hij meende de oplossing van een probleem op het spoor te zijn.

'Ik wil weten waar dit vlot vandaan komt', zei Wallander. 'Wanneer we eenmaal weten hoelang deze mannen dood zijn, moeten we de richting waaruit het vlot is komen aandrijven kunnen achterhalen en hoelang het rondgedreven heeft.'

Svedberg keek hem verbaasd aan.

'Kan dat?' vroeg hij.

Wallander knikte.

'We zullen eerst de Weerdienst bellen', zei hij. 'Daar weten ze alles van wind en weer. We moeten een zo goed mogelijk beeld zien te krijgen van waar het vlot vandaan komt. En ik wil alles weten wat er te weten valt over dat vlot. Waar het is gemaakt en wat voor soort schepen zo'n vlot aan boord zouden kunnen hebben. Alles.'

Hij knikte tegen Martinson.

'Daar ga jij achteraan.'

'Moeten we niet eerst via de computer nagaan of deze mannen gezocht worden?' vroeg Martinson.

'Daar begin je mee', zei Wallander. 'Neem contact op met de kustwacht, met alle districten langs de zuidkust. En vraag aan Björk of we niet meteen Interpol moeten inschakelen. Om erachter te komen wie die mannen zijn moeten we zo breed mogelijk beginnen.'

Martinson knikte en maakte een aantekening. Svedberg kauwde nadenkend op zijn pen.

'Zelf zal ik de kleren van de mannen nauwkeurig onderzoeken', vervolgde Wallander. 'Er moet ergens een aanwijzing zijn. Er moet iets zijn.'

Er werd op de deur geklopt en Norén kwam binnen. Hij had

een opgerolde zeekaart in de hand.

'Die konden we wel eens nodig hebben', zei hij.

Wallander knikte.

Ze rolden de zeekaart uit op Wallanders bureau en bogen zich erover alsof ze een zeeslag voorbereidden.

'Hoe snel drijft een vlot?' vroeg Svedberg. 'Stromen en winden kunnen samenwerken, maar elkaar ook tegenwerken.'

Zwijgend bekeken ze de kaart. Daarna rolde Wallander haar op en zette haar in de hoek achter zijn stoel. Niemand had iets op te merken gehad.

'Zo, en nu gaan we aan de slag', zei hij. 'Om zes uur komen we hier weer bij elkaar om te vergelijken wat we hebben.'

Svedberg en Norén verlieten de kamer, terwijl Wallander en Martinson achterbleven.

'Wat zei die mevrouw?' vroeg Wallander.

Martinson haalde zijn schouders op.

'Mevrouw Forsell', zei hij. 'De weduwe Forsell woont in een huis in Mossby. Een gepensioneerde lerares die op het gymnasium in Ängelholm heeft lesgegeven. Woont er het hele jaar, met haar hond die ze naar de dichter Tegnér heeft vernoemd. Iedere dag laat ze hem en zichzelf uit op het strand. Toen ze daar gisteren liep, lag er geen vlot. Vandaag lag het er wel. Ze heeft het om ongeveer kwart over tien zien liggen en ons meteen gebeld.'

'Kwart over tien', zei Wallander nadenkend. 'Is dat niet een beetje laat om een hond uit te laten?'

Martinson knikte.

'Dat heb ik ook gedacht', zei hij. 'Maar toen ze de hond om zeven uur uitliet, is ze de andere kant van het strand opgelopen.'

Wallander veranderde van onderwerp.

'Die man die gisteren belde,' begon hij, 'hoe klonk die?'

'Net als ik. Overtuigend.'

'Wat had hij voor dialect? Hoe oud was hij?'

'Hij praatte Skåns, net als Svedberg. Zijn stem klonk ruw. Ik denk dat hij rookt. Veertig, vijftig jaar misschien. Hij drukte zich duidelijk en eenvoudig uit. Hij kan van alles zijn, van een bankbediende tot een landbouwer.'

Wallander had nog een vraag.

'Waarom belde hij?'

'Daar heb ik over nagedacht', zei Martinson. 'Misschien wist hij dat het vlot aan land zou drijven, omdat hij er zelf iets mee te maken had. Hij kan zelf de schoten gelost hebben. Hij kan iets gezien of gehoord hebben. Er zijn verschillende mogelijkheden.'

'Wat is de meest logische?' vervolgde Wallander.

'De laatste', antwoordde Martinson meteen. 'Hij kan iets gezien of gehoord hebben. Dit is nou niet het soort moord waarbij de dader de politie vrijwillig op zijn eigen spoor zet.'

Wallander had hetzelfde gedacht.

'We gaan nog een stapje verder', zei hij. 'Iets gezien of gehoord? Twee dode mannen in een reddingsvlot. Als hij er niet bij betrokken is, heeft hij de moord of de moorden waarschijnlijk niet zien plegen. Dus heeft hij het vlot gezien.'

'Een drijvend vlot', zei Martinson. 'En waar zie je dat? Als je op een schip op zee bent.'

Wallander knikte.

'Precies', zei hij. 'Precies. Maar als hij de dader niet is, waarom wil hij dan anoniem blijven?'

'De mensen willen liever nergens bij betrokken raken', zei Martinson. 'Je weet hoe het is.'

'Misschien. Maar er is nog een mogelijkheid. Dat hij om een heel andere reden niets met de politie te maken wil hebben.'

'Is dat niet een beetje vergezocht?' zei Martinson weifelend.

'Ik denk alleen maar hardop', zei Wallander. 'We moeten proberen die man op te sporen, hoe dan ook.'

'Zullen we een oproep doen en hem dringend verzoeken zich te melden?'

'Ja,' zei Wallander, 'maar vandaag niet. Ik wil eerst meer over de doden weten.'

Wallander reed naar het ziekenhuis. Hoewel hij er al vaak geweest was, had hij nog steeds moeite zijn weg in het pas gebouwde complex te vinden. Hij liep op de benedenverdieping de cafetaria binnen om een banaan te kopen. Daarna ging hij naar Pathologie. De lijkschouwer, Mörth geheten, was nog niet aan een grondig onderzoek begonnen, maar hij kon Wallander wel antwoord geven op zijn eerste vraag.

'Beide mannen zijn doodgeschoten', zei hij. 'Van vlakbij, recht in het hart. Ik denk dat dat de doodsoorzaak is.'

'Ik wil de uitslag graag zo snel mogelijk hebben', zei Wallander. 'Kun je al zeggen hoelang ze dood zijn?'

Mörth schudde zijn hoofd.

'Nee', zei hij. 'En dat is in zekere zin ook een antwoord.'

'Wat bedoel je?'

'Dat ze waarschijnlijk al vrij lang dood zijn. Dan is het moeilijk om het tijdstip van overlijden vast te stellen.'

'Twee dagen? Drie? Een week?'

'Ik kan er geen antwoord op geven', zei Mörth. 'En ik wil er niet naar raden.'

Mörth verdween in de lijkschouwingszaal. Wallander trok zijn jack uit, deed een paar gummihandschoenen aan en doorzocht de kleding van de doden, die gereedlag op wat aan een ouderwets aanrecht deed denken.

Het ene kostuum was in Engeland gemaakt, het andere in België.

De schoenen kwamen uit Italië en leken Wallander duur. Overhemden, dassen en ondergoed spraken dezelfde taal. Ze waren van goede kwaliteit en allesbehalve goedkoop. Toen Wallander de kleren twee keer geïnspecteerd had, besefte hij dat er nauwelijks aanwijzingen waren die hem verder konden brengen. Het enige wat hij wist was dat de dode mannen vermoedelijk over veel geld beschikt hadden. Maar waar waren hun portefeuilles? Trouwringen? Horloges? Nog verbazingwekkender was dat ze geen van beiden hun colbertje aanhadden toen ze doodgeschoten waren. Er zaten geen gaten in of kruitsporen op de twee jasjes.

Wallander probeerde zich de situatie voor te stellen. Iemand schiet twee mannen recht door hun hart. Als de mannen dood zijn, trekt de dader hen hun jasjes aan voordat ze in een reddingsvlot getild worden. Waarom?

Hij ging nog een keer door de kleding heen. Er moet iets zijn wat ik niet zie, dacht hij. Rydberg, help me.

Maar Rydberg zweeg. Wallander ging terug naar het politiebureau. Hij wist dat de lijkschouwing enkele uren zou duren. Hij zou op zijn vroegst pas de volgende dag het voorlopige resultaat kunnen krijgen. Op zijn bureau lag een briefje van Björk, waarin stond dat ze nog een dag moesten wachten alvorens Interpol in te schakelen. Wallander merkte dat hij zich begon te ergeren. Hij had vaak moeite om Björks onnodig voorzichtige opstelling te begrijpen.

De vergadering om zes uur duurde kort. Martinson kon vertellen dat er geen verzoek tot opsporing liep noch dat er door de politie naar een paar mannen gezocht werd die de doden in het rubbervlot konden zijn. Svedberg had een lang telefoongesprek gehad met een meteoroloog van de Weerdienst in Norrköping, die beloofd had hen te helpen na een formeel verzoek van de politie uit Ystad.

Wallander zei dat zijn vermoeden dat de beide mannen vermoord waren, juist was. Hij vroeg Svedberg en Martinson verder nog om na te denken wat de reden kon zijn dat iemand twee dode mannen hun colbertjasje aantrekt.

'We gaan nog een paar uur door', zei Wallander. 'Als jullie andere dingen te doen hebben, moeten die maar even blijven liggen of je schuift ze door naar iemand anders. Dit wordt een moeilijke klus. Ik zal ervoor zorgen dat het rechercheteam morgen al versterking krijgt.'

Toen Wallander alleen in zijn kamer was achtergebleven, rolde hij de zeekaart op zijn bureau uit. Met zijn vinger volgde hij de kustlijn tot aan Mossby Strand. Het vlot kan lang in zee gedreven hebben, dacht hij. Of kort. Het kan heen en teruggedreven zijn. Of dan eens hierheen, dan weer daarheen. De telefoon ging. Even aarzelde hij of hij hem aan zou nemen. Het was al laat en hij wilde naar huis om rustig na te kunnen denken over wat er gebeurd was. Toen greep hij de hoorn.

Het was Mörth die belde.

'Ben je nu al klaar?' vroeg Wallander verbaasd.

'Nee,' zei Mörth, 'maar ik denk dat ik iets belangrijks ontdekt heb. Iets wat ik nu al kan zeggen.'

Wallander hield zijn adem in.

'Die twee mannen zijn geen Zweden', zei Mörth. 'Ze zijn in ieder geval niet in Zweden geboren.'

'Hoe weet je dat?'

'Ik heb in hun mond gekeken', ging Mörth verder. 'En hun tanden zijn niet door een Zweedse tandarts behandeld. Eerder door een Russische.'

'Een Russische?'

'Ja. Een Russische tandarts. Of een tandarts uit een ander Oost-Europees land. Die hebben een andere werkwijze dan wij.'

'Weet je dat heel zeker?'

'Anders zou ik niet gebeld hebben', zei Mörth en Wallander hoorde de irritatie in zijn stem.

'Ik geloof je wel', zei hij haastig.

'En dan is er nog iets,' vervolgde Mörth, 'iets wat minstens zo belangrijk is. Deze twee mannen waren waarschijnlijk heel blij dat iemand hen doodschoot. Met excuses voor het cynisme. Voordat ze stierven zijn ze namelijk verschrikkelijk gemarteld. Verbrande, verbrijzelde vingers waar het vel afgetrokken is, alle zwijnerij die je je maar denken kunt.'

Wallander zweeg.

'Ben je er nog?' vroeg Mörth.

'Ja', zei Wallander. 'Ik ben er nog. Ik zit te denken over wat je zei.'

'Ik ben heel zeker van mijn zaak.'

'Daar twijfel ik geen moment aan. Maar dit zijn geen dingen die ik iedere dag te horen krijg.'

'Daarom vond ik het ook belangrijk om je nu al te bellen.'

'Daar heb je goed aan gedaan', zei Wallander.

'Je hebt morgen mijn volledige rapport', zei Mörth. 'Op de resultaten van een paar laboratoriumproeven na, die nemen meer tijd in beslag.'

Het gesprek was afgelopen. Wallander ging naar de kantine en schonk de laatste slok koffie uit het koffieapparaat in. Het vertrek was leeg. Hij ging aan een van de tafeltjes zitten.

Russen? Gemartelde mensen uit Oost-Europa?

Zelfs Rydberg moest gedacht hebben dat dit een moeilijk en langdurig onderzoek zou worden.

Om halfacht zette hij de lege koffiekop op het aanrecht.

Daarna stapte hij in zijn auto en reed naar huis. De wind was afgenomen en het was onverwachts kouder geworden.

3

Even na twee uur 's nachts werd Kurt Wallander wakker door een hevige pijn in zijn borst. Hij lag in het donker en dacht dat hij doodging. Het was het aanhoudende, uitputtende slijtageproces van het werken als politieman, dat zijn tol eiste. Eens moest de prijs betaald worden. Hij ervoer een grote vertwijfeling en schaamte dat alles nu al voorbij was, er bleef dus uiteindelijk niets van het leven over. Hij lag roerloos in het donker en voelde zijn angst en zijn pijn groeien. Hij kwam er naderhand niet achter hoelang hij zo gelegen had, niet in staat zijn angst te bedwingen. Maar geleidelijk aan dwong hij zich ertoe zijn zelfcontrole te herwinnen.

Voorzichtig stapte hij uit bed, trok zijn kleren aan en liep naar zijn auto. De pijn was wat afgenomen, ze kwam en ging in een pulserende stroom, vertakte zich door zijn armen en leek daardoor iets van haar eerste heftigheid in te boeten. Hij stapte in zijn auto, bezwoer zichzelf dat hij langzaam moest ademhalen en reed toen door de nachtelijke lege straten naar de afdeling Eerste Hulp van het ziekenhuis. Hij werd ontvangen door een verpleegster met vriendelijke ogen, die luisterde naar wat hij te zeggen had, hem niet als een hysterische, een beetje te zware man afpoeierde, en zijn angst helemaal niet als inbeelding beschouwde. Uit een onderzoekkamer hoorde hij het gebrul van een dronken man. Kurt Wallander lag op een brancard, de pijn scheen in golven te komen en te gaan. Plotseling stond er een jonge arts naast hem. Opnieuw beschreef hij de pijn in zijn borst. De brancard werd een behandelkamer ingerold en hij werd aan een e.c.g.-apparaat gekoppeld. Zijn bloeddruk en zijn polsslag werden opgenomen en hij schudde van nee, toen hem gevraagd werd of hij rookte. Hij had ook nooit eerder onverwachte pijn in zijn borst gehad en voorzover hij wist, kwamen er in zijn familie geen chronische hartaandoeningen voor. De arts bestudeerde zijn e.c.g.-curve.

'Niets bijzonders', zei hij. 'Alles lijkt normaal. Waar denkt u dat die onrust vandaan komt?'

'Ik weet het niet.'

De arts keek Wallanders dossier in.

'U bent politieman', zei hij. 'Ik kan me voorstellen dat dat bij tijd en wijle een nogal stressvol beroep is.'

'Dat is het bijna altijd.'

'Drinkt u veel?'

'Normaal, volgens mij.'

De arts ging op een tafel zitten en legde het dossier weg. Kurt Wallander zag dat hij heel moe was.

'Ik geloof niet dat het een hartaanval was', zei hij. 'Misschien heeft het lichaam alleen maar alarm geslagen omdat niet alles is zoals het zijn moet. Daar kunt alleen u antwoord op geven.'

'Dat klopt', zei Wallander. 'Ik vraag me dagelijks af wat er met mijn leven aan de hand is. En ik merk dat ik niemand heb om mee te praten.'

'Dat zou wel moeten', zei de arts. 'Iedereen zou zo iemand moeten hebben.'

Hij stond op toen in zijn borstzakje een pieper begon te jammeren als een vogeltje.

'U kunt vannacht hier blijven', zei hij. 'Probeer u te ontspannen.'

Daarna lag Wallander doodstil te luisteren naar het geruis van een onzichtbare airconditioning. Uit de gang drong het geluid van stemmen tot hem door.

Iedere pijn heeft een verklaring, dacht hij. Als het mijn hart niet is, wat is het dan wel? Mijn constant slechte geweten dat ik zo weinig tijd en krachten aan mijn vader spendeer? Mijn ongerustheid dat mijn dochter op de volkshogeschool in Stockholm niet de waarheid schrijft? Dat het helemaal niet zo is dat ze het naar haar zin heeft, dat ze ijverig studeert en dat ze nu iets gevonden heeft waar ze lang naar heeft gezocht? Leef ik, zonder dat ik het me bewust ben, voortdurend in angst dat ze opnieuw zal proberen zich van het leven te beroven, zoals ze dat geprobeerd had toen ze vijftien was? Of moet ik de pijn terugvoeren op de jaloezie die ik nog steeds voel omdat Mona me verlaten heeft? Ook al is dat al meer dan een jaar geleden?

Het licht in de kamer was fel. Hij lag te denken dat zijn hele leven in het teken van een troosteloosheid stond en dat hij er niet in slaagde daar verandering in aan te brengen. Hij vond geen antwoord in zichzelf, dat hij niet meteen weer wantrouwde.

'Zo kan ik niet doorgaan', zei hij hardop tegen zichzelf. 'Ik moet mijn leven veranderen. Gauw. Nu.'

Om zes uur werd hij met een schok wakker. De arts stond naar hem te kijken.

'Pijn?' vroeg hij.

'Ik voel me goed', antwoordde Kurt Wallander. 'Wat kan het geweest zijn?'

'Spanningen', zei de arts. 'Dat weet u zelf het best.'

'Ja', antwoordde Wallander. 'Ja, dat klopt.'

'Ik vind dat u zich grondig moeten laten onderzoeken', zei de arts. 'Zodat u zeker weet dat er lichamelijk niets aan de hand is. Daarna kunt u proberen in uw ziel naar mogelijke schaduwen te zoeken.'

Wallander ging naar huis, nam een douche, dronk koffie. De thermometer stond op drie graden onder nul. De lucht was ineens helemaal opgeklaard en het was windstil. Lang bleef hij zitten om de nacht te overdenken. Er lag een onwerkelijke sluier over de pijn en over zijn bezoek aan het ziekenhuis, maar hij besefte wel dat hij niet zomaar voorbij kon gaan aan wat er gebeurd was. Hij was zelf verantwoordelijk voor zijn leven.

Pas toen het kwart over acht was, dwong hij zichzelf weer politieman te zijn.

Onmiddellijk nadat hij op het bureau gearriveerd was, raakte hij in een heftige woordenwisseling verwikkeld met Björk. Die was van mening dat de technische dienst in Stockholm direct ingeschakeld had moeten worden voor een grondig onderzoek van de plaats van het misdrijf.

'Er is geen plaats van het misdrijf', antwoordde Wallander. 'Als er één ding is waar we zeker van kunnen zijn, is het dat de mannen niet vermoord zijn in het reddingsvlot.'

'Nu Rydberg overleden is, moeten we hulp van buitenaf inroepen', vervolgde Björk. 'Wij beschikken zelf niet over de nodige kennis. Hoe is het mogelijk dat jullie het strand waar het vlot gevonden is niet afgezet hebben?'

'Het strand was niet de plaats van het misdrijf. Het vlot dreef op zee. Hadden we soms plastic tape om de golven moeten spannen?'

Kurt Wallander voelde dat hij kwaad werd. Dat hij noch een van de andere rechercheurs in Ystad Rydbergs ervaring had klopte natuurlijk, maar dat hield nog niet in dat hij niet capabel was om uit te maken wanneer ze hulp nodig hadden van de experts van de technische dienst in Stockholm.

'Of je laat mij beslissen, of jij neemt de verantwoordelijkheid voor het onderzoek over', zei hij.

'Dat is niet aan de orde,' antwoordde Björk, 'maar ik blijf van mening dat het een verkeerde beslissing was om niet met Stockholm in overleg te treden.'

'Daar ben ik het niet mee eens', antwoordde Wallander.

Verder kwamen ze niet.

'Ik kom straks nog even langs', zei Wallander. 'Ik heb iets waar je je een mening over moet vormen.'

Björk keek verbaasd.

'Hebben we dan wat?' vroeg hij. 'Ik dacht dat het onderzoek stillag.'

'Niet helemaal. Ik ben over tien minuten terug.'

Hij ging naar zijn kamer, belde het ziekenhuis en kreeg tot zijn verbazing direct Mörth te pakken.

'Weet je al iets meer?' vroeg Wallander.

'Ik ben juist aan mijn verslag bezig', antwoordde Mörth. 'Kun je je niet nog even gedeisd houden?'

'Ik moet Björk op de hoogte brengen. Kun je dan tenminste zeggen hoelang ze al dood zijn?'

'Nee. Het wachten is op de uitslag van het laboratorium. Over de maaginhoud. Hoe ver het celweefsel al is afgebroken. Ik kan alleen maar gissen.'

'Doe dat dan.'

'Ik hou niet van gissen, dat weet je. Wat heb je daar trouwens aan?'

'Je hebt je ervaring. Je kent je vak. De uitslag zal je vermoedens alleen maar bevestigen, zal ze zeker niet op hun kop zetten. Ik wil alleen maar dat je in mijn oor gist. Ik zal het niet verder vertellen.'

Mörth dacht na en Wallander wachtte.

'Een week', zei Mörth. 'Minstens een week, maar dat moet je voor jezelf houden.'

'Ik ben het al vergeten. En je bent er nog steeds zeker van dat het buitenlanders zijn. Russen of Oost-Europeanen?'

'Ja.'

'Heb je nog vreemde dingen gevonden?'

'Ik heb geen verstand van munitie, maar dit type kogel ben ik nog niet eerder tegengekomen.'

'Verder nog iets?'

'Ja. Een van de mannen heeft een tatoeage op zijn bovenarm. Een afbeelding van een soort kromzwaard. Een Turkse degen of hoe zoiets heet.'

'Over wat voor soort wapen heb je het?'

'Over een soort zwaard. Je kunt van een lijkschouwer niet verwachten dat die deskundig is op het gebied van verschillende soorten antieke wapens.'

'Staat er nog iets bij?'

'Wat bedoel je?'

'Tatoeages hebben meestal een tekst. De naam van een vrouw of een plaatsnaam.'

'Nee, niets.'

'Heb je verder nog wat?'

'Nu niet.'

'Voorlopig bedankt.'

'Veel was het anders niet.'

Wallander hing op, haalde koffie en ging naar Björk. De deuren van de kamers van Martinson en Svedberg stonden open. Ze waren er niet. Hij ging zitten en dronk koffie, terwijl Björk aan de telefoon zat. Verstrooid luisterde hij naar Björk die hoe langer hoe verontwaardigder werd. Hij schrok op toen Björk met een klap de hoorn op de haak gooide.

'Het is godgeklaagd', zei Björk. 'Waar zijn we eigenlijk mee bezig?'

'Dat is een goede vraag,' zei Wallander, 'maar waar heb je het over?'

Björk keek naar hem.

'Ik weet niet of ik erover mag praten,' zei hij, 'maar ik moet. Een van de moordenaars in Lenarp, degene die we Lucia noemden, heeft onlangs een kort verlof gekregen. En hij is natuurlijk niet teruggekeerd. Waarschijnlijk is hij het land uit. Die knaap krijgen we nooit meer te pakken.'

Wallander geloofde zijn oren niet.

'Verlof? Hij heeft nog geen jaar gezeten! Voor een van de ernstigste geweldsdelicten die we ooit gehad hebben. Hoe kon hij dan verdomme verlof krijgen?'

'Om zijn moeder te begraven.'

Wallander was stomverbaasd.

'En zijn moeder is al tien jaar dood! Dat herinner ik me nog uit het rapport dat de Tsjechische politie ons gestuurd heeft.'

'Een vrouw die beweerde zijn zuster te zijn, meldde zich bij de Hallgevangenis. Met het dringende verzoek of hij de begrafenis mocht bijwonen. Niemand schijnt ook maar iets gecontroleerd te hebben. Ze had een gedrukte kaart bij zich waarop stond dat er in een kerk in Ängelholm een begrafenisdienst gehouden zou worden. Die kaart was natuurlijk nep. Nog steeds schijnen er in ons land mensen rond te lopen die zo naïef zijn dat ze geloven dat rouwkaarten niet vervalst worden. Hij kreeg bewaakt verlof. Dat was eergisteren. Maar er was uiteraard geen begrafenis, er was geen sprake van een dode moeder, geen sprake van een zuster. Ze hebben de bewaker overmand, hem geboeid en buiten Jönköping ergens in een bos neergegooid. En ze zijn zelfs zo brutaal geweest om met de gevangenisauto op de veerpont de Sont over te steken om naar het vliegveld van Kopenhagen te rijden. Daar hebben ze de auto achtergelaten. En zij zijn verdwenen.'

'Dat hou je toch niet voor mogelijk', zei Wallander. 'Wie geeft zo'n schurk nou verlof?'

'Zweden is een fantastisch land', zei Björk. 'Ik geloof dat ik moet overgeven.'

'Maar wie is hier verantwoordelijk voor? Ze zouden degenen die hem dat verlof gaven in die lege cel moeten stoppen. Hoe kan zoiets nou?'

'Ik zal erachteraan gaan', zei Björk. 'Maar zo liggen de zaken. Die vent is verdwenen.'

Wallander dacht terug aan de onbegrijpelijk brute, tweevoudige moord op het oude echtpaar in Lenarp. Toen keek hij gelaten naar Björk.

'Wat heeft het allemaal voor zin?' zei hij. 'Waarom moeten wij achter misdadigers aan als de gevangenisautoriteiten ze weer loslaten?'

Björk gaf geen antwoord. Wallander stond op en liep naar het raam.

'Hoelang houdt iemand dit nog vol?' vroeg hij.

'We hebben geen keus', zei Björk. 'En zou je me nou iets meer willen vertellen over die mannen in de rubberboot!'

Wallander bracht mondeling verslag uit. Hij voelde zich bezwaard en moe en teleurgesteld. Björk maakte intussen aantekeningen.

'Russen', zei hij toen Wallander zweeg.

'Of Oost-Europeanen. Mörth was heel zeker van zijn zaak.'

'Dan moet ik Buitenlandse Zaken bellen', zei Björk. 'Het is hun taak contact op te nemen met de Russische politie. Of met de Poolse. Die van de Oost-Europese landen.'

'Het kunnen Russen zijn die in Zweden wonen', zei Wallander. 'Of in Duitsland. Waarom niet in Denemarken?'

'De meeste Russen wonen nog altijd in de Sovjet-Unie', zei Björk. 'Ik neem meteen contact op met Buitenlandse Zaken. Daar weten ze hoe ze in zo'n geval moeten handelen.'

'We zouden de lijken weer in het vlot kunnen leggen en de kustwacht vragen het naar internationale wateren te slepen', zei Wallander. 'Dan zijn wij overal vanaf.'

Björk scheen hem niet te horen.

'We hebben hulp nodig om hun identiteit vast te stellen. Foto's, vingerafdrukken, kleding.'

'En een tatoeage. Een kromzwaard.'

'Een kromzwaard?'

'Ja. Een kromzwaard.'

Björk schudde zijn hoofd en greep naar de telefoon.

'Wacht nog even', zei Wallander.

Björk liet zijn hand vallen.

'Ik zat te denken aan die man die gebeld heeft', zei Wallander. 'Volgens Martinson was het iemand die Skåns sprak. We moeten proberen hem te pakken te krijgen.'

'Hebben we iets om vanuit te gaan?'

'Nee. Daarom zou ik voor willen stellen dat we een dringend beroep op de bevolking doen. We kunnen het algemeen houden. We kunnen naar personen vragen die een rood reddingsvlot hebben zien drijven en hun vragen zich te melden.'

Björk knikte.

'Ik moet toch met de pers praten. Die heeft al gebeld. Hoe ze er zo gauw achter komen wat er op een verlaten strand gebeurt, is mij een raadsel. Ze begonnen gisteren al na een halfuur te bellen.'

'Je weet dat er hier gelekt wordt', zei Wallander en hij moest opnieuw aan de dubbele moord in Lenarp denken.

'Waar hier?'

'Bij de politie. De politie van Ystad.'

'Wie lekt?'

'Hoe moet ik dat weten? Het is jouw verantwoordelijkheid om de mensen aan hun zwijgplicht te herinneren en ze erop te wijzen dat ze discreet moeten zijn.'

Björk sloeg woedend met zijn vlakke hand op zijn bureau, alsof hij een symbolische oorvijg uitdeelde, maar hij onthield zich van commentaar.

'We laten dat verzoek uitgaan', zei hij alleen. 'Om twaalf uur, in het programma *Dagens Eko*. En als ik de persconferentie geef, moet jij erbij zijn, maar nu moet ik eerst Stockholm bellen voor instructies.'

Wallander stond op.

'Het zou mooi zijn als we eronderuit konden komen', zei hij.

'Waar onderuit?'

'Onder het opsporen van degenen die die mannen doodgeschoten hebben.'

'Ik zal horen wat Stockholm te zeggen heeft', zei Björk hoofdschuddend.

Wallander ging de kamer uit. De deuren bij Martinson en Svedberg stonden nog open. Hij keek op zijn horloge. Bijna halftien. Hij ging naar de kelder van het politiebureau. Het rode reddingsvlot was op een paar houten schragen geplaatst. Met een sterke zaklantaarn inspecteerde hij het nauwkeurig, zonder de firmanaam of het land van fabricage te vinden. Dat verbaasde hem. Hij kon er geen zinnige verklaring voor bedenken. Hij liep nog een keer om de rubberboot heen. Zijn aandacht werd opeens getrokken door een eindje touw dat er anders uitzag dan de andere touwen, die de houten vlonder die als bodem dienstdeed op zijn plaats moesten houden. Hij bekeek het touw. Het was met een mes doorgesneden. Ook daar kon hij geen verklaring voor bedenken. Hij probeerde zich voor te stellen tot welke conclusies Rydberg gekomen zou zijn, maar zijn hoofd was helemaal leeg.

Om tien uur was hij weer op zijn kamer. Noch Martinson noch Svedberg reageerde toen hij hen belde. Hij trok een blocnote naar zich toe en begon een samenvatting te schrijven van het weinige wat hij van de twee dode mannen wist. Mensen uit Oost-Europa, van dichtbij door het hart geschoten, waarna iemand hun hun colbertjes moet hebben aangetrokken en de lichamen in een reddingsvlot heeft gedumpt, een vlot dat de politie tot nu toe niet heeft kunnen identificeren. En de mannen waren gemarteld. Hij schoof de blocnote een eindje weg. Er was hem plotseling iets door het hoofd geschoten. Gemartelde en vermoorde mensen. Die verberg je, daar graaf je een graf voor, of je laat ze met ijzeren gewichten aan hun benen naar de bodem van de zee zinken. Als je ze in een vlot dumpt, loop je een zeer groot risico dat ze gevonden worden.

Kon dat de bedoeling geweest zijn? Dat ze gevonden zouden worden? Duidt het reddingsvlot erop dat de moorden aan boord van een schip gepleegd zijn?

Hij verkreukelde het bovenste velletje van de blocnote en

gooide het in de prullenbak. Ik weet te weinig, dacht hij. Rydberg zou tegen me gezegd hebben dat ik niet zo ongeduldig moet zijn.

De telefoon ging. Het was inmiddels kwart voor elf geworden. Op het moment dat hij zijn vaders stem hoorde, wist hij dat hij helemaal vergeten was dat ze voor die dag afgesproken hadden. Hij had om tien uur in Löderup moeten zijn om zijn vader op te halen. Ze zouden naar een winkel in Malmö gaan om verf en doek te kopen.

'Waarom ben je niet gekomen?' vroeg zijn vader nijdig.

Kurt Wallander besloot precies te zeggen wat er aan de hand was.

'Ik moet mijn excuses aanbieden,' zei hij, 'ik heb er helemaal niet meer aan gedacht.'

Het bleef een hele tijd stil voordat zijn vader antwoordde.

'Dat is tenminste een eerlijk antwoord', zei hij ten slotte.

'Ik kan morgen komen', zei Wallander.

'Oké, dat is goed', zei zijn vader en hing op.

Wallander schreef een notitie en plakte die op de telefoon. Hij moest het morgen niet weer vergeten.

Hij belde Svedberg. Nog steeds geen antwoord. Martinson nam wel op, hij was juist zijn kamer binnengekomen. Wallander ging naar hem toe.

'Weet je wat ik vandaag geleerd heb?' vroeg Martinson. 'Dat het praktisch onmogelijk is een reddingsvlot te beschrijven. Alle merken en modellen zien er hetzelfde uit. Alleen experts zien het verschil. Ik ben daarom naar Malmö gegaan en heb bij diverse importeurs navraag gedaan.'

Ze waren naar de kantine gelopen om koffie te halen. Martinson nam ook nog wat biscuitjes mee en ze liepen door naar de kamer van Wallander.

'Dus nu weet je alles over reddingsvlotten', zei Wallander.

'Nee, wel het een en ander, maar ik weet niet waar dit vlot vandaan komt.'

'Het is vreemd dat er geen typeomschrijving op staat of het land waar het ding gefabriceerd is', zei Wallander. 'Reddingsuitrustingen zijn anders altijd uitgebreid voorzien van allerlei instructies.'

'Dat ben ik met je eens. Dat vonden de importeurs in Malmö ook. Maar er bestaat een oplossing voor ons probleem. De kustwacht. Een zekere kapitein Österdahl.'

'Wie is dat?'

'Een gepensioneerde kapitein die zijn leven lang gewerkt heeft op douaneschepen van de kustwacht. Vijftien jaar in Arkösund, tien jaar in de scheren van Gryt. Daarna in Simrishamn en daar is hij met pensioen gegaan. En al die jaren heeft hij een eigen register bijgehouden van scheepstypen. Ook van rubberboten en reddingsvlotten.'

'Van wie heb je dat?'

'Ik had geluk toen ik de kustwacht belde. Degene die ik aan de lijn had, had aan boord van een van de douaneschepen gevaren, waarop Österdahl kapitein was.

'Mooi zo', zei Wallander. 'Hij kan ons misschien helpen.'

'Als hij het niet kan, kan niemand het', antwoordde Martinson filosofisch. 'Hij woont in Sandhammaren. Ik was van plan hem op te halen om hem het vlot te laten zien. Is er verder nog wat gebeurd?'

Wallander vertelde wat Mörth ontdekt had. Martinson luisterde aandachtig.

'Dat betekent dat we misschien met de Russische politie moeten samenwerken', zei hij toen Wallander uitgesproken was. 'Spreek jij Russisch?'

'Geen woord. Maar het kan ook betekenen dat wij ons niet verder met deze zaak bezig hoeven te houden.'

'Hoop doet leven.'

Martinson werd plotseling ernstig.

Na een poosje zei hij: 'Ik voel dat soms inderdaad zo. Dat ik een bepaald onderzoek liever niet wil doen. Als het te akelig is. Te bloederig en onwezenlijk. Op de politieschool hebben ze ons nooit geleerd wat we moeten doen bij gemartelde lijken in rubberboten. Het is net alsof de misdaad met me aan de loop dreigt te gaan. En ik ben nog maar dertig.'

Kurt Wallander had de afgelopen jaren vaak hetzelfde gedacht. Het was moeilijker geworden om politieman te zijn. Ze leefden in een tijd die het soort criminaliteit voortbracht, waar ze geen ervaring mee hadden. Hij wist dat het een mythe was dat veel politiemensen het beroep om financiële redenen vaarwel zeiden. Om veiligheidsbeambte te worden of om voor particuliere firma's te gaan werken.

'Misschien moeten we Björk vragen om een voortgezette opleiding in het omgaan met gefolterde mensen', zei Martinson.

Wallander hoorde dat Martinson zijn opmerking niet cynisch bedoeld had. Hij hoorde er de onzekerheid in die hem zelf ook zo vaak parten speelde.

'Iedere generatie politiemensen schijnt hetzelfde te zeggen', zei hij. 'Wij zijn kennelijk geen uitzondering.'

'Ik kan me niet herinneren dat Rydberg zich ooit beklaagd heeft!'

'Rydberg was een uitzondering. Maar ik zou je nog één ding willen vragen voor je weggaat. Die man die belde? Was er geen enkele aanduiding dat hij een buitenlander kan zijn?'

'Nee, niets. Hij was een Skåning. Punt uit.'

'Verder nog iets in verband met dat telefoongesprek?'

'Nee.'

Martinson stond op.

'Ik ga nu naar Sandhammaren om die kapitein Österdahl te zoeken', zei hij.

'Het vlot ligt in de kelder', zei Wallander. 'Succes. Weet jij trouwens waar Svedberg uithangt?'

'Geen idee. Ik weet niet eens waar hij mee bezig is. Misschien met de Weerdienst.'

Kurt Wallander nam zijn auto naar het centrum om te lunchen. De onwezenlijke nacht dook weer op in zijn bewustzijn en hij nam genoegen met een salade.

Even voor de persconferentie zou beginnen was hij terug op het politiebureau. Hij had wat notities op een velletje papier gezet en liep ermee naar Björk.

'Ik haat persconferenties', zei Björk. 'Daarom zal ik ook nooit chef van de rijkspolitie worden.'

Samen gingen ze naar het vertrek waar ze de verslaggevers te woord zouden staan. Wallander herinnerde zich het gedrang toen ze vorig jaar aan de dubbele moord in Lenarp werkten. Nu zaten er maar drie personen in de kamer. Twee journalisten kende hij van eerdere gelegenheden. De ene, een vrouw, was van *Ystads Allehanda*. Ze schreef meestal eerlijke, heldere verslagen. De andere was een man van de plaatselijke redactie van *Arbetet*, die hij nog maar een paar keer eerder had ontmoet. En dan bevond zich nog een persoon in het vertrek. Iemand met gemillimeterd haar en een bril op. Wallander had hem nog nooit gezien.

'Waar is *Sydsvenkan*?' siste Björk in Wallanders oor. '*Skånska Dagbladet*? Het plaatselijke radiostation?'

'Geen idee', zei Wallander. 'Begin nu maar.'

Björk ging op het lage podium in de hoek van het vertrek staan. Hij sprak hakkelend en ongeëngageerd, en Wallander hoopte maar dat hij niet langer zou praten dan nodig was. Daarna was het zijn beurt.

'Er zijn twee dode mannen in een reddingsvlot aan land gedreven bij Mossby Strand', zei hij. 'We hebben de identiteit van de doden niet kunnen vaststellen. Voorzover ons bekend zijn er geen ongelukken op zee gebeurd die met dit vlot in verband gebracht kunnen worden. We hebben evenmin bericht ontvangen over mensen die op zee vermist worden. We hebben alle hulp van het publiek nodig, die we maar krijgen kunnen. En van u.'

Hij zei niets over de man die gebeld had. Hij sneed meteen het dringende verzoek om medewerking aan.

'We laten dus het verzoek uitgaan of iedereen die mogelijk iets gezien heeft zich met de politie in verbinding wil stellen. In verband met een drijvend rood reddingsvlot op zee. Of wat verder van belang kan zijn. Dat was het dan.'

Björk ging weer op de verhoging staan.

'Als u nog vragen mocht hebben', zei hij.

De vriendelijke dame van *Ystads Allehanda* vroeg of er niet bijzonder veel geweldsdelicten in het anders zo vreedzame Skåne plaatsvonden.

Kurt Wallander brieste in stilte om deze vraag. Vreedzaam,

dacht hij. Het is hier nooit bijzonder vreedzaam geweest.

Björk ontkende dat er sprake was van een opmerkelijke toename van het aantal aangemelde geweldsmisdrijven en de dame van *Ystads Allehanda* nam genoegen met dit antwoord. De plaatselijke correspondent van *Arbetet* had geen vragen. Björk wilde de persconferentie juist afsluiten, toen de jongeman met de bril zijn hand opstak.

'Ik heb een vraag', zei hij. 'Waarom hebt u niet gezegd dat de mannen in het vlot vermoord zijn?'

Wallander keek haastig naar Björk.

'Op dit moment zijn we er nog niet helemaal zeker van hoe de twee mannen zijn omgekomen', zei Björk.

'Dat klopt niet. Iedereen weet dat ze door het hart geschoten zijn.'

'Volgende vraag', zei Björk en Wallander zag dat hij begon te zweten.

'Volgende vraag', zei de verslaggever geïrriteerd. 'Waarom zou ik een nieuwe vraag stellen als ik nog geen antwoord heb gekregen op mijn eerste?'

'U hebt het antwoord gekregen dat ik op dit moment kan geven', zei Björk.

'Dit is al te gek,' zei de verslaggever, 'maar ik heb nog een vraag. Waarom zegt u niet dat het vermoeden bestaat dat het hier om twee vermoorde Russen gaat? Waarom belegt u een persconferentie als u óf niet antwoordt op vragen óf niet vertelt wat er aan de hand is?'

Een lek, dacht Wallander. Hoe weet hij dit in godsnaam allemaal? Maar tegelijkertijd begreep hij niet waarom Björk de waarheid niet vertelde. Zei dat de verslaggever gelijk had. Waarom de feiten, die zo klaar als een klontje waren, niet naar buiten gebracht?

'Zoals hoofdinspecteur Wallander zojuist gezegd heeft, hebben wij de twee mannen nog niet kunnen identificeren', zei Björk. 'Daarom wenden wij ons ook tot het publiek. We hopen natuurlijk dat de pers hier bekendheid aan geeft, zodat het publiek weet dat we graag inlichtingen willen hebben.'

De jonge verslaggever stopte demonstratief zijn aantekenboekje in de zak van zijn jack.

'Dank u wel voor uw komst', zei Björk.

Bij de uitgang hield Kurt Wallander de dame van *Ystads Allehanda* staande.

'Wie is die journalist?' vroeg hij.

'Ik weet het niet. Ik heb hem nog nooit gezien. Klopt het wat hij zei?'

Wallander gaf geen antwoord. En de dame van *Ystads Allehanda* was te beleefd om aan te dringen.

'Waarom heb je niet gezegd hoe het ervoor staat?' vroeg Wallander toen hij Björk in de gang ingehaald had.

'Die verdomde journalisten', foeterde Björk. 'Hoe weet hij dat allemaal? Wie lekt er hier?'

'Dat kan iedereen zijn. Zelfs ik', zei Wallander.

Björk bleef abrupt staan en keek naar hem, maar hij gaf geen commentaar op wat Wallander gezegd had. Hij kwam wel met nieuwe informatie.

'BZ heeft gevraagd of we ons terughoudend willen opstellen', zei hij.

'Waarom?' vroeg Wallander.

'Dat moet je BZ vragen', zei Björk. 'Ik hoop dat ik vanmiddag nadere instructies krijg.'

Wallander ging naar zijn kamer. Plotseling zat de hele zaak hem tot hier. Hij ging in zijn stoel zitten en deed een bureaula van het slot. Er lag een fotokopie in van een advertentie voor een vacature. Trelleborgs Gummifabrik zocht een nieuw hoofd beveiliging. Onder de kopie lag de sollicitatiebrief die Wallander een paar weken geleden geschreven had. Hij had er genoeg van om nog langer deel uit te maken van de politie als politiewerk een soort spel werd waarbij informatie om onduidelijke redenen gelekt of achtergehouden werd. Voor hem was politiewerk een ernstige aangelegenheid. Dode mannen in reddingsvlotten eisten zijn hele inzet. Hij kon zich geen bestaan voorstellen waarin het politiewerk niet volgens rationele en morele principes verricht werd, principes waaraan nooit getwijfeld werd. Hij werd in zijn gedachtegang onderbroken, doordat Svedberg de deur met zijn voet openduwde en de kamer binnenkwam.

'Waar heb jij verdomme gezeten?' vroeg Wallander.

Svedberg keek hem verbaasd aan.

'Ik heb een briefje op je bureau gelegd', zei hij. 'Heb je dat niet gezien?'

Het was op de grond gevallen. Wallander raapte het op en las dat Svedberg bereikbaar was bij de meteorologen op Sturup.

'Ik wilde de officiële weg overslaan', zei Svedberg. 'Ik ken een van de jongens op het vliegveld. We kijken samen vogels op Falsterbonäset. Hij heeft me geholpen met het berekenen waar het vlot vandaan gekomen kan zijn.'

'Zou de Weerdienst dat dan niet doen?'

'Ik meende dat het zo sneller zou gaan.'

Svedberg haalde enkele opgerolde velletjes papier uit zijn zak. Spreidde die uit op het bureau. Wallander zag een aantal diagrammen en veel kolommen met cijfertjes.

'We hebben een berekening gemaakt met als uitgangspunt dat het vlot vijf dagen heeft liggen drijven', zei Svedberg. 'Omdat de windrichtingen de laatste weken constant zijn geweest, hebben we wel een conclusie kunnen trekken, maar dat is er een die ons nauwelijks iets wijzer maakt.'

'En dat betekent?'

'Dat het vlot waarschijnlijk lange tijd rondgedreven heeft.'

'En dat betekent?'

'Dat het van ver uiteengelegen landen als Estland of Denemarken weggedreven kan zijn.'

Wallander keek Svedberg achterdochtig aan.

'Is die mogelijkheid werkelijk aannemelijk?'

'Ja. Vraag maar aan Janne.'

'Goed', zei Wallander. 'Ga het maar aan Björk vertellen. Dan geeft hij het door aan BZ en komen we misschien onder deze zaak uit.'

'Hoezo?'

Wallander vertelde wat er die dag gebeurd was. Hij zag dat Svedberg terneergeslagen was.

'Ik geef niet graag dingen op waar ik aan begonnen ben', zei Svedberg.

'Het is ook nog helemaal niet zeker. Ik vertel alleen wat er zoal aan de hand is.'

Svedberg ging naar Björk en Wallander zat opnieuw zijn sollicitatie bij Trelleborgs Gummifabrik te bestuderen. Al die tijd deinde het vlot met de vermoorde mannen in zijn achterhoofd mee.

Om vier uur ontving hij Mörths rapport over de lijkschouwing. Voordat de resultaten van de laboratoriumproeven bekend waren, kon Mörth alleen maar een voorlopig verslag geven.

De mannen waren vermoedelijk een week geleden gestorven. Waarschijnlijk waren ze ook even lang blootgesteld geweest aan zeewater. De ene man was ongeveer achtentwintig jaar oud, de andere een paar jaar ouder. Beiden waren kerngezond geweest. Ze waren vreselijk gemarteld en hun gebit was door Oost-Europese tandartsen behandeld.

Wallander schoof het verslag terzijde en keek door het raam naar buiten. Het was al donker en hij had honger.

Via de intercom deelde Björk mee dat BZ morgenochtend met nadere instructies zou komen.

'Dan ga ik nu naar huis', zei Wallander.

'Doe dat', zei Björk. 'Wie zou die ene verslaggever toch geweest zijn?'

Daar kwamen ze de volgende dag achter. Op de aanplakbiljetten van *Expressen* werd melding gemaakt van de spectaculaire vondst van twee lijken op de kust van Skåne. Op de voorpagina van de krant stond te lezen dat de vermoorde mannen vermoedelijk Russen waren. BZ was ingeschakeld. De politie in Ystad had de strikte opdracht gekregen zo min mogelijk opening van zaken te geven. De krant eiste juist wel opening van zaken.

Maar het was al drie uur voordat Wallander de aanplakbiljetten onder ogen kreeg.

Toen waren er allerlei andere dingen gebeurd.

4

Toen Kurt Wallander de volgende dag even na acht uur op het politiebureau kwam gebeurden er heel veel dingen tegelijk. Het vroor niet meer en er viel een kalm motregentje over de stad. Kurt Wallander had goed geslapen en de problemen van de vorige nacht waren niet opnieuw opgedoken. Hij voelde zich uitgerust. Het enige waar hij zich zorgen over maakte was het humeur van zijn vader, als ze later op de dag naar Malmö zouden gaan.

Martinson kwam hem op de gang tegemoet. Kurt Wallander zag meteen dat hij iets belangrijks te vertellen had. Als Martinson te rusteloos was om in zijn kamer te blijven, wist iedereen dat er wat aan de hand was.

'Kapitein Österdahl heeft het raadsel van het reddingsvlot opgelost!' riep hij. 'Heb je even tijd?'

'Ik heb altijd tijd', antwoordde Wallander. 'Kom mee naar mijn kamer. En kijk even of Svedberg ook kan komen.'

Een paar minuten later waren ze bijeen.

'Eigenlijk zouden mensen als kapitein Österdahl geregistreerd moeten staan', begon Martinson. 'De politie zou een landelijke afdeling op moeten richten die alleen tot taak heeft samen te werken met mensen die over een bijzondere kennis beschikken.'

Wallander knikte. Hij had vaak hetzelfde gedacht. Overal in het land waren mensen die een uitgebreide kennis bezaten op de vreemdste gebieden. Een zeer bekend geval was dat van de oude houthakker in Härjedalen, die een paar jaar geleden een Aziatische bierflesdop had kunnen identificeren waarmee noch de politie noch de mensen van Vin & Sprit raad hadden geweten. Door de bijdrage van de houthakker had een moordenaar die anders waarschijnlijk de dans was ontsprongen zijn gerechte straf niet ontlopen.

'Liever zulke mensen als kapitein Österdahl dan al die adviseurs die maar druk lopen doen en tegen duizelingwekkende honoraria hun voor de hand liggende wijsheden debiteren', vervolgde Martinson. 'Kapitein Österdahl was alleen maar blij dat hij kon helpen.'

'En dat kon hij dus?'

Martinson haalde zijn aantekenboekje uit zijn zak en gooide het op het bureau. Het was alsof hij een konijn uit een onzichtbare hoed had getoverd. Wallander begon zich te ergeren. Martinson kon soms vermoeiend worden met zijn theatrale gebaren. Maar misschien is dat de manier waarop een toekomstige plaatselijke politicus van de liberale partij zich gedraagt, dacht hij.

'We luisteren gespannen', zei Wallander na een ogenblik stilte.

'Toen jullie gisteravond naar huis waren gegaan, hebben kapitein Österdahl en ik een paar uur doorgebracht in de kelder met het reddingsvlot', zei Martinson. 'Eerder kon niet omdat hij iedere middag bridge speelt. Hij weigerde categorisch van die gewoonte af te stappen. Kapitein Österdahl is een gedecideerde oude heer. Ik zou willen dat ik zelf zo word als ik zo oud ben.'

'Ga door', drong Wallander aan. Hij wist alles af van gedecideerde, oude heren. Hij moest immers voortdurend aan zijn eigen vader denken.

'Hij kroop als een hond om het vlot heen', vervolgde Martinson. 'Hij rook er zelfs aan. Daarna zei hij dat het minstens twintig jaar oud was en uit Joegoslavië afkomstig was.'

'Hoe wist hij dat?'

'De manier van fabricage. De samenstelling van het gebruikte materiaal. Toen hij eenmaal tot die conclusie was gekomen, aarzelde hij geen moment meer. Ik heb al zijn argumenten hier in mijn aantekenboekje staan. Ik heb grote bewondering voor mensen die weten waar ze het over hebben.'

'Waarom staat er nergens een merk dat aangeeft dat de boot uit Joegoslavië komt?'

'Geen boot', zei Martinson. 'Dat was het eerste wat kapitein Österdahl me geleerd heeft. Het heet vlot, niets anders. En hij kwam met een uitstekende verklaring waarom nergens is vermeld dat het in Joegoslavië is gefabriceerd. De Joegoslaven sturen hun vlotten vaak naar Griekenland of Italië. Daar voorzien firma's ze van een valse naam. Denk maar aan al die horloges met Europese merknamen, die uit Azië komen.'

'Wat heeft hij nog meer gezegd?'

'Heel veel. Ik denk dat ik de geschiedenis van het reddingsvlot vanbuiten ken. Al in de oudheid had je verschillende typen reddingsvlotten. De eerste typen schijnen van riet gemaakt te zijn. Dit type hier komt het meest voor op kleinere Oost-Europese of Russische vrachtschepen. Scandinavische schepen voeren ze niet. Ze worden niet door onze scheepvaartinspectie goedgekeurd.'

'Waarom niet?'

'Slechte kwaliteit. Ze kunnen kapotgaan. De samenstelling van het rubber is heel vaak onder de maat.'

Wallander dacht na.

'Als de analyse van kapitein Österdahl juist is, is dit dus een reddingsvlot dat regelrecht uit Joegoslavië afkomstig is en niet eerst een merknaam in bijvoorbeeld Italië gekregen heeft. Met andere woorden, er is sprake van een Joegoslavisch vaartuig.'

'Niet noodzakelijk', antwoordde Martinson. 'Een deel van de vlotten gaat regelrecht van Joegoslavië naar Rusland. Waarschijnlijk als onderdeel van de onvrijwillige ruilhandel tussen Moskou en de satellietstaten van de Sovjet-Unie. Hij beweerde overigens dat hij een keer exact zo'n vlot had gezien op een Russische vissersboot die bij Häradskär opgebracht werd.'

'Maar we kunnen ons dus redelijkerwijs concentreren op een Oost-Europees schip?'

'Dat was de boodschap van kapitein Österdahl.'

'Mooi', zei Wallander. 'Dat weten we dan.'

'Maar dat is dan ook in grote lijnen alles', luidde het commentaar van Svedberg.

'Als de man die ons gebeld heeft niets van zich laat horen, weten we veel te weinig', zei Wallander. 'Maar nóg heeft het er alle schijn van dat de mannen hierheen gedreven zijn van de andere kant van de Oostzee. En dat het geen Zweden zijn.'

Hij werd onderbroken doordat er op de deur geklopt werd. Iemand gaf hem een envelop waarin het aanvullende verslag van de lijkschouwing bleek te zitten. Wallander vroeg Svedberg en

Martinson te blijven, terwijl hij zijn blik over de papieren liet glijden. Bijna meteen schrok hij op.

'Hier hebben we iets', zei hij. 'Mörth heeft iets interessants in hun bloed gevonden.'

'Aids', zei Svedberg vragend.

'Nee, narcotica. Duidelijk afleesbare doses amfetamine.'

'Russische verslaafden', zei Martinson. 'Gemartelde en vermoorde Russische drugsverslaafden. In kostuum en stropdas. Ronddrijvend in een Joegoslavisch reddingsvlot. Dat is andere koek dan clandestiene stokers van sterkedrank of miezerige plegers van geweld in openbare ruimtes.'

'We weten niet of het Russen zijn', wierp Wallander tegen. 'In feite weten we helemaal niks.'

Hij drukte het nummer van Björks intercom in.

'Björk hier.'

'Met Wallander. Ik zit hier met Svedberg en Martinson. We vragen ons af of je nog instructies van BZ ontvangen hebt?'

'Nog niet. Maar ze zullen zo wel iets van zich laten horen.'

'Ik ga een paar uur naar Malmö.'

'Doe dat. Ik laat het je weten als BZ gebeld heeft. Ben je nog lastiggevallen door journalisten?'

'Nee.'

'Ik werd vanochtend om vijf uur gewekt door *Expressen.* Daarna is de telefoon aan één stuk door overgegaan. Ik moet eerlijk bekennen dat ik me een beetje zorgen begin te maken.'

'Trek je er niks van aan. Ze schrijven toch wat ze willen.'

'Maar daar maak ik me nou juist ongerust over. Als er in de kranten gespeculeerd wordt, hindert dat het onderzoek.'

'Als we geluk hebben meldt zich daardoor iemand die iets weet of gezien heeft.'

'Daar twijfel ik sterk aan. En ik hou er niet van om 's ochtends om vijf uur wakker gemaakt te worden. Wie weet wat een mens zegt als hij slaapdronken is?'

Wallander verbrak het contact.

'We kunnen gerust zijn', zei hij. 'Jullie moeten voorlopig je gezonde verstand gebruiken. Ik ga naar Malmö, dat had ik al eerder moeten doen. Zullen we afspreken dat we elkaar hier na de lunch weer ontmoeten?'

Svedberg en Martinson gingen weg. Wallander voelde zich vagelijk onbehaaglijk, omdat hij de schijn gewekt had om beroepsredenen naar Malmö te moeten. Hij wist dat iedere politieman, net als de meeste andere mensen die ertoe in de gelegenheid zijn, een deel van hun arbeidstijd gebruiken voor privé-boodschappen, maar het stuitte hem toch tegen de borst.

Ik ben ouderwets, dacht hij. Al ben ik nog maar even over de veertig.

Hij zei tegen de telefooncentrale dat hij na de lunch terug zou zijn. Daarna reed hij Österleden af, vervolgde zijn weg door Sandskogen en sloeg af naar Kåseberga. Het had opgehouden te motregenen. Maar nu was het gaan waaien.

Hij reed Kåseberga in en tankte. Omdat hij vroeg was, reed hij naar de haven. Hij zette zijn auto neer en stelde zich bloot aan weer en wind. Er was geen mens bij de haven te bekennen. De kiosk en de visrokerijen waren dichtgespijkerd.

We leven in een vreemde tijd, dacht hij. Bepaalde delen van ons land zijn alleen in de zomermaanden open. Hele gemeenten hangen borden op dat ze gesloten zijn.

Hoewel hij het koud had, liep hij de stenen pier op. De zee lag er verlaten bij. Nergens zag hij een schip. Hij moest aan de dode mannen in het rode reddingsvlot denken. Wie waren ze? Wat was er gebeurd? Waarom waren ze gemarteld en vermoord? Wie had hen hun colbertje aangetrokken?

Hij keek op zijn horloge, liep terug naar zijn auto en reed regelrecht naar het huis van zijn vader, dat even ten zuiden van Löderup, van God en alleman verlaten, in de laagvlakte lag.

Zoals gewoonlijk stond zijn vader in de oude stal te schilderen. Kurt Wallander stapte de van terpentine en olieverf verzadigde lucht in. Het was alsof hij weer regelrecht zijn jeugd binnenstapte. De merkwaardige lucht die constant om zijn vader hing als die aan zijn schildersezel stond, maakte deel uit van zijn allervroegste herinneringen. Ook het motief op het doek was in al die jaren niet veranderd. Nog immer schilderde zijn vader hetzelfde schilderij, een landschap bij zonsondergang. Zo nu en dan, op verzoek van mensen die een doek bestelden, voegde hij er links op de voorgrond een auerhaan aan toe.

De vader van Kurt Wallander was een schilder van het zigeunerinnen-genre. Hij beheerste zijn werk zo tot in de puntjes dat hij nooit van onderwerp veranderde. Pas toen hij volwassen was, had Kurt Wallander ingezien dat dit geen kwestie van luiheid of onvermogen was.

Eerder was het zo dat zijn vader aan deze bestendigheid de zekerheid ontleende, die hij kennelijk nodig had om zich in het leven te handhaven.

Zijn vader legde zijn kwast neer en veegde zijn handen aan een vuile handdoek af. Hij was zoals gebruikelijk gekleed in een overall en droeg afgeknipte rubberlaarzen.

'Ik ben klaar', zei hij.

'Moet u niet wat anders aantrekken?' stelde Wallander voor.

Zijn vader keek hem niet-begrijpend aan.

'Waarom zou ik? Moet je tegenwoordig een net pak aan om naar een schilderswinkel te gaan?'

Wallander zag het zinloze van een discussie in. Zijn vader was behept met een grenzeloze koppigheid. Bovendien was het risico dat zijn vader kwaad zou worden niet ondenkbeeldig en dan zou het ritje naar Malmö op een regelrechte ramp uitlopen.

'U moet doen wat u wilt', zei hij alleen maar.

'Ja', zei zijn vader. 'Ik doe wat ik wil.'

Ze reden naar Malmö. Zijn vader keek door het raampje naar het landschap waar ze doorheen reden.

'Het is lelijk', zei hij.

'Waar hebt u het over?'

'Ik bedoel dat Skåne 's winters lelijk is. Grijze klei, grijze bomen, grijze hemel. En de mensen zijn het grijst van alles.'

'Daar hebt u misschien wel gelijk in.'

'Natuurlijk heb ik gelijk. Daar valt niet over te twisten. In de winter is Skåne lelijk.'

De schilderswinkel lag in het centrum van Malmö. Kurt Wallander had het geluk een parkeerplaatsje vlak voor het pand te vinden. Zijn vader wist precies wat hij wilde hebben. Doeken, verf, kwasten, een paar paletmessen. Toen hij moest betalen, haalde hij een bundeltje gekreukelde bankbiljetten uit zijn zak. Kurt Wallander hield zich de hele tijd op de achtergrond. Hij mocht niet eens helpen de inkopen naar de auto te dragen.

'Ik ben klaar', zei zijn vader. 'Nu kunnen we terug.'

In een opwelling stelde Kurt Wallander voor om onderweg wat te gaan eten. Tot zijn verbazing vond zijn vader het een goed idee. Ze stopten bij het motel in Svedala en gingen naar binnen.

'Zeg de kelner dat we een goede tafel willen hebben', zei zijn vader.

'Het is hier zelfbediening', antwoordde Kurt Wallander. 'Ze hebben hier geen kelners.'

'Dan gaan we ergens anders naartoe', zei zijn vader kortaf.

'Als we uit eten gaan, wil ik bediend worden.'

Kurt Wallander keek mismoedig naar zijn vaders vuile overall. Toen herinnerde hij zich dat er in Skurup een pizzeria was, die zijn beste tijd gehad had. Daar zou vast geen mens reageren op hoe zijn vader eruitzag. Ze reden naar Skurup en zetten de auto neer voor de pizzeria. Allebei namen ze het menu van de dag: gestoofde kabeljauw. Kurt Wallander zat tussen de happen door naar zijn vader te kijken en bedacht dat hij hem nooit zou leren kennen voordat het te laat was. Vroeger had hij gevonden dat hij op geen enkele manier op hem leek, maar de laatste jaren was hij daar steeds meer aan gaan twijfelen. Zijn vrouw Mona, die hem vorig jaar verlaten had, had hem vaak van dezelfde veeleisende koppigheid beschuldigd, van hetzelfde pedante egocentrisme. Misschien wilde ik niet inzien dat ik op hem lijk. Misschien ben ik bang dat ik net zo word als hij. Een koppige man, die alleen ziet wat hij wil zien? Maar tegelijkertijd wist hij wel dat koppigheid een pre voor een politieman was. Zonder een zekere mate van koppigheid, die door sommige buitenstaanders ongetwijfeld als abnormaal werd beschouwd, zou heel wat rechercheonderzoek waar hij verantwoordelijk voor was geweest, stukgelopen zijn. Koppigheid kon je nauwelijks een beroepsdeformatie noemen, integendeel, het was een cruciale voorwaarde voor dit beroep.

'Waarom zeg je niets?' onderbrak zijn vader Wallanders gedachtegang chagrijnig.

'Sorry. Ik zat te denken.'

'Ik wil niet met je uit eten als je niets zegt.'

'Wat moet ik dan zeggen?'

'Je kunt bijvoorbeeld vertellen hoe het met je gaat. Hoe het met je dochter gaat. Je kunt me vertellen of je een andere vrouw gevonden hebt.'

'Een vrouw?'

'Of loop je soms nog steeds over Mona te treuren?'

'Ik treur niet, maar dat wil nog niet zeggen dat ik een andere vrouw heb gevonden, zoals u dat uitdrukt.'

'Waarom niet?'

'Zo gemakkelijk gaat het niet om een andere vrouw te vinden.'

'Wat doe je dan?'

'Wat bedoelt u?'

'Is dat zo moeilijk te begrijpen? Ik vraag je alleen wat je doet om een andere vrouw te vinden!'

'Ik ga niet dansen, als u dat soms bedoelt.'

'Ik bedoel niets. Ik vraag me alleen maar iets af. Ik vind dat je met het jaar vreemder wordt.'

Kurt Wallander legde zijn vork neer.

'Vreemder?'

'Je had naar me moeten luisteren. Je had nooit bij de politie moeten gaan.'

We zijn dus weer terug bij af, dacht Kurt Wallander. Er is niets veranderd…

De lucht van terpentine. Een koude, ijzige voorjaarsdag in 1967. Ze wonen nog in de oude, verbouwde smederij buiten Limhamn. Maar binnenkort zal hij er weggaan. Omdat hij op de brief heeft gewacht, is hij naar de brievenbus gehold toen hij de auto van de postbode zag. Heeft de envelop opengescheurd en gelezen waarop hij gewacht heeft. Hij mag naar de politieschool, in de herfst. Hij rent terug, rukt de deur van het smalle vertrek waar zijn vader aan zijn landschap staat te schilderen, open. 'Ik ben aangenomen op de politieschool!' roept hij. Maar zijn vader feliciteert hem niet. Hij legt niet eens zijn kwast neer, hij schildert gewoon verder. Nog altijd herinnert hij zich dat zijn vader toen aan de wolken bezig was, die door de ondergaande zon rood gekleurd worden. En hij had begrepen dat hij een teleurstelling was. De zoon die bij de politie zou gaan.

De kelner kwam de borden weghalen. Meteen daarop kwam hij aanlopen met twee koppen koffie.

'Eén ding heb ik nooit begrepen', zei Kurt Wallander. 'Waarom u niet wilde dat ik bij de politie zou gaan.'

'Je hebt je eigen zin gevolgd.'

'Dat is geen antwoord op mijn vraag.'

'Ik had nooit gedacht dat mijn zoon thuis zou komen en aan tafel zou gaan zitten terwijl de lijkenwormen uit zijn overhemdsmouwen kropen.'

Kurt Wallander schrok van dit antwoord.

'Wat bedoelt u?' vroeg hij.

Maar zijn vader gaf geen antwoord. Hij dronk zijn kop lauwe koffie leeg.

'Ik ben klaar', zei hij. 'We kunnen gaan.'

Kurt Wallander vroeg om de rekening en betaalde.

Ik zal nooit een antwoord krijgen, dacht hij. Ik zal nooit weten waarom hij het zo erg vond dat ik politieman ben geworden.

Ze reden naar Löderup terug. De wind was in kracht toegenomen. Zijn vader droeg de doeken en de verf het atelier in.

'Wordt er binnenkort nog gekaart?' vroeg hij.

'Ik kom over een paar dagen', antwoordde Kurt Wallander.

Daarna reed hij terug naar Ystad. Hij kwam er niet achter of hij kwaad of geïrriteerd was. *Lijkenwormen uit zijn overhemdsmouwen.* Wat had hij bedoeld?

Het was kwart voor een toen hij zijn auto parkeerde en naar zijn kamer liep. Tegen die tijd had hij besloten de volgende keer dat ze elkaar zagen, een behoorlijk antwoord van zijn vader te eisen.

Hij drong zijn gedachten eraan weg en dwong zich weer politieman te zijn. Het eerste wat hij moest doen, was contact opnemen met Björk, maar voordat hij op de intercom had kunnen drukken ging de telefoon. Hij nam op.

'Wallander.'

Het kraakte en knisperde in de hoorn. Hij herhaalde zijn naam.

'Bent u degene die zich bezighoudt met het reddingsvlot?'

Wallander kende de stem niet. De man sprak snel en geforceerd.

'Met wie spreek ik?'

'Dat doet er niet toe. Het gaat over het reddingsvlot.'

Wallander ging rechtop zitten en trok een velletje papier en een pen naar zich toe.

'Hebt u onlangs gebeld?'

'Gebeld?'

De man klonk oprecht verbaasd.

'Ik heb niet gebeld.'

'Dan bent u het dus niet geweest, die gebeld heeft en vertelde dat er een reddingsvlot ergens in de buurt van Ystad aan land zou drijven?'

Het bleef lang stil aan de lijn. Wallander wachtte.

'Dan heb ik verder niks meer te zeggen', zei de man ten slotte.

Het gesprek werd verbroken.

Wallander schreef haastig op wat er gezegd was. Hij zag onmiddellijk in dat hij een fout gemaakt had. De man had gebeld, omdat hij het over de dode mannen in het reddingsvlot had willen hebben. Toen hij hoorde dat er al gebeld was, was hij verbaasd geweest of misschien bang geworden en had haastig besloten een einde aan het gesprek te maken.

Voor Wallander was de conclusie eenvoudig.

Degene die nu gebeld had, was niet dezelfde als de man met wie Martinson gesproken had.

Met andere woorden: meer dan één persoon beschikte over informatie. Ook daarvoor meende hij een verklaring te hebben. Het antwoord had hij gekregen door het gesprek met Martinson. Degenen die iets gezien hadden, moesten zich aan boord van een schip bevonden hebben. Ze hadden deel uitgemaakt van een bemanning, omdat er 's winters niemand in zijn eentje in een boot de zee opgaat. Maar wat voor boot? Het kon een veerboot zijn of een vissersboot. Een vrachtschip of een van de olietankers die voortdurend de Oostzee over varen.

Martinson deed de deur op een kier open.

'Is het al zo laat?' vroeg hij.

Wallander besloot om voorlopig niets te zeggen over het telefoontje dat hij gehad had. Er was in hem een vage behoefte om zijn medewerkers een goed doordacht overzicht voor te leggen.

'Ik heb Björk nog niet gesproken', zei hij alleen maar. 'We zien elkaar over een halfuur.'

Martinson verdween en Wallander drukte het intercomnummer van Björk in.

'Björk.'

'Wallander. Hoe is het gegaan?'

'Kom even hier, dan zal ik het je vertellen.'

Wat Björk te vertellen had, verbaasde Wallander.

'We krijgen bezoek', zei Björk. 'BZ stuurt een ambtenaar om ons bij het onderzoek behulpzaam te zijn.'

'Een ambtenaar van Buitenlandse Zaken? Wat weet die nou af van moordonderzoek?'

'Ik heb geen flauw idee. Maar hij komt vanmiddag al. En jij moet hem afhalen. Zijn vliegtuig arriveert om 17.20 op Sturup.'

'Godallemachtig', zei Wallander. 'Komt hij om te helpen of om een oogje in het zeil te houden?'

'Ik weet het niet', zei Björk. 'En dit is nog maar het begin. Raad eens wie er gebeld heeft?'

'De chef van de rijkspolitie.'

Björk schrok.

'Hoe weet jij dat?'

'Ik moest toch raden. Wat wilde hij?'

'Hij wil doorlopend geïnformeerd worden. Bovendien wil hij een paar mannetjes sturen. Een van Ernstige Delicten en een van Narcotica.'

'Moeten die ook van het vliegveld gehaald worden?'

'Nee. Die redden zichzelf wel.'

Wallander dacht na.

'Ik vind het een vreemde zaak', zei hij ten slotte. 'Vooral die ambtenaar van BZ. Waarom komt die hier? Is er dan contact geweest met de politie in de Sovjet-Unie? En de landen van het Oostblok?'

'Alles volgens het boekje. Dat was wat BZ tegen me zei. Maar wat dat precies inhoudt, weet ik niet.'

'Hoe kan dat? Dat jij niet behoorlijk geïnformeerd wordt?'

Björk sloeg zijn armen uit.

'Ik ben lang genoeg hoofdcommissaris om te weten hoe het er in dit land aan toegaat. Soms word ik buitengesloten. Een andere keer wordt de minister van Justitie om de tuin geleid, maar meestal is het het Zweedse volk dat maar een fractie mag weten van wat er werkelijk speelt.'

Wallander begreep heel goed wat Björk bedoelde. De vele gerechtelijke schandalen van de laatste jaren hadden het onzichtbare tunnelsysteem in de kelders van verschillende regeringsinstellingen definitief blootgelegd. Tunnels die diverse ministeries en instituten met elkaar verbonden. Wat vroeger vermoedens waren geweest of wat was afgedaan als sektarische waanideeën, was nu bevestigd. Een groot deel van de feitelijke machtsuitoefening geschiedde in schaars verlichte, geheime gangen; onttrokken aan elke controle, hét fundamentele kenmerk van de rechtsstaat.

Er werd op de deur geklopt. Björk riep: 'Binnen.' Het was Svedberg. Hij had een avondblad bij zich.

'Ik dacht dat jullie dit wel zouden willen zien.'

Wallander schrok toen hij de voorpagina van de krant zag. In vette oorlogskoppen berichtte de krant dat er een sensationele lijkenvondst op de kust van Skåne was gedaan. Björk sprong op uit zijn stoel en griste de krant naar zich toe. Ze lazen over elkaars schouder. Op een wazige foto zag Wallander zijn eigen gespannen gezicht. Die moest genomen zijn tijdens het onderzoek naar de Lenarp-moorden, schoot het door hem heen.

Het onderzoek wordt geleid door hoofdinspecteur Knut Wallman van de recherche.

Het onderschrift gaf hem een verkeerde naam. Björk gooide de krant van zich af. Hij had een rode vlek op zijn voorhoofd, de voorbode van een woede-uitbarsting. Svedberg trok zich discreet terug in de richting van de deur.

'Alles staat erin', zei Björk. 'Precies alsof het door jou geschreven is, Wallander, of door jou, Svedberg. De krant weet dat BZ ingeschakeld is, dat de chef van de rijkspolitie het onderzoek op de voet volgt. Ze weten zelfs dat het reddingsvlot uit Joegoslavië afkomstig is. Dat is meer dan ik weet. Klopt dat?'

'Dat klopt', zei Wallander. 'Dat heeft Martinson vanochtend verteld.'

'Vanochtend? Maar godallemachtig! Wanneer wordt deze rotkrant dan gedrukt?'

Björk ijsbeerde door de kamer. Wallander en Svedberg keken elkaar aan. Als Björk zijn humeur verloor, kon hij zich in eindeloze uiteenzettingen verliezen.

Björk rukte de krant weer naar zich toe en las hardop: '"Doodspatrouilles uit de Sovjet-Unie. Het nieuwe Europa heeft Zweden opengelegd voor een criminaliteit met politieke achtergronden." Wat willen ze hiermee zeggen? Kan een van jullie me dat uitleggen? Wallander?'

'Ik heb geen flauw idee. Volgens mij kun je maar beter geen aandacht schenken aan wat er in de kranten staat.'

'Hoe stel je je dat voor? We zullen nu wel belegerd worden door de massamedia.'

Alsof hij een profetie gedaan had, rinkelde op dat moment de telefoon. Een journalist van *Dagens Nyheter* vroeg om commentaar. Björk legde zijn hand op de hoorn.

'We moeten weer een persconferentie geven', zei hij. 'Of moeten we een persbericht uitzenden? Wat is het beste? Wat vinden jullie?'

'Alletwee', stelde Wallander voor. 'Maar wacht met die persconferentie tot morgen. De man van BZ heeft misschien bepaalde opvattingen.'

Björk sprak met de journalist en beëindigde het gesprek zonder op vragen in te gaan. Svedberg verliet de kamer. Björk en Wallander bespraken de inhoud van een kort persbericht. Toen Wallander opstond om weg te gaan, vroeg Björk hem nog even te blijven.

‘We moeten iets aan dat lekken doen’, zei Björk. ‘Ik ben kennelijk veel te naïef geweest. Ik herinner me dat je er vorig jaar al over geklaagd hebt, toen je aan die Lenarp-moorden werkte. Ik ben bang dat ik dat toen als overdreven heb afgedaan. De kwestie is nu: wat moet ik doen?’

‘Ik vraag me af of er wel wat aan te doen is’, wierp Wallander tegen. ‘Dat heb ik vorig jaar wel geleerd. Ik denk dat het iets is waarmee we moeten leren leven.’

‘Kon ik maar met pensioen’, zei Björk na een tijdje peinzend gezwegen te hebben. ‘Soms heb ik het idee dat de tijd me ontglipt.’

‘Dat gevoel kennen we allemaal’, antwoordde Wallander. ‘Ik zal die ambtenaar wel van Sturup gaan halen. Hoe heet hij?’

‘Törn.’

‘Voornaam?’

‘Die hebben ze niet doorgegeven.’

Wallander ging terug naar zijn kamer, waar Martinson en Svedberg al op hem zaten te wachten. Svedberg was juist bezig te beschrijven waar hij in Björks kamer getuige van was geweest.

Wallander besloot het kort te houden. Hij vertelde van het telefoontje dat hij gekregen had en dat zijn conclusie was dat meer dan één persoon iets had gezien, wat het reddingsvlot betrof.

‘Was het een Skåning?’ vroeg Martinson.

Wallander knikte.

‘Dan moeten we die twee kunnen vinden’, vervolgde Martinson. ‘We kunnen olietankers en vrachtschepen nu uitsluiten. En wat blijft er dan over?’

‘Vissersschepen’, zei Wallander. ‘Hoeveel vissersschepen heeft de zuidkust van Skåne?’

‘Veel,’ zei Martinson, ‘maar ik denk dat er in februari een groot aantal van in de havens ligt. Het moet mogelijk zijn, al wordt het een hels karwei.’

‘Morgen beslissen we wat we hieraan gaan doen’, zei Wallander. ‘Dan is de situatie misschien weer heel anders.’ Hij vertelde wat hij van Björk gehoord had. Martinson reageerde ongeveer zoals hij, met verbazing en irritatie. Svedberg haalde alleen zijn schouders op.

'Vandaag komen we niet veel verder', rondde Wallander af. 'Ik moet nog een verslag schrijven over wat er tot nu toe gebeurd is. Dat moeten jullie ook doen. En dan stemmen we ze op elkaar af in verband met de mensen van Ernstige Delicten en Narcotica die morgen komen. En met de man van BZ, iemand die Törn heet.'

Wallander was vrij vroeg op het vliegveld. Hij dronk koffie bij de mannen van de paspoortcontrole en luisterde naar de gebruikelijke klachten over werktijden en salarissen. Om kwart over vijf ging hij op een bank bij de passagiersuitgang zitten en wierp verstrooide blikken op een televisietoestel met reclameboodschappen, dat aan het plafond hing. De aankomst van het toestel uit Stockholm werd aangekondigd en Wallander vroeg zich af of de man van BZ een politieman in uniform verwachtte. Als ik mijn handen op mijn rug leg en op mijn voeten ga staan wiebelen, ziet hij misschien dat ik politieman ben, dacht hij ironisch.

Hij nam de passagiers op die langs hem heen liepen. Nergens zag hij iemand die een onbekende afhaler zocht. Toen de stroom passagiers uitdunde en ten slotte geheel ophield, begreep hij dat hij de man gemist moest hebben. Hoe ziet een ambtenaar van BZ eruit, dacht hij. Als een gewoon mens of als een diplomaat? Maar hoe ziet een diplomaat eruit?

'Kurt Wallander?' hoorde hij een stem achter zich vragen.

Toen hij zich omdraaide stond er een dertigjarige vrouw voor hem.

'Ja', zei hij. 'Dat ben ik.'

De vrouw trok haar handschoen uit en stak hem haar hand toe.

'Birgitta Törn', zei ze. 'Ik ben van Buitenlandse Zaken. Had u misschien een man verwacht?'

'Dat klopt', zei hij.

'Ja, we hebben nog altijd niet veel vrouwelijke diplomaten,' zei Birgitta Törn, 'maar dat betekent nog niet dat een groot deel van het ambtelijk apparaat van Buitenlandse Zaken niet in handen van vrouwen is.'

'Juist ja', zei Wallander.

Bij de bagageband nam hij haar heimelijk op. Ze zag er onbestemd uit. Wat vooral zijn aandacht trok was iets met haar ogen. Toen hij haar koffer pakte en hun blikken elkaar ontmoetten zag hij wat het was. Ze droeg contactlenzen. Hij herkende het van Mona. Die had de laatste jaren van hun huwelijk ook contactlenzen gedragen.

Ze liepen naar zijn auto. Kurt Wallander informeerde naar het weer in Stockholm, hoe de reis verlopen was en ze antwoordde. Maar het viel hem op dat ze een zekere afstand bewaarde.

'Er is een kamer voor me gereserveerd in een hotel dat Sekelgården heet', zei ze toen ze naar Ystad reden. 'Ik zou graag de rapporten die al voorhanden zijn, doornemen. Ik neem aan dat men u geïnformeerd heeft om al het materiaal over het onderzoek tot mijn beschikking te stellen?'

'Nee', zei Wallander. 'Daar heeft niemand iets van gezegd, maar omdat niets geheim is, zou u het toch gekregen hebben. Het ligt in een map op de achterbank.'

'Wat een vooruitziende blik', zei ze.

'Eigenlijk heb ik maar één vraag', zei hij. 'Waarom bent u hier?'

'De onstabiele situatie in de landen van het Oostblok brengt met zich mee dat BZ alle ongebruikelijke gebeurtenissen op de voet volgt. Bovendien kunnen we behulpzaam zijn bij het indienen van formele verzoeken om inlichtingen die mogelijk aan landen die niet bij Interpol aangesloten zijn, gericht moeten worden.'

Ze praat als een politicus, dacht Wallander. In haar woorden is geen plaats voor onzekerheden.

'Ongebruikelijke gebeurtenissen', zei hij. 'Zo zou je het misschien wel kunnen noemen. Ik kan u het reddingsvlot op het politiebureau laten zien.'

'Nee, dank u', zei Birgitta Törn. 'Ik bemoei me niet met het politiewerk. Maar ik zou het op prijs stellen als u morgenochtend een vergadering zou willen beleggen. Ik zou graag een verslag krijgen.'

'Dat kan om acht uur', zei Wallander. 'Ik weet niet of u ervan op de hoogte bent dat de rijkspolitie ons een paar extra rechercheurs heeft gestuurd? Ik neem aan dat die morgen arriveren.'

'Men heeft mij daarover geïnformeerd', zei Birgitta Törn.

Hotel Sekelgården lag in een straat achter het plein. Wallander stopte en reikte naar de map met het rapport. Daarna haalde hij haar koffer uit de kofferbak.

'Bent u als eens eerder in Ystad geweest?' vroeg hij.

'Ik geloof van niet.'

'Misschien mag de politie van Ystad u dan uitnodigen om ergens te gaan eten?'

Er was een vaag glimlachje op haar gezicht te bespeuren toen ze antwoordde.

'Dat is heel vriendelijk,' zei ze, 'maar ik heb nog werk te doen.'

Kurt Wallander voelde zijn ergernis opkomen. Was een politieman uit een kleine stad soms niet goed genoeg als gezelschap?

'Hotel Continental heeft het beste restaurant', zei hij. 'Als u op het plein bent, rechtsaf. Wilt u dat ik u morgenochtend kom halen?'

'Ik vind het wel,' zei ze, 'maar dank u voor het aanbod. En voor het afhalen.'

Wallander reed naar huis. Het was halfzeven en hij had opeens schoon genoeg van zijn bestaan. Het was niet alleen de leegte die hij voelde als hij een flat binnenkwam waar niemand op hem wachtte, hij had ook het gevoel dat het hem steeds moeilijker viel de juiste koers in zijn leven te vinden. Nu was zijn lichaam ook al gaan tegensputteren. Vroeger had hij zich prima gevoeld in zijn beroep van rechercheur, maar vandaag de dag niet meer. Toen hij vorig jaar bezig was geweest met de tweevoudige moord in Lenarp, had hem een gevoel van onzekerheid getroffen. Hij had er vaak met Rydberg over gesproken. Een land als Zweden, dat aan het veranderen was, maar het was nog zeer onduidelijk hoe en waarin, had een ander soort politiemensen nodig. Hij vond dat hijzelf met de dag meer tekortschoot. Aan die onzekerheid kon geen enkele, door de rijkspolitie met regelmaat georganiseerde cursus, iets veranderen.

Hij pakte een biertje uit de koelkast, zette de televisie aan en zonk neer op de bank. Over het scherm flikkerde een van die eindeloze amusementsprogramma's die dagelijks op het menu stonden. Opnieuw dacht hij erover om te solliciteren naar de functie bij Trelleborgs Gummifabrik, die hij in een advertentie had zien staan. Misschien had hij verandering nodig?

Misschien kon iemand maar een bepaald aantal jaren politieman zijn en moest hij daarna iets heel anders gaan doen?

Hij bleef tot laat in de avond op de bank zitten. Pas toen het bijna twaalf uur was, ging hij naar bed.

Hij had juist het licht uitgedaan, toen de telefoon ging. Vannacht niet weer, dacht hij. Niet weer een doodslag. Hij ging overeind zitten in bed en nam de hoorn op. Hij herkende meteen de man die hem 's middags gebeld had.

'Ik weet misschien iets over het reddingsvlot', zei de man.

'Iedere kleinigheid die ons verder kan helpen, is welkom.'

'Ik kan alleen maar vertellen wat ik weet, maar dan moet de politie me de garantie geven niet te zeggen dat ik gebeld heb.'

'U kunt anoniem blijven als u dat wilt.'

'Dat is niet voldoende. De politie moet garanderen dat ze niet bekendmaakt dat er überhaupt gebeld is.'

Wallander dacht snel na. Toen gaf hij zijn woord. De man scheen nog steeds te aarzelen.

Hij is bang, dacht Wallander.

'Ik beloof het op mijn woord als politieman', zei hij.

'Daar koop ik weinig voor', antwoordde de man.

'Dat zou u wel moeten doen', zei Wallander. 'Geen enkele kredietinstelling heeft ooit iets negatiefs over me kunnen zeggen, laat staan over het schenden van vertrouwen.'

Het bleef stil aan de lijn. Wallander hoorde de man ademen.

'Weet u waar Industrigatan ligt?' vroeg de man onverwachts.

Wallander wist het. Op een industrieterrein aan de oostkant van de stad.

'Ga erheen', zei de man. 'Rij de straat in. Het is een eenrichtingsstraat, dat doet er verder trouwens niet toe. Er is daar 's nachts toch geen verkeer. Zet de motor af en doe de lichten uit.'

'Nu?' vroeg Wallander.

'Nu.'

'Waar moet ik stoppen? Het is een lange straat.'

'Rij erheen. Ik vind u wel. En kom alleen. Anders gaat het niet door.'

Het gesprek werd verbroken.

Wallander merkte hoe een gevoel van onbehagen meteen bezit van hem nam. Het flitste door hem heen dat hij Martinson of Svedberg om assistentie kon bellen. Daarna dwong hij zich na te denken zonder acht te slaan op dat sluipende gevoel van onbehagen. Wat kon er eigenlijk gebeuren?

Hij wierp het dekbed opzij en stond op. Een paar minuten later stak hij in de lege straat zijn autosleuteltje in het slot. Het was inmiddels gaan vriezen. Hij rilde toen hij in de auto stapte.

Vijf minuten later reed hij Industrigatan in, een straat met autobedrijven en diverse kleinere firma's. Hij reed tot in het midden van de eenrichtingsstraat. Hij stopte, zette de motor af, deed de lichten uit en wachtte in het donker. Het groen oplichtende klokje naast het stuur stond op zeven minuten na middernacht.

Het werd halfeen zonder dat er iets gebeurde. Hij besloot tot één uur te wachten. Was er dan nog niemand, dan zou hij naar huis gaan.

Hij zag de man niet voordat deze naast zijn auto stond. Haastig draaide hij het raampje naar beneden. Het gezicht van de man bevond zich in de schaduw. Wallander kon zijn gelaatstrekken niet onderscheiden, maar hij herkende zijn stem.

'Rij achter me aan', zei de man.

Daarna verdween hij.

Een paar minuten later kwam er een auto van de andere kant. Stadslichten knipperden.

Kurt Wallander startte de motor, keerde om en volgde de auto.

Ze reden de stad uit in oostelijke richting.

Plotseling besefte Wallander dat hij bang was.

5

De haven van Brantevik lag er verlaten bij.

De meeste havenlichten brandden niet. Slechts hier en daar viel wat licht over het donkere, roerloze water van het havenbassin. Kurt Wallander vroeg zich af of de lampen stukgeslagen waren of dat dit het resultaat was van een gemeentelijke bezuinigingscampagne om kapotte gloeilampen niet te vervangen. We leven in een donker wordende samenleving, dacht hij. Een symbool is letterlijk werkelijkheid aan het worden.

De achterlichten voor hem werden gedoofd, daarna de koplampen. Wallander deed zijn eigen autolichten uit en bleef in het donker zitten wachten. Het klokje op het dashboard gaf de tijd aan met spastische, elektronische schokken. Vijf minuten voor halftwee. Plotseling begon er in het donker een zaklantaarn te fladderen als een onrustig vuurvliegje. Wallander deed het portier open en stapte uit. De nachtelijke kou deed hem rillen.

De man met de zaklantaarn bleef enkele meters bij hem vandaan staan. Nog altijd kon Wallander zijn gelaatstrekken niet onderscheiden.

'We gaan naar de kade', zei de man.

Zijn Skåns knarste. Niets kon ooit bedreigend klinken als het in het Skåns gezegd werd, dacht Wallander. Hij kende geen ander dialect met zoveel ingebouwde zorg-voor-elkaar.

Toch aarzelde hij.

'Waarom?' vroeg hij. 'Waarom moeten we naar de kade?'

'Bent u bang?' vroeg de man. 'We moeten naar de kade omdat daar een boot ligt.'

Hij draaide zich om en begon te lopen. Wallander volgde hem. Een onverwachte windstoot sloeg hem in het gezicht. Ze bleven staan bij het donkere silhouet van een vissersboot. Het rook hier sterk naar zee en olie. De man gaf Wallander de zaklantaarn.

'Schijn op de meertouwen', zei hij.

Op dat moment zag Wallander voor het eerst zijn gezicht. Een man van in de veertig, misschien iets ouder. Een verweerd gezicht met de ruwe huid van een buitenmens. Gekleed in een donkerblauwe overall en een grijs jack. Hij had een zwarte muts diep over zijn hoofd getrokken.

De man pakte een van de trossen en klauterde aan boord. Hij verdween in het donker van de stuurhut en Wallander wachtte. Even later werd er een gaslamp aangestoken. De man keerde over het krakende dek naar het voorschip terug.

'Kom aan boord', zei hij.

Onhandig greep Wallander de koude reling vast en hees zich aan boord.

'Val er niet in', zei de man. 'Het water is koud.'

Wallander volgde hem de nauwe stuurhut in en daarna naar beneden naar de machinekamer. Hier rook het naar diesel en smeerolie. De man hing de gaslamp aan een haak aan het plafond en draaide het licht lager.

Wallander besefte ineens dat de man erg bang was. De bewegingen van zijn vingers waren onhandig en hij had haast.

Wallander ging op de ongemakkelijke kooi zitten waar een vuile deken op lag.

'U moet uw belofte houden', zei de man.

'Ik hou mijn beloftes altijd', antwoordde Wallander.

'Dat doet niemand', zei de man. 'Ik denk aan uw belofte aan mij.'

'Hebt u een naam?'

'Die doet er niet toe.'

'U hebt dus een rood reddingsvlot gezien met twee dode mannen erin?'

'Misschien.'

'Anders zou u niet gebeld hebben.'

De man trok een vuile zeekaart naar zich toe, die naast Wallander op de kooi lag.

'Hier', zei hij wijzend. 'Hier heb ik het vlot gezien. 's Middags om negen minuten voor twee. Op de twaalfde. Dinsdag dus. En ik heb lopen denken waar het vandaan gekomen kan zijn.'

Wallander zocht in zijn zakken naar een pen en iets om op te schrijven. Natuurlijk vond hij niets.

'Langzaam', zei Wallander. 'Begin bij het begin. Waar hebt u het vlot ontdekt?'

'Ik heb het opgeschreven', zei de man. 'Ruim zes zeemijl van Ystad, op een ware peiling van 180 graden. Het vlot dreef in noordoostelijke richting. Ik heb de exacte positie genoteerd.'

Hij gaf Wallander een verkreukeld stukje papier. Wallander had de indruk dat de positie klopte, ook al zeiden de cijfers hem niets.

'Het vlot dreef naar de boot toe', zei de man. 'Als het gesneeuwd had, zou ik het nooit gezien hebben.'

Zouden *we* het nooit gezien hebben, dacht Wallander. Iedere keer als hij *ik* zegt, aarzelt hij bijna onmerkbaar. Alsof hij zichzelf eraan moet herinneren maar een stukje van de waarheid te vertellen.

'Het kwam aan bakboord aandrijven', vervolgde de man. 'Ik heb het op sleeptouw genomen naar de Zweedse kust. Toen ik land zag, heb ik het losgemaakt.'

Dat is dus de verklaring voor het afgesneden touw, dacht Wallander. Ze hadden haast en ze waren zenuwachtig. Ze hebben niet geaarzeld een stuk van het touw op te offeren.

'Bent u visser?' vroeg hij toen.

'Ja.'

Nee, dacht Wallander. Nu lieg je weer. En je bent een slechte leugenaar. Ik vraag me af waar je bang voor bent.

'Ik was op de thuisreis', vervolgde de man.

'U hebt natuurlijk radio aan boord', zei Wallander. 'Waarom hebt u de kustwacht niet gealarmeerd?'

'Daar heb ik zo mijn redenen voor.'

Wallander besefte dat hij moest proberen door de angst van de man in de overall heen te dringen. Anders kwam hij nergens. Vertrouwen, dacht hij. Hij moet doorhebben dat hij me werkelijk kan vertrouwen.

'Ik moet meer weten', zei Wallander. 'We maken natuurlijk bij het onderzoek gebruik van wat hier gezegd wordt, maar niemand komt te weten dat u het verteld hebt.'

'Niemand heeft iets gezegd. Niemand heeft gebeld.'

Plotseling wist Wallander wat er aan de hand was. Er was een eenvoudige en volstrekt logische verklaring voor de halsstarrigheid van de man om anoniem te willen blijven. Bovendien begreep Wallander nu ook de duidelijke angst van de man. Toen ze het reddingsvlot ontdekten was de man die tegenover hem zat niet alleen aan boord van het schip geweest. Hij had dat al begrepen tijdens zijn gesprek met Martinson, maar nu wist hij ineens het juiste aantal bemanningsleden. Ze waren met zijn tweeën geweest. Niet met zijn drieën, niet met nog meer mensen, maar met twee man. En deze man was bang voor de andere man.

'Niemand heeft gebeld', zei Wallander. 'Is dit uw schip?'

'Wat doet dat ertoe?'

Wallander begon opnieuw. Hij wist nu zeker dat de man niets met de dode mannen te maken had, behalve dat hij aan boord van een schip was geweest dat het vlot ontdekt had en dat hij het toen naar de kust op sleeptouw had genomen. Dat maakte de zaak eenvoudiger, al begreep hij nog altijd niet waarom de getuige zo bang was. *Wie was de tweede man?*

Smokkelaars, dacht hij ineens. Smokkelaars van vluchtelingen of van drank. Deze boot wordt gebruikt om te smokkelen. Daarom heb ik ook nergens een vislucht geroken.

'Hebt u in de buurt een schip gezien toen u het vlot ontdekte?'

'Nee.'

'Weet u dat heel zeker?'

'Ik zeg alleen dingen die ik zeker weet.'

'U hebt me verteld dat u uw gedachten hebt laten gaan over deze zaak.'

Het antwoord dat gegeven werd was heel beslist.

'Het vlot had al een hele tijd in het water gelegen. Het kon er niet kort geleden ingegooid zijn.'

'Waarom niet?'

'Er had zich al een laag algen op afgezet.'

Wallander herinnerde zich geen algen toen hij het vlot geïnspecteerd had.

'Toen we het vonden zaten er geen sporen van algen op.'

De man tegenover hem dacht na.

'Die moeten eraf gespoeld zijn toen ik het vlot op sleeptouw had. Het schuurde tegen de golfslag.'

'Hoelang heeft het vlot volgens u in het water gelegen?'

'Een week misschien. Moeilijk te zeggen.'

Wallander zat de man op te nemen. Zijn ogen stonden onrustig. Wallander had ook de indruk dat hij de hele tijd zeer ingespannen zat te luisteren.

'Hebt u verder nog iets mee te delen?' vroeg Wallander. 'Alles kan van belang zijn.'

'Ik denk dat het vlot vanuit een van de Baltische landen is komen aandrijven.'

'Waarom denkt u dat? Waarom niet uit Duitsland?'

'Ik ken het vaarwater in dat gebied. Ik denk dat het vlot uit een van de Baltische staten kwam.'

Wallander probeerde zich de landkaart voor de geest te halen.

'Dat is een eind weg', zei hij. 'Langs de hele lengte van de Poolse kust. Dwars door Duits vaarwater. Ik kan eigenlijk niet geloven dat dit klopt.'

'In de Tweede Wereldoorlog konden mijnen soms in korte tijd een heel eind wegdrijven. Met de wind van de laatste tijd moet dat ook mogelijk geweest zijn.'

Het licht van de gaslamp begon plotseling zwakker te worden.

'Meer heb ik niet te zeggen', zei de man en vouwde de vuile zeekaart op. 'En u weet wat u beloofd hebt!'

'Ik weet wat ik beloofd heb, maar ik heb nog een vraag. Waarom bent u zo bang om met me te praten? En waarom midden in de nacht?'

'Ik ben niet bang', zei de man. 'En als dat al zo is, dan is dat mijn zaak. Ik heb mijn redenen.'

De man schoof de zeekaart in een vak onder de plaats waar het roer bevestigd was. Wallander probeerde nog een vraag te bedenken voordat het te laat was.

Geen van beiden voelde de zwakke beweging van de schroef. Het was een schommeling, zo licht dat die ongemerkt kon passeren, als een verlate deining die nu pas het land bereikte.

Wallander klom de machinekamer uit. Haastig liet hij de zaklantaarn over de wanden van de stuurhut spelen. Hij zag niets wat het voor hem gemakkelijk maakte om de vissersboot later te identificeren.

'Waar kan ik u bereiken als dat nodig mocht zijn?' vroeg hij toen ze weer op de kade stonden.

'U kunt me niet bereiken', zei de man. 'Dat is ook niet nodig. Ik heb niets meer te zeggen.'

Wallander telde zijn voetstappen toen hij over de kade liep. Toen hij zijn voet voor de drieënzeventigste keer neerzette, voelde hij het grind van het haventerrein onder zijn schoenen. De man was opgeslokt door de schaduwen. Hij had de zaklantaarn gepakt en was verdwenen zonder een woord te zeggen. Wallander stapte in zijn auto, maar deed de motor niet aan. Hij zat een paar minuten te wachten. Heel even meende hij een schaduw te zien die zich in het donker bewoog, maar dat was natuurlijk inbeelding. Toen had hij door dat hij als eerste weg moest rijden. Eenmaal op de autoweg minderde hij vaart, maar er doken geen lichten van koplampen achter hem op.

Om kwart voor drie deed hij de deur van zijn flat weer open. Hij ging aan de keukentafel zitten en schreef het gesprek op dat hij in de machinekamer van de boot gevoerd had.

De Baltische staten, dacht hij. Kan het vlot werkelijk zo'n afstand afgelegd hebben? Hij stond op en liep naar de woonkamer. In een kast vond hij naast stapels oude weekbladen en operaprogramma's zijn versleten schoolatlas. Hij sloeg de kaart met Zuid-Zweden en de Oostzee op. De Baltische landen leken zowel ver weg als dichtbij te liggen.

Ik weet niets van de zee, dacht hij. Ik weet niets van stromingen, van koersafwijkingen en winden. Misschien heeft hij gelijk. Waarom zou hij trouwens iets beweren dat niet waar is?

Opnieuw moest hij aan de angst van de man denken. En aan de andere man aan boord, de onbekende die de man angst inboezemde.

Het was vier uur voor hij weer naar bed ging. Hij lag lang wakker voor hij in slaap viel.

Hij werd met een schok wakker en zag meteen dat hij zich verslapen had.

De wekker op het nachtkastje stond op 7.46. Hij vloekte, sprong uit bed en kleedde zich aan. Zijn tandenborstel en tandpasta stopte hij in de zak van zijn jack. Om drie minuten voor acht zette hij zijn auto voor het politiebureau neer. Ebba van de receptie wenkte hem.

'Je moet eerst naar Björk', zei ze. 'Wat zie je er trouwens uit. Heb je je verslapen?'

'En hoe', antwoordde Wallander en haastte zich naar de wasruimte om zijn tanden te poetsen. Tegelijk probeerde hij zijn gedachten op een rijtje te zetten met het oog op de vergadering. Hoe moest hij trouwens zijn nachtelijke uitstapje naar een vissersboot in de haven van Brantevik rapporteren?

Toen hij bij de kamer van Björk kwam was die leeg. Hij liep door naar de grootste vergaderruimte van het politiebureau. Hij klopte op de deur en voelde zich als een schooljongen die te laat komt.

Er zaten zes mensen om de ovale tafel naar hem te kijken.

'Ik ben een paar minuten verlaat', zei hij en ging op de dichtstbijzijnde lege stoel zitten. Björk keek hem streng aan, terwijl Martinson en Svedberg nieuwsgierig glimlachten. Bij Svedberg ontdekte hij bovendien iets van hoon. Links van Björk zat Birgitta Törn met haar onbestemde gelaatsuitdrukking.

Verder bevonden zich nog twee personen in het vertrek die Wallander nooit eerder gezien had. Hij stond op en liep om de tafel heen om hen te begroeten. De beide mannen waren in de vijftig, leken opvallend veel op elkaar, stevig gebouwd met vriendelijke gezichten. De ene stelde zich voor als Sture Rönnlund, de andere heette Bertil Lovén.

'Ik ben van Ernstige Delicten', zei Lovén. 'Sture hier is van Narcotica.'

'Kurt is onze meest ervaren rechercheur', zei Björk. 'Schenken jullie jezelf een kop koffie in.'

Toen iedereen zijn plastic bekertje gevuld had, opende Björk de vergadering.

'We zijn uiteraard dankbaar voor iedere hulp die we kunnen krijgen', begon hij. 'Niemand van u zal de commotie ontgaan zijn, die de massamedia na de vondst van de lijken ontketend hebben. Alleen om die reden al is het belangrijk dat het onderzoek daadkrachtig ter hand wordt genomen. Birgitta Törn is hier in de eerste plaats als waarnemer en om ons te helpen bij eventuele contacten in landen waar Interpol geen invloed heeft. Maar dat neemt niet weg dat we natuurlijk naar haar standpunten zullen luisteren, ook als die betrekking hebben op het concrete recherchewerk.'

Daarna was de beurt aan Kurt Wallander. Omdat iedereen in het vertrek kopieën had van de verslagen die er waren, nam hij de situatie niet in detail door. Hij beperkte zich tot een overzicht en een tijdschema. Maar hij stond wel lang stil bij de lijkschouwing en wat die had opgeleverd. Toen hij klaar was, stelde Lovén een paar vragen over bijzonderheden die hij wat verduidelijkt wilde zien. Dat was alles. Björk keek het vertrek rond.

'Tja', zei hij. 'Hoe gaan we nu verder?'

Kurt Wallander merkte dat hij zich begon te ergeren aan Björks onderdanige houding tegenover de vrouw van BZ en de beide rechercheurs uit Stockholm. Hij voelde zich gedwongen tegengas te geven. Hij knikte tegen Björk om het woord te krijgen.

'Er zijn te veel vraagtekens', zei hij. 'En nu doel ik niet op het rechercheonderzoek. Wat ik niet begrijp is waarom Buitenlandse Zaken het nodig vindt om Birgitta Törn naar Ystad te sturen. Ik kan domweg niet geloven dat het zo simpel ligt dat BZ ons bijvoorbeeld kan helpen bij contacten met de Russische politie als dat nodig mocht zijn. Zo eenvoudig ligt het niet. Dat kan met de telex naar Stockholm. Ik kan me niet aan de indruk onttrekken dat BZ besloten heeft toezicht op ons onderzoek te houden. En dan wil ik graag weten waarop. En natuurlijk in de eerste plaats waarom BZ tot die conclusie is gekomen. Ik zal niet ontkennen dat het voor de hand liggende vermoeden bij mij is gerezen, dat BZ iets weet dat wij niet weten. Maar misschien is het BZ niet dat tot dit oordeel is gekomen? Misschien iemand anders?'

Toen hij zweeg was het doodstil in het vertrek. Björk staarde hem verschrikt aan.

Het was Birgitta Törn die ten slotte de stilte verbrak.

'Er is geen enkele aanleiding om de redenen die voor mijn komst gegeven zijn, te wantrouwen', zei ze. 'De instabiele situatie in Oost-Europa maakt het nodig dat wij de ontwikkelingen daar op de voet volgen.'

'We weten niet eens of de mannen uit het Oostblok komen', wierp Wallander tegen. 'Of weten jullie iets wat wij niet weten? In dat geval zou ik graag horen wat dat is.'

'Laten we ons niet opwinden', zei Björk.

'Ik wil graag antwoord hebben op mijn vragen', protesteerde Wallander. 'Ik neem geen genoegen met een algemeen praatje over de instabiele politieke situatie.'

Het gezicht van Birgitta Törn verloor plotseling zijn onbestemde uitdrukking. Ze keek naar hem met een blik die duidelijk blijk gaf van stijgende minachting en van afstand nemen. Ik ben lastig, dacht Wallander. Ik behoor tot dat o zo lastige voetvolk.

'Het is precies zoals ik gezegd heb', zei Birgitta Törn. 'Als u verstandig bent, ziet u in dat er geen reden is voor deze provocatie.'

Wallander schudde zijn hoofd. Daarna wendde hij zich tot Lovén en Rönnlund.

'Hoe luiden jullie instructies?' vroeg hij. 'Stockholm stuurt bijna nooit mensen zonder een formeel verzoek van de plaatselijke politie om assistentie. En voorzover ik weet is dat niet uitgegaan? Of wel?'

Björk schudde zijn hoofd toen Wallander zich sommerend tot hem richtte.

'Die beslissing heeft Stockholm dus zelf genomen', vervolgde Wallander. 'Om te kunnen samenwerken, wil ik graag weten waarom. Ik kan me nauwelijks voorstellen dat er al een oordeel gevormd is. Of we hier ons werk goed doen, nog voordat we goed en wel begonnen zijn.'

Lovén schoof onrustig op zijn stoel heen en weer. Het was Rönnlund die ten slotte antwoordde. Kurt Wallander hoorde medeleven in zijn stem.

'De chef van de rijkspolitie meende dat jullie misschien behoefte aan assistentie hadden', zei hij. 'Ons mandaat luidt om ons ter beschikking te houden. Meer niet. De leiding van het onderzoek berust bij jullie. Als we kunnen helpen zullen we dat graag doen. Bertil en ik twijfelen er niet aan dat jullie deze zaak zelf aankunnen. Persoonlijk vind ik dat jullie de afgelopen dagen snel en doortastend gehandeld hebben.'

Wallander gaf een knikje voor dit blijk van erkenning. Martinson glimlachte, terwijl Svedberg nadenkend in zijn tanden zat te peuteren met een splinter die hij uit de vergadertafel had getrokken.

'Dan moeten we nu misschien gaan nadenken over hoe we de zaak verder zullen aanpakken', zei Björk.

'Prima', zei Wallander. 'Ik heb een paar theorieën waar ik graag commentaar op zou willen krijgen, maar eerst wil ik jullie vertellen van een nachtelijk avontuur.'

Zijn kwaadheid was verdwenen. Hij was weer kalm. Hij had zich tegen Birgitta Törn verzet en was niet verslagen uit de strijd gekomen. Te zijner tijd zou hij er wel achter komen waarom ze eigenlijk hier was. Rönnlunds sympathie had zijn gevoel van eigenwaarde versterkt. Hij vertelde van het telefoontje dat hij gekregen had en van zijn bezoek aan de vissersboot in Brantevik. Hij benadrukte de stellige uitspraak van de man dat het vlot helemaal uit een van de Baltische landen had kunnen komen drijven. In een aanval van onvermoede daadkracht belde Björk de telefooncentrale en vroeg om onmiddellijk te zorgen voor overzichtelijke en gedetailleerde kaarten van dat gebied. Voor zijn geestesoog zag Wallander Ebba de eerste de beste politieagent die langs de receptie kwam, bij zijn jasje grijpen en hem de opdracht geven dadelijk de kaarten te verschaffen. Hij schonk nog wat koffie in en zette toen zijn theorieën uiteen.

'Alles wijst erop dat de mannen aan boord van een schip vermoord zijn', zei hij. 'Volgens mij is er maar een verklaring mogelijk voor het feit dat de lichamen niet in zee gedumpt zijn. De moordenaar of moordenaars wilden dat de lichamen gevonden zouden worden. Ik vind het moeilijk om daar een zinnige verklaring voor te geven en helemaal omdat het zeer onzeker was waar en wanneer het vlot ergens op een kust aan zou spoelen. De mannen zijn van dichtbij vermoord, nadat ze gemarteld zijn. Mensen worden gemarteld uit wraak of om inlichtingen los te krijgen. Wat we verder niet mogen vergeten, is het onmiskenbare feit dat beide mannen narcotica gebruikt hadden, amfetamine om exact te zijn. Op de een of andere manier spelen drugs in deze zaak een rol. Bovendien heb ik de indruk dat de dode mannen welgesteld waren. Dat blijkt uit hun kleding. Volgens Oost-Europese maatstaven moeten ze zelfs zeer welgesteld geweest zijn om zich zulke kleren en schoenen te kunnen permitteren. Ik zou zulke kleren nooit kunnen kopen.'

Die laatste opmerking deed Lovén in lachen uitbarsten, maar Birgitta Törn bleef verbeten naar het tafelblad kijken.

'We weten dus heel wat,' vervolgde Wallander, 'ook al kunnen we de stukjes niet samenvoegen om de loop van de gebeurtenissen te verklaren en weten we niet waarom de mannen gedood zijn. Eigenlijk moeten we nu eerst achter één ding zien te komen: de identiteit van de mannen. Daar moeten we ons in de eerste plaats op concentreren. En er moet op korte termijn een ballistisch onderzoek verricht worden. Verder wil ik een grondig onderzoek naar vermiste of gezochte personen in Zweden en Denemarken. Vingerafdrukken, foto's en signalementen moeten onmiddellijk via Interpol verspreid worden. Wie weet vinden we wat in ons eigen bestand. En mocht dat nog niet gebeurd zijn, dan moet er meteen contact opgenomen worden met de politie van de Sovjet-Unie en die van de Baltische staten. Misschien dat u daar antwoord op kunt geven?' wendde hij zich tot Birgitta Törn.

'Dat gebeurt vandaag nog', zei ze. 'We nemen vandaag nog contact op met de Internationale Politie-eenheid in Moskou.'

'Er moet ook contact met de politie in Estland, Letland en Litouwen opgenomen worden.'

'Dat loopt via Moskou.'

Wallander keek haar vragend aan. Toen wendde hij zich tot Björk.

'Hebben we hier vorig najaar niet iemand van de Litouwse politie op studiebezoek gehad?'

'Het is zoals Birgitta Törn zegt', antwoordde Björk. 'Die landen beschikken over een eigen nationale politie, maar formeel beslist de Sovjet-Unie nog altijd.'

'Daar zet ik vraagtekens bij', zei Wallander. 'Maar dat weet BZ uiteraard beter dan ik.'

'Ja', zei Birgitta Törn. 'Dat klopt.'

De vergadering werd door Björk gesloten, die haastig met Birgitta Törn verdween. Er zou om twee uur 's middags een persconferentie gehouden worden.

Wallander bleef in de vergaderruimte achter. Samen met de andere nog aanwezigen nam hij de verschillende werkzaamheden door, die nu prioriteit hadden. Svedberg ging de plastic zak met de twee kogels halen en Lovén zou het ballistische onderzoek voor zijn rekening nemen en er haast achter zetten. De anderen verdeelden onder elkaar het omvangrijke werk om de fijne stofkam door het bestand van vermiste of gezochte personen te halen. Martinson, die persoonlijke contacten bij de politie in Kopenhagen had, zou de collega's aan de overzijde van de Sont benaderen.

'De persconferentie mogen jullie vergeten', zei Wallander ten slotte. 'Die rotklus nemen Björk en ik op ons.'

'Verlopen persconferenties hier net zo vervelend als in Stockholm?' vroeg Rönnlund.

'Ik weet niet hoe persconferenties in Stockholm zijn,' antwoordde Wallander, 'maar leuk, nee, zo kun je ze hier bepaald niet noemen.'

De rest van de dag ging voorbij met het versturen van de signalementen aan alle politiedistricten in het land en aan de politie in de omringende Scandinavische landen. Bovendien moesten de politiemannen zich door een aantal bestanden heen werken. Al gauw werd duidelijk dat de vingerafdrukken van de dode mannen niet bij de Zweedse of Deense politie bekend waren. Interpol had meer tijd nodig voordat ze een antwoord kon geven. Wallander en Lovén hadden een lang gesprek of het voormalige

Oost-Duitsland intussen al een volwaardig lid van Interpol was geworden of nog niet. Waren hun bestanden inmiddels in de centrale computer ingevoerd, die het hele nieuwe Duitsland bestreek? Had Oost-Duitsland überhaupt wel een bestand van gewone criminelen gehad? Waar had de grenslijn gelopen tussen het omvangrijke archief van de staatsveiligheidsdienst en een eventueel misdadigersbestand? Was er wel zo'n grens geweest?

Lovén zei dat hij het uit zou zoeken terwijl Wallander de persconferentie voorbereidde.

Toen hij Björk voor de persconferentie sprak, merkte Wallander dat deze gereserveerd deed.

Waarom zegt hij niets, dacht Wallander, als hij van mening is dat ik me onbeschoft gedragen heb tegenover de chique dame van BZ?

Er hadden zich veel verslaggevers en vertegenwoordigers van de massamedia verzameld in het vertrek waar de persconferentie gegeven zou worden. Wallander zocht met zijn blik de jonge journalist van *Expressen*, maar hij zag hem niet. Zoals gebruikelijk nam Björk de inleiding op zich. Onverwacht fel trok hij van leer tegen – wat hij noemde – de onbegrijpelijke, onbetrouwbare verslaggeving die bij de hele pers te constateren viel. Wallander dacht aan zijn nachtelijke ontmoeting met de ongeruste man in Brantevik. Toen het zijn beurt was, begon hij met zijn oproep te herhalen aan degenen die iets gezien of gehoord hadden om zich met de politie in verbinding te stellen. Toen een van de verslaggevers vroeg of er nog geen tips binnengekomen waren, antwoordde hij dat het tot nu toe stil gebleven was. De persconferentie verliep bijzonder lauw en Björk was tevreden toen ze het vertrek verlieten.

'Wat voert de dame van BZ uit?' vroeg Wallander toen ze door de gang liepen.

'Die zit het grootste deel van de tijd aan de telefoon', antwoordde Björk. 'Je bedoelt zeker dat we haar gesprekken af moeten luisteren?'

'Dat zou zo gek nog niet zijn', mompelde Wallander.

De dag verstreek zonder dat er iets van belang gebeurde. Nu

was het zaak geduld te oefenen en te wachten of alle ijzers die ze in het vuur hadden iets bruikbaars zouden opleveren.

Even voor zes uur stak Martinson zijn hoofd om de deur van Wallanders kamer en vroeg of Wallander zin had om ook te komen eten. Hij had Lovén en Rönnlund, die beiden heimwee leken te hebben, te eten gevraagd.

'Svedberg had iets anders te doen,' zei hij, 'en Birgitta Törn zei dat ze vanavond naar Malmö wilde gaan. Heb je zin om ook te komen?'

'Ik kan niet', zei Wallander. 'Ik heb helaas wat anders te doen.' Dit was maar voor een deel waar. Hij wist nog niet zeker of hij die avond naar Brantevik zou gaan om de vissersboot nog eens wat nauwkeuriger te bekijken.

Om halfzeven voerde hij zijn dagelijkse telefoongesprek met zijn vader. Wallander kreeg de opdracht een nieuw spel kaarten mee te brengen als hij weer op bezoek kwam. Zodra het gesprek afgelopen was, verliet hij het politiebureau. De wind was afgenomen en er was een heldere hemel. Onderweg stopte hij bij een supermarkt om inkopen te doen. Om acht uur, toen hij gegeten had en zat te wachten tot de koffie klaar was, had hij nog altijd niet besloten of hij wel of niet naar Brantevik zou gaan. Hij vond dat het ook wel tot morgen kon wachten. Bovendien voelde hij zich moe na het uitstapje van de vorige nacht.

Hij bleef lang met een kop koffie aan de keukentafel zitten. In gedachten zat Rydberg tegenover hem en leverde commentaar op de gebeurtenissen van de afgelopen dag. Stapje voor stapje nam hij het onderzoek met zijn onzichtbare bezoeker door. Er waren inmiddels drie dagen verstreken sinds het vlot bij Mossby Strand aan land was gedreven. Zolang ze de identiteit van de dode mannen niet kenden, zouden ze niet veel verder komen. Dan zou het raadsel naar alle waarschijnlijkheid voor eeuwig een raadsel blijven.

Hij zette zijn koffiekop op het aanrecht. Een hangende bloem in de vensterbank trok zijn aandacht. Hij gaf haar water uit een glas, ging naar de woonkamer en zette een plaat met Maria Callas op. Op de klanken van *La Traviata* nam hij definitief het besluit dat de vissersboot wel kon wachten. Later op de avond probeerde hij zijn dochter op de volkshogeschool bij Stockholm te bereiken. Hij liet de telefoon lang overgaan, maar niemand nam op. Om halfelf ging hij ten slotte naar bed en sliep bijna meteen in.

De volgende dag, de vierde dag van het onderzoek, even voor twee uur 's middags, gebeurde dat waarop iedereen gewacht had. Birgitta Törn kwam naar Wallanders kamer en gaf hem een telex. Via haar superieuren in Moskou had de politie van Riga, Letland, het Zweedse ministerie van Buitenlandse Zaken laten weten dat de twee dode mannen die in een reddingsvlot bij de Zweedse kust gevonden waren, hoogstwaarschijnlijk Letse onderdanen waren. Om het verdere onderzoek te vergemakkelijken, stelde majoor Litvinov van de Moskouse politie voor dat de Zweedse collega's rechtstreeks contact met de recherche in Riga zouden opnemen.

'Die bestaat dus', zei Wallander. 'De Letse politie.'

'Wie heeft dat ontkend?' vroeg Birgitta Törn. 'Maar als u zich rechtstreeks tot Riga had gewend, hadden er diplomatieke verwikkelingen kunnen ontstaan. Het is niet eens zeker dat we dan überhaupt antwoord hadden gekregen. Ik neem aan dat het u niet ontgaan is dat de toestand in Letland op dit moment zeer gespannen is.'

Wallander wist wat ze bedoelde. Nog geen maand geleden had de sovjet elite-eenheid De Zwarte Baretten het gebouw van het ministerie van Binnenlandse Zaken in het centrum van Riga onder vuur genomen. Hun optreden had geleid tot de dood van een aantal onschuldige burgers. Wallander had in de krant foto's gezien van de barricades, opgeworpen uit keien en aaneengelaste ijzeren staven. Maar zijn kennis schoot enigszins tekort om precies te weten wat er aan de hand was. Het leek wel alsof hij altijd te weinig wist van wat er zich om hem heen afspeelde.

'Wat doen we nu?' vroeg hij aarzelend.

'We nemen contact met de politie in Riga op. We moeten in de eerste plaats bevestigd krijgen dat het inderdaad om de personen gaat die in de telex genoemd worden.'

Wallander las het bericht nog een keer door.

Klaarblijkelijk had de man op de boot gelijk gehad. Het vlot was werkelijk uit een van de Baltische landen aan komen drijven.

'We weten nog altijd niet wie de mannen zijn', zei hij.

Drie uur later wist hij dat wel. Ze hadden bericht gekregen dat ze een telefoongesprek uit Riga konden verwachten en het rechercheteam was bijeengekomen in de vergaderkamer. Björk was zo opgewonden dat hij koffie op zijn pak morste.

'Spreekt er iemand Lets?' vroeg Wallander. 'Ik niet.'

'Het gesprek vindt in het Engels plaats', zei Birgitta Törn. 'Daar hebben we om gevraagd.'

'Jij voert het gesprek', zei Björk tegen Wallander. 'Mijn Engels is niet al te best.'

'Het zijne vast ook niet', zei Rönnlund. 'Dat houdt elkaar in evenwicht. Hoe heet hij? Majoor Litvinov?'

'Majoor Litvinov is werkzaam in Moskou', memoreerde Birgitta Törn. 'Dit is een gesprek met de politie in Riga. Riga ligt in Letland.'

Om negentien minuten over vijf kwam het gesprek door. De lijn was verbazingwekkend helder en Wallander hoorde een stem die zich voorstelde als majoor Liepa van de recherche van Riga. Wallander schreef terwijl hij luisterde. Van tijd tot tijd beantwoordde hij een vraag. Majoor Liepa sprak zeer slecht Engels. Wallander was er niet zeker van of hij alles wat de majoor zei wel begreep, maar toen het gesprek afgelopen was, had hij het belangrijkste toch opgeschreven.

Twee namen. Twee identiteiten.

Janis Leja en Juris Kalns.

'Riga heeft hun vingerafdrukken', zei Wallander. 'Volgens majoor Liepa is er geen twijfel mogelijk dat de lijken die we gevonden hebben, van deze twee mannen zijn.'

'Prima', zei Björk. 'Wat zijn het voor heren?'

Wallander las voor van zijn blocnote.

'Notorious criminals', zei hij. 'Dat luidt in vertaling waarschijnlijk beruchte misdadigers.'

'Kon hij een suggestie geven waarom ze vermoord zijn?' vroeg Björk.

'Nee. Maar hij maakte niet de indruk dat hij erg verbaasd was. Als ik hem goed begrepen heb, stuurt hij ons materiaal toe. Hij vroeg ook of we bij het onderzoek soms assistentie van een paar Letse politiemannen wilden hebben.'

'Maar dat is uitstekend', zei Björk. 'Hoe eerder we van deze zaak af zijn hoe beter.'

'BZ ondersteunt uiteraard een dergelijk voorstel', zei Birgitta Törn.

Aldus werd besloten. De volgende dag, de vijfde dag van het onderzoek, stuurde majoor Liepa een telex waarin stond dat hijzelf de volgende middag op Arlanda zou arriveren en meteen door zou vliegen naar Sturup.

'Een majoor', zei Wallander. 'Wat betekent dat?'

'Geen idee', antwoordde Martinson. 'Ikzelf voel me in dit beroep meestal meer een korporaal.'

Birgitta Törn keerde naar Stockholm terug. Nu ze weg was vond Wallander het moeilijk om zich haar gezicht of stem voor de geest te halen.

Haar zie ik nooit meer terug, dacht hij. En ik kom er evenmin ooit achter waarom ze eigenlijk hiernaartoe is gekomen.

Björk zou persoonlijk de Letse majoor van het vliegveld halen. Dat betekende dat Kurt Wallander zijn avond canasta spelend met zijn vader door kon brengen. Onderweg in de auto naar Löderup, veronderstelde hij dat de zaak met de twee mannen die bij Mossby Strand aan land gedreven waren, nu wel snel afgehandeld zou zijn. De Letse politie zou de politie in Ystad een mogelijk motief kunnen geven. En vervolgens zou het moordonderzoek naar Riga verplaatst worden, waar de dader zich naar alle waarschijnlijkheid bevond. Het reddingsvlot was naar de Zweedse kust gedreven, maar de achtergrond, de moorden, moest gezocht worden aan de andere kant van de Oostzee. De dode lichamen zouden naar Letland worden overgebracht, waar de oplossing moest liggen.

Dit nu was een ernstige beoordelingsfout.

Het was allemaal nog niet eens begonnen.

Tegelijkertijd zette de winter in Skåne in alle hevigheid in.

6

Kurt Wallander had gedacht dat majoor Liepa in uniform zou zijn als hij zich op het politiebureau van Ystad zou melden. Maar de man aan wie Björk hem 's ochtends voorstelde, op de zesde dag van het onderzoek, droeg een zakkig, grijs kostuum en een slecht gestrikte das. Verder was hij klein van stuk, met hoge schouders alsof hij helemaal geen nek had en Wallander kon helemaal geen militaire houding aan hem ontdekken. De majoor, voornaam Karlis, was een kettingroker van zware sigaretten en zijn vingertoppen zagen geel van de nicotine.

De rookgewoonten van de Letse majoor veroorzaakten onmiddellijk problemen op het politiebureau. Geïrriteerde tegenstanders van roken binnen het korps wendden zich tot Björk met de klacht dat Liepa overal rookte, zelfs in ruimten die volledig rookvrij waren verklaard. Björk maande tot een zekere verdraagzaamheid tegenover de gast, maar verzocht vervolgens aan Wallander om Liepa uit te leggen dat het noodzakelijk was om het rookverbod te respecteren.

Toen Wallander in zijn moeizame Engels uitlegde dat de Zweden roken maar moeilijk accepteren, haalde Liepa zijn schouders op en drukte meteen zijn sigaret uit. Daarna probeerde hij niet te roken, behalve op de kamer van Wallander en in het vergadervertrek. Omdat de rook ook voor hem niet uit te houden was, vroeg Wallander aan Björk om een eigen kamer voor Liepa. Björk loste het probleem op door Svedberg tijdelijk zijn intrek te laten nemen in de kamer van Martinson, terwijl Liepa de kamer van Svedberg betrok.

Majoor Liepa van Riga was erg bijziend. Zijn bril zonder randen leek veel te zwak. Bij het lezen bracht hij het papier tot op enkele centimeters voor zijn ogen. Je kreeg de indruk dat hij aan het papier snoof in plaats van de tekst te bestuderen. Wie hem zag had in het begin moeite zijn lachen in te houden. Wallander ving van tijd tot tijd oneerbiedige commentaren over de kleine, gebogen lopende Letse majoor op. Het kostte Wallander echter geen moeite het neerbuigende gepraat de kop in te drukken. Hij was er namelijk meteen achter gekomen dat Liepa een buitengewoon scherpzinnig en bekwaam politieman was. In een aantal opzichten deed hij aan Rydberg denken. Niet in de laatste plaats omdat majoor Liepa een gepassioneerd mens was en wel op dezelfde manier als Rydberg destijds. Politieonderzoek verloopt bijna altijd volgens vaste lijnen, maar het mag nooit tot routinedenken leiden. Majoor Liepa was een hartstochtelijk politieman. Achter zijn kleurloze uitstraling gingen een scherp brein en een ervaren rechercheur schuil.

De ochtend van de zesde dag was grijs en winderig. De weersverwachting voorspelde dat er tegen de avond een sneeuwfront over Skåne zou trekken. Vanwege een hevige griepepidemie onder de politie was Björk genoodzaakt Svedberg voorlopig uit het lopende onderzoek terug te trekken. Er waren nogal wat andere misdrijven die onmiddellijk aandacht vroegen. Lovén en Rönnlund waren intussen naar Stockholm teruggekeerd. Toen hij de heren aan elkaar voorgesteld had liet Björk, die zich ook niet al te lekker voelde, Martinson en Wallander met majoor Liepa alleen. Ze zaten in het vergadervertrek en majoor Liepa rookte aan één stuk door.

Wallander, die de avond tevoren canasta met zijn vader had gespeeld, had de wekker op vijf uur gezet om een folder over Letland te kunnen lezen die de boekhandelaar de vorige dag voor hem gevonden had. Hij was tot de conclusie gekomen dat het waarschijnlijk goed zou zijn om elkaar te informeren over de manier waarop de politie in hun landen georganiseerd was. Alleen al het feit dat de Letse politie zich bediende van militaire rangen, zei iets over de grote verschillen tussen de beide korpsen. Toen Wallander boven zijn ochtendkoffie had geprobeerd een globaal overzicht van de Zweedse politie in het Engels te formuleren, had hij zich plotseling onzeker gevoeld. Hij wist zelf nauwelijks hoe de Zweedse politie in elkaar stak. En het was er zeker niet gemakkelijker op geworden sinds de overijverige, energieke chef van de rijkspolitie onlangs een aantal aanzienlijke hervormingen had doorgevoerd. Wallander had talloze en altijd weer even slecht geformuleerde notities doorgenomen over de veranderingen die het korps te wachten stonden. Toen hij een keer geprobeerd had met Björk te praten over wat deze komende reorganisatie in concreto zou inhouden, had hij alleen maar zwevende en ontwijkende antwoorden gekregen. Nu hij tegenover de kettingrokende majoor zat, vond hij dat hij alle informatie net zo goed achterwege kon laten. Mochten er misverstanden ontstaan over zuiver organisatorische kwesties, dan moesten ze die maar ad hoc oplossen.

Nadat Björk hoestend het vertrek verlaten had, meende Wallander dat het misschien passend zou zijn om te beginnen met enkele beleefdheidsfrasen. Hij vroeg waar Majoor Liepa logeerde tijdens zijn verblijf in Ystad.

'In een hotel', antwoordde Liepa. 'Maar ik weet niet hoe het heet.'

Wallander was van zijn stuk gebracht. Liepa scheen alleen maar geïnteresseerd te zijn in het lopende onderzoek en nergens anders in.

Beleefdheden konden later altijd nog volgen, dacht Wallander. Het enige wat we gemeenschappelijk hebben is het onderzoek naar een dubbele moord, meer niet.

Majoor Liepa gaf een lange, uitputtende uiteenzetting over de manier waarop de Letse politie de identiteit van de beide dode mannen had kunnen vaststellen. Zijn Engels was slecht, wat hem kennelijk dwarszat. Toen ze een pauze inlasten, belde Wallander zijn vriend, de boekhandelaar, met de vraag of die niet een Engels-Lets woordenboek had. Zo'n woordenboek bestond niet. Ze waren dus tot een gezamenlijke, moeizame speurtocht veroordeeld zonder een gemeenschappelijke taal om op terug te vallen.

Na negen uur intensief lezen van verslagen – Martinson en Wallander staarden uur na uur op een kopie van een onbegrijpelijk, gestencild, Lets proces-verbaal – terwijl majoor Liepa zoekend naar woorden vertaalde en weer verderging, had Wallander zo om en nabij een beeld gekregen. Janis Leja en Juris Kalns hadden zich al jong doen kennen als twee onberekenbare en roofzuchtige misdadigers. Het was Wallander niet ontgaan met hoeveel verachting Liepa verteld had dat de beide mannen tot de Russische minderheid in zijn land behoorden. Wallander had al eerder begrepen dat er, sinds de Sovjet-Unie Letland na de Tweede Wereldoorlog geannexeerd had, grote Russische bevolkingsgroepen in het land woonden, die de naderende bevrijding tegenwerkten. Hij had echter geen idee van de omvang van het vraagstuk, daarvoor schoot zijn kennis van de politieke situatie tekort. Maar de verachting van majoor Liepa was heel openlijk en keer op keer gaf hij er blijk van.

'Russische bandieten', zei hij. *'Russian bandits, members of our Eastern maffia.'*

Ondanks hun betrekkelijk jeugdige leeftijd – Leja was achtentwintig en Kalns eenendertig – hadden ze een lang strafblad. Ze waren betrokken geweest bij berovingen en overvallen, smokkel en illegale valutatransacties. De politie in Riga had in zeker drie gevallen het sterke vermoeden gehad dat de twee mannen een moord hadden gepleegd. Het was haar echter niet gelukt de mannen definitief met die misdrijven in verband te brengen.

Toen majoor Liepa eindelijk al zijn verslagen en uittreksels uit het Letse strafdossier had doorgenomen, formuleerde Wallander een vraag die hem van essentieel belang leek.

'Deze mannen hebben een groot aantal grove misdrijven gepleegd', zei hij. (Het woord 'grove' leverde problemen op tot Martinson het Engelse *serious* voorstelde.) 'Wat me verbaast, is dat ze kennelijk slechts korte tijd in de gevangenis hebben gezeten, al waren ze schuldig en ook veroordeeld.'

Toen glimlachte majoor Liepa. Het bleke gezicht opende zich in een brede en geïnteresseerde glimlach.

Dit is een vraag waarop hij heeft gewacht, dacht Wallander. Die is belangrijker dan alle eventuele beleefdheidsfrasen.

'Ik moet u iets over mijn land vertellen', zei majoor Liepa en stak nog een sigaret op. 'Slechts vijftien procent van de bevolking in Letland is afkomstig uit de Sovjet-Unie, maar toch hebben deze mensen vanaf de Tweede Wereldoorlog tot op de dag van vandaag onze samenleving in alle opzichten beheerst. Het communistische regime in Moskou hanteert de immigratie van mensen uit de Sovjet-Unie als een middel om ons land te onderdrukken. Misschien zelfs het meest effectieve. U vraagt hoe het mogelijk is dat Leja en Kalns zo weinig tijd in de gevangenis hebben doorgebracht, terwijl ze in feite levenslang achter de tralies hadden moeten zitten, misschien zelfs terechtgesteld hadden moeten worden? Ik wil niet beweren dat alle officieren van justitie en alle rechters corrupt zijn, dat zou een versimpeling van de waarheid zijn. Het zou bovendien uitdagend en ontactisch zijn. Maar waar ik wel van overtuigd ben, is dat Leja en Kalns op de achtergrond nog andere, beduidend invloedrijkere beschermheren hebben.'

'De maffia', zei Wallander.

'Ja en nee. Ook de maffia heeft in onze landen een onzichtbare bescherming nodig. Ik ben ervan overtuigd dat Leja en Kalns nogal wat tijd besteedden aan diensten voor de KGB. En de geheime politie vindt het nooit prettig wanneer hun eigen mensen in de gevangenis belanden, behalve wanneer het verraders of overlopers zijn. De schaduw van Stalin zweeft nog altijd boven het hoofd van deze mensen.'

Dat geldt ook voor Zweden, ging het door Wallander heen. Al kunnen wij ons niet op de borst kloppen dat er bij ons een spook op de achtergrond waart. Een ingewikkeld netwerk van wederzijdse afhankelijkheid is bepaald niet uniek voor een totalitair systeem.

'De KGB', herhaalde majoor Liepa. 'De maffia. Er zijn verbindingen tussen die twee. Alles hangt met alles samen en wel via een netwerk waarvan alleen ingewijden het fijne weten.'

'De maffia', zei Martinson, die tot dan toe gezwegen had, behalve wanneer hij Wallander te hulp schoot bij het vinden van Engelse woorden als de laatste iets moest uitleggen. 'Voor ons in Zweden is het nieuw dat er goedgeorganiseerde Russische of Oost-Europese misdaadsyndicaten bestaan. Een paar jaar geleden drong het voor het eerst tot de Zweedse politie door dat er bendes uit de Sovjet-Unie in ons land opereren en wel in de eerste plaats in Stockholm. We weten in feite nog heel weinig over deze bendes. Het belangrijkste signaal dat er iets aan de hand was, kregen we naar aanleiding van een aantal gewelddadige afrekeningen binnen het criminele circuit. Men heeft ons gewaarschuwd dat deze lieden de komende jaren kunnen proberen onze eigen onderwereld te infiltreren om daar op verschillende terreinen hoge posities in te nemen, maar veel verder dan dat zijn we nog niet gekomen.'

Wallander luisterde jaloers naar het Engels van Martinson. Zijn uitspraak was abominabel, maar zijn woordenschat aanzienlijk groter dan die van hemzelf. Waarom organiseert de rijkspolitie geen cursussen Engels? dacht hij geërgerd. In plaats van die idiote cursussen personeelsbeleid en interne democratie?

'Dat zal ongetwijfeld gebeuren', zei majoor Liepa. 'Nu de communistische landen uiteenvallen kun je een vergelijking trekken met een zinkend schip. De misdadigers zijn de ratten, die als eerste het schip verlaten. Ze beschikken over contacten, over geld, over mogelijkheden. Veel mensen uit het Oostblok, die in het Westen om asiel vragen, zijn misdadigers die niet voor de onderdrukking op de vlucht slaan, maar die op zoek zijn naar nieuwe jachtgebieden. Het is helemaal niet zo moeilijk om iemands achtergrond en identiteit te vervalsen.'

'Majoor Liepa', zei Wallander. 'U zegt dat u *gelooft. You believe. You do not know?'*

'Ik ben zeker van mijn zaak,' antwoordde majoor Liepa, 'maar ik kan niets bewijzen. Nog niet.'

Wallander besefte dat er achter de woorden van majoor Liepa betekenissen en reikwijdtes schuilgingen die hij niet onmiddellijk kon overzien of begrijpen. In het land van majoor Liepa waren de misdaad en de politieke elite met elkaar verstrengeld. En de laatste beschikte over de macht en het gezag om rechtstreeks in strafzaken in te grijpen en ze in de doofpot te stoppen. De twee dode mannen die op de Zweedse kust aan land waren gedreven, hadden een onzichtbare boodschap bij zich gehad, die duidde op een gecompliceerde en vreemde achtergrond. Welke hand had het wapen vastgehouden dat op hun hart gericht was geweest?

Wallander besefte plotseling heel goed dat voor majoor Liepa ieder crimineel onderzoek neerkwam op het zoeken naar bewijzen die een politieke betrokkenheid verraadden. Misschien zouden we dat in Zweden ook moeten doen, dacht hij. Misschien moeten we inzien dat we niet diep genoeg doorgraven in het hedendaagse criminele circuit.

'Die dode mannen', zei Martinson. 'Wie heeft ze eigenlijk vermoord? En waarom?'

'Dat weet ik niet', antwoordde majoor Liepa. 'Het was uiteraard een afrekening. Maar waarom zijn ze gemarteld? Wie heeft dat gedaan? Wat wilden de moordenaars weten voor ze Leja en Kalns het zwijgen oplegden? Zijn ze te weten gekomen wat ze wilden? Ik heb ook een heleboel onbeantwoorde vragen.'

'Het antwoord is nauwelijks in Zweden te vinden', zei Wallander.

'Dat weet ik', zei majoor Liepa. 'Het ligt misschien in Letland.'

Wallander schrok. Waarom zei hij *misschien*?

'Als het antwoord niet in Letland ligt, waar ligt het dan wel?' vroeg hij.

'Verder weg', antwoordde majoor Liepa.

'Meer naar het oosten', stelde Martinson voor.

'Of misschien meer naar het zuiden', zei majoor Liepa aarzelend en zowel Martinson als Wallander begreep dat hij zijn gedachten nog niet kenbaar wilde maken.

Ze braken op. Wallander voelde dat hij door al het stilzitten tijdens het moeizame doornemen van het vele materiaal last had gekregen van een oud rugschot. Martinson beloofde majoor Liepa te helpen met het wisselen van geld bij een bank. Wallander vroeg hem om daarna contact op te nemen met Lovén in Stockholm om te horen hoe ver het ballistisch onderzoek gevorderd was. Zelf zou hij een rapport schrijven over wat de vergadering had opgeleverd. Officier van justitie Anette Brolin had laten weten dat ze graag zo vlug mogelijk over een verslag wilde beschikken.

Lieve mevrouw Brolin, dacht Wallander, toen hij het rokerige vergadervertrek verliet en door de gang liep. Deze zaak hoef je niet bij de rechtbank aanhangig te maken. Die sturen we zo snel mogelijk door naar Riga, samen met twee lijken en een rood reddingsvlot. Daarna kunnen we het vooronderzoek afsluiten en rustig constateren dat we ons best hebben gedaan en dat er 'geen aanleiding is om nadere stappen te ondernemen'.

Na de lunch schreef hij zijn rapport, terwijl Martinson zich ontfermde over majoor Liepa die de wens te kennen had gegeven kleren voor zijn vrouw te kopen. Hij had juist het kantoor van de openbare aanklager gebeld en vernomen dat Anette Brolin hem kon ontvangen, toen Martinson zijn kamer binnenkwam.

'Waar is de majoor?' vroeg Wallander.

'Hij zit op zijn kamer te roken', antwoordde Martinson. 'Hij heeft al as gemorst op Svedbergs mooie tapijt.'

'Heeft hij iets gegeten?'

'Ik heb hem meegenomen naar Lurblåsaren voor het menu van de dag. Dat was hachee. Ik geloof niet dat hij het lekker vond. Het grootste deel van de tijd heeft hij zitten roken en koffiedrinken.'

'Heb je Lovén nog gesproken?'

'Die ligt thuis met griep.'

'Iemand anders dan?'

'Je krijgt per telefoon niemand te pakken. Ze zijn niet bereikbaar. Niemand weet wanneer iemand terugkomt. Iedereen belooft dat er teruggebeld zal worden. Niemand doet het.'

'Misschien dat Rönnlund je kan helpen?'

'Ik heb geprobeerd ook die te pakken te krijgen. Maar hij is op pad, voor het werk. Niemand weet wat hij aan het doen is of waar hij is of wanneer hij terugkomt.'

'Blijf het proberen. Ik ga hiermee naar de officier van justitie. Ik denk wel dat we de zaak zeer binnenkort aan majoor Liepa kunnen overdragen. De lijken, het reddingsvlot en het onderzoeksmateriaal. Hij mag alles mee naar huis nemen.'

'Daar wou ik het juist met je over hebben.'

'Hoezo?'

'Het gaat over het reddingsvlot.'

'Wat is daarmee?'

'Majoor Liepa wil het inspecteren.'

'Neem hem dan mee naar de kelder.'

'Zo simpel ligt het niet.'

Wallander voelde zijn ergernis opkomen. Soms kostte het Martinson moeite om ronduit te zeggen wat hij op zijn lever had.

'Waarom is het zo moeilijk om naar de kelder te gaan?'

'Het vlot is weg.'

Wallander keek Martinson wantrouwig aan.

'Weg?'

'Ja. Weg.'

'Wat bedoel je daarmee? Het vlot ligt immers op twee houten schragen in de kelder? Waar jij en kapitein Österdahl het bekeken hebben. We moeten hem trouwens nog een bedankbriefje sturen voor zijn hulp. Help me eraan herinneren.'

'De schragen zijn er nog wel,' zei Martinson, 'maar het vlot is weg.'

Wallander besefte plotseling dat Martinson meende wat hij zei. Wallander legde zijn papieren weer op zijn bureau. Samen met Martinson holde hij naar de kelder.

Martinson had gelijk. Het vlot was weg. De twee houten schragen lagen op de betonnen vloer.

'Wat is hier verdomme gebeurd?' vroeg Wallander.

Martinsons antwoord kwam aarzelend, alsof hij zelf twijfelde aan wat hij zei.

'Er is ingebroken', zei hij. 'Gisteravond heeft Hanson, die in de kelder moest zijn, het vlot nog gezien. Vanochtend ontdekte een agent van de verkeerspolitie dat een van de deuren was opengebroken. Het vlot moet dus vannacht gestolen zijn.'

'Onmogelijk', zei Wallander. 'In een politiebureau wordt niet ingebroken. Hier zijn dag en nacht mensen. Is er nog meer weg? Waarom heeft niemand iets gezegd?'

'De verkeerspolitie heeft het tegen Hanson gezegd. En Hanson heeft vergeten jou in te lichten. Het was het enige wat in het vertrek stond. De andere deuren zaten op slot en zijn niet opengebroken. Wie dit gedaan heeft was het om het vlot te doen.'

Wallander keek naar de twee omgegooide schragen. Ergens diep van binnen voelde hij zijn onbehagen toenemen.

'Martinson', zei hij langzaam. 'Kun jij je uit het blote hoofd herinneren of er in een van de kranten heeft gestaan dat het reddingsvlot in de kelder van het politiebureau lag?'

Martinson dacht na.

'Ja', zei hij. 'Ik herinner me gelezen te hebben dat het vlot in de kelder lag. Ik geloof ook dat we bezoek van een fotograaf hebben gehad. Maar wie neemt nou het risico bij de politie in te breken vanwege een vlot?'

'Precies', zei Wallander. 'Wie neemt een dergelijk risico?'

'Ik begrijp er niets van', zei Martinson.

'Misschien dat majoor Liepa het begrijpt', zei Wallander. 'Ga hem even halen. Daarna moet er een grondig onderzoek naar deze inbraak komen. Als je de majoor haalt, zeg dan meteen dat ze die verkeersagent hiernaartoe sturen. Wie was het?'

'Peters, geloof ik. Die ligt waarschijnlijk thuis te slapen. Als we vannacht een sneeuwstorm hebben, krijgt hij het zwaar voor de kiezen.'

'Toch moeten we hem uit zijn slaap halen', zei Wallander.

Martinson verdween en Wallander bleef alleen in de kelder achter. Hij liep naar de opengebroken deur om die te bekijken. De inbrekers hadden kans gezien binnen te komen ondanks het feit dat het een dikke stalen deur was, voorzien van dubbele sloten. De deur was niet beschadigd, de sloten waren opengemaakt.

Lieden die wisten waar ze op uit waren, dacht Wallander. Lieden die weten hoe je een slot openmaakt.

Opnieuw bekeek hij de omgegooide houten schragen. Hij had zelf het reddingsvlot geïnspecteerd en hij was niet opgehouden totdat hij absoluut zeker wist dat er niets aan zijn blik ontsnapt was. Ook Martinson en Österdahl hadden het vlot onderzocht, net als Rönnlund en Lovén.

Wat hebben wij niet gezien? dacht hij. Er moet iets geweest zijn.

Martinson keerde met de rokende majoor Liepa terug. Wallander had inmiddels alle neonbuizen aan het plafond aangedaan. Martinson legde de majoor uit wat er gebeurd was. Wallander sloeg Liepa gade. Precies zoals hij gedacht had, scheen Liepa niet erg verbaasd te zijn. Hij knikte slechts bedachtzaam dat hij het begrepen had. Toen wendde hij zich tot Wallander.

'Jullie hebben het vlot onderzocht? En een oude kapitein heeft het geïdentificeerd als een vlot dat in Joegoslavië gefabriceerd is? Dat zal dan wel kloppen. Letse schepen hebben vaak Joegoslavische reddingsvlotten aan boord. Ook schepen van de politie. Jullie hebben het vlot dus onderzocht?'

'Ja', zei Wallander.

Op hetzelfde moment zag hij zijn fatale fout in.

Niemand had de lucht uit het vlot laten lopen. Niemand had het binnenste van het vlot geïnspecteerd. En zelf had hij daar ook geen moment aan gedacht.

Majoor Liepa scheen zijn gedachten te raden. Wallander schaamde zich diep. Hoe had hij kunnen vergeten om in het vlot te kijken? Vroeg of laat zou hij zeker op dat idee gekomen zijn, maar hij had het onmiddellijk moeten doen.

Hij begreep dat het overbodig was om uit te leggen wat majoor Liepa zelf al uitgedokterd had.

'Wat kan er *inside* gezeten hebben?' vroeg hij.

Majoor Liepa haalde zijn schouders op.

'Drugs waarschijnlijk', zei hij.

Wallander dacht na.

'Er klopt iets niet. Twee dode mannen zouden gedumpt zijn in een vlot waar drugs in zitten? Een vlot dat aan het spel van de winden wordt overgeleverd?'

'Dat is juist', zei majoor Liepa. 'Iemand kan een fout gemaakt hebben. Degene die dit vlot per ongeluk weggenomen heeft, moest zijn fout goedmaken.'

Het volgende uur besteedden ze aan een grondige inspectie van de kelder. Wallander haastte zich naar de receptie om Ebba te vragen of ze een acceptabele verklaring kon bedenken waardoor hij plotseling verhinderd was om Anette Brolin zijn rapport te komen brengen.

Het gerucht deed al gauw de ronde dat er in het politiebureau ingebroken was en Björk kwam de trap afstormen.

'Als dit uitlekt zijn we de risee van het land', zei hij.

'Dit lekt niet uit', antwoordde Wallander. 'Dit is te pijnlijk.'

Hij legde Björk uit wat er gebeurd kon zijn. Björk zou er nu natuurlijk ernstig aan gaan twijfelen of hij wel de juiste man was om de verantwoording voor ingewikkelde opsporingszaken op zich te nemen.

Ben ik lui geworden? dacht hij. Deug ik nog wel voor die beveiligingsjob bij Trelleborgs Gummifabrik? Moet ik soms naar Malmö terug om daar weer te voet te gaan surveilleren?

Nergens enig spoor. Geen vingerafdrukken, geen voetsporen op de stoffige vloer. Politiewagens hadden de sporen in het grind voor de opengebroken deur al kapotgereden. Het was niet meer na te gaan of er sporen van banden tussen zaten, die niet van politiewagens afkomstig waren.

Toen ze inzagen dat er verder niets meer te doen viel, keerden ze naar het vergadervertrek terug. Peters was inmiddels gearriveerd, chagrijnig en kwaad omdat hij uit zijn slaap was gehaald. Hij kon alleen maar de exacte tijd opgegeven dat hij de inbraak ontdekt had. Wallander had ook gecheckt of degenen die nachtdienst hadden gehad iets gehoord of gezien hadden. Overal kreeg hij een ontkennend antwoord. Niemand had iets gehoord, niemand had iets gezien. Niets. Helemaal niets.

Plotseling voelde Wallander zich moe. Hij had hoofdpijn gekregen van de rook van majoor Liepa's vele sigaretten die hij voortdurend moest inademen.

Wat doe ik nou? dacht hij. Wat zou Rydberg gedaan hebben?

Twee dagen later was het verdwenen reddingsvlot nog steeds een mysterie.

Majoor Liepa was van mening dat het vergeefse moeite zou zijn om hun krachten te spenderen aan het opsporen ervan. Onwillig zag Kurt Wallander in dat hij gelijk had. Maar het gevoel een onvergeeflijke blunder gemaakt te hebben, kon hij niet van zich afzetten. Hij was mismoedig en iedere ochtend als hij wakker werd had hij hoofdpijn.

Er trok een hevige sneeuwstorm over Skåne. Via de radio raadde de politie de mensen aan thuis te blijven en zich niet op straat te begeven als het niet absoluut noodzakelijk was. De vader van Wallander werd in zijn huis bij Löderup ingesneeuwd, maar toen Wallander belde om te vragen of zijn vader alles had wat hij nodig had, antwoordde deze dat hij niet eens had gemerkt dat de weg door stuifsneeuw ondergesneeuwd was. In de algemene chaos die onmiddellijk uitbrak, bleef het onderzoek min of meer liggen. Majoor Liepa had zich opgesloten in de kamer van Svedberg en bestudeerde het rapport dat Lovén inzake de twee kogels had gestuurd. Wallander had een lang gesprek met Anette Brolin, waarin hij verslag uitbracht van het onderzoek. Iedere keer als hij haar ontmoette, moest hij weer aan vorig jaar denken, toen hij hevig verliefd op haar geweest was. Die herinnering was nu onwezenlijk, alsof hij het zich maar verbeeld had. Anette Brolin nam contact op met de procureur-generaal en de juridische afdeling van Buitenlandse Zaken om groen licht te krijgen de zaak in Zweden te seponeren en over te dragen aan de politie in Riga. Majoor Liepa had er inmiddels voor gezorgd dat de Letse politie daartoe een formeel verzoek bij BZ had ingediend.

Op de avond dat de sneeuwstorm op zijn hevigst raasde, nodigde Wallander majoor Liepa bij zich thuis uit. Hij had een fles whisky gekocht, die ze in de loop van de avond leegdronken. Wallander merkte dat hij na een paar glazen een beetje dronken begon te worden. Aan majoor Liepa was niets te merken. Wallander was begonnen hem 'majoor' te noemen, waar Liepa niets op tegen scheen te hebben. Het was niet gemakkelijk om met de Letse politieman een gesprek te voeren. Wallander wist niet of dat kwam omdat Liepa verlegen was, of dat hij zich schaamde voor zijn Engels, of dat hij misschien trekken vertoonde van een superieure distantie. Wallander praatte over zijn gezin, over Linda die op een volkshogeschool bij Stockholm zat. Majoor Liepa zei kort dat hij getrouwd was met een vrouw die Baiba heette. Hij had geen kinderen. De avond sleepte zich voort en ze zaten lange tijden zwijgend met hun glas in hun hand.

'Zweden en Letland', zei Wallander. 'Zijn er ook overeenkomsten? Of alleen verschillen? Ik probeer me er iets bij voor te stellen wanneer ik aan Letland denk, maar ik zie niets. Toch zijn we buren.'

Op het moment dat hij zijn eigen stem hoorde, realiseerde Wallander zich dat zijn vraag zinloos was. Zweden werd niet als een kolonie door een vreemde mogendheid bestuurd. In de Zweedse straten werden geen barricades opgericht. Er werden geen onschuldige mensen doodgeschoten of overreden door militaire voertuigen. Waren er nog andere dingen dan alleen verschillen?

Toch was het antwoord van de majoor verrassend.

'Ik ben religieus', zei hij. 'Ik geloof niet in een god, maar een mens kan buiten dat toch wel een geloof hebben, geloven dat er nog iets is behalve het begrensde landschap van ons verstand. Zelfs het marxisme heeft een sterk element van geloof in zich, ondanks het feit dat het zich presenteert als een rationele wetenschap en niet alleen als ideologie. Dit is mijn eerste bezoek aan het Westen. Hiervóór kon ik alleen naar de Sovjet-Unie, naar Polen of een van de andere Baltische landen reizen. Ik heb in dit land een materiële overvloed gezien waar geen eind aan schijnt te komen. Tussen onze landen is sprake van een verschil dat tevens een overeenkomst is. Beide landen zijn arm, maar de armoede heeft een ander gezicht. Wij missen de overvloed, de vrijheid om te kunnen kiezen. Hier vermoed ik een armoede die erop neerkomt dat men niet hoeft te vechten om te overleven. Voor mij heeft die strijd een religieuze dimensie. Ik zou niet willen ruilen.'

Wallander besefte dat de majoor zijn antwoord nauwkeurig had voorbereid. Hij had niet naar de juiste woorden hoeven zoeken.

Maar wat had hij nu eigenlijk gezegd? De Zweedse armoede?

Wallander voelde de behoefte te protesteren.

'U hebt het mis, majoor', zei hij. 'Ook in dit land is een strijd aan de gang. Vele mensen blijven afgesloten van de overvloed waarover u spreekt...' – was dat werkelijk *closed from*? – 'Het klopt dat niemand hier van honger omkomt, maar u ziet het verkeerd als u gelooft dat ook wij geen strijd moeten leveren.'

'Om te overleven moet een mens strijd voeren', zei de majoor. 'Voor mij valt daar ook de strijd voor vrijheid en onafhankelijkheid onder. Als je meer doet dan dat, dan maak je een bewuste keuze. Je doet dan iets wat je niet hoeft te doen.'

Het gesprek stokte. Wallander had een heleboel vragen willen stellen. In de eerste plaats wat er de vorige maand in Riga was gebeurd, maar hij kon zich er niet toe zetten. Hij wilde niet laten merken hoe onwetend hij was. Hij stond op en zette een plaat van Maria Callas op.

'Turandot', zei de majoor. 'Heel mooi.'

Buiten gierden de sneeuw en de wind. Wallander stond de majoor na te kijken, toen deze even na middernacht naar huis ging. Hij liep gebogen in de wind, gekleed in zijn plompe overjas.

De volgende dag was het slechte weer voorbij. Sneeuwploegen konden de wegen weer sneeuwvrij maken. Toen Wallander 's ochtends wakker werd, merkte hij dat hij een kater had, maar tijdens zijn slaap had een besluit in zijn hoofd postgevat. Terwijl ze op de beslissing van de procureur-generaal wachtten, kon hij de majoor net zo goed mee naar Brantevik nemen, naar de vissersboot die hij op een nacht een week eerder een bezoek had gebracht.

Even na negenen stapten ze in Wallanders auto en reden in oostelijke richting. Het landschap was bedekt met sneeuw en glinsterde in het felle zonlicht. Het vroor drie graden en het was windstil.

De haven lag er verlaten bij. Aan de buitenste pier lag een aantal vissersboten gemeerd. Wallander kon niet onmiddellijk zeggen aan boord van welk schip hij geweest was. Ze liepen naar de betreffende pier en Wallander begon te tellen tot hij drieënzeventig stappen had genomen.

De boot heette Byron. Ze was van hout, wit geschilderd en ongeveer veertig voet lang. Wallander legde zijn hand om het grove meertouw en deed zijn ogen dicht. Herkende hij het? Hij wist het niet. Ze klommen aan boord. Over het luik van de laadruimte was een donkerrood geteerd zeildoek gespannen. Toen ze naar de stuurhut liepen, struikelde Wallander onverwachts over een opgerolde tros. Daardoor wist hij dat ze zich aan boord van de juiste boot bevonden. Op de stuurhut zat een groot hangslot. De majoor maakte een hoek van het zeildoek los en scheen met een zaklantaarn in het ruim. Het was leeg.

'Het ruikt niet naar vis', zei Wallander. 'Je zult hier geen visschubben aantreffen, geen netten. Het is een smokkelschip. Maar wat wordt er gesmokkeld? En waarheen?'

'Van alles', zei de majoor. 'Omdat er in onze landen aan alles een tekort is, kan men van alles smokkelen.'

'Ik zal uitzoeken van wie het schip is', zei Wallander. 'Ik mag dan mijn woord gegeven hebben, ik kan wel nagaan van wie het schip is. Zou u een dergelijke belofte gedaan hebben?'

'Nee', antwoordde majoor Liepa. 'Dat zou ik nooit gedaan hebben.'

Veel meer was er niet te zien.

Terug in Ystad besteedde Wallander de middag om uit te zoeken wie de eigenaar van de Byron was. Het kostte hem heel wat moeite. Het schip was de laatste jaren nogal eens in andere handen overgegaan. Het had onder andere toebehoord aan een handelsfirma in Simrishamn met de fantasievolle naam Ruskpricks Fisk.

Daarna was het schip verkocht aan een visser die Öhrström heette. Die had het op zijn beurt na slechts enkele maanden doorverkocht. Ten slotte kwam Wallander erachter dat het schip op dit moment toebehoorde aan een man, Sten Holmgren genaamd, die in Ystad woonde. Wallander ontdekte tot zijn verbazing dat de man in dezelfde straat woonde als hij, Mariagatan. Hij zocht Sten Holmgren op in het telefoonboek, maar hij stond er niet in. Bij het districtskantoor in Malmö stond Sten Holmgren niet als eigenaar van een firma geregistreerd. Voor alle zekerheid trok Wallander dit ook na bij de districtskantoren in Kristianstad en Karlskrona. Die hadden evenmin een Sten Holmgren in hun handelsregister staan.

Wallander gooide zijn pen neer en ging koffie halen. Toen hij terugkwam was de telefoon al aan het rinkelen. Anette Brolin.

'Raad eens wat ik te vertellen heb', zei ze.

'Misschien ben je weer niet tevreden over onze onderzoeken?'

'Inderdaad, maar daar wil ik het nu niet over hebben.'

'Dan weet ik het niet.'

'Wij moeten het onderzoek hier afbreken. De zaak wordt overgedragen aan Riga.'

'Is dat zeker?'

'De procureur-generaal en BZ zijn het met elkaar eens. Ze

hebben laten weten dat het onderzoek gestaakt moet worden. Ik heb het zojuist gehoord. Alle formaliteiten schijnen in een reusachtig tempo afgehandeld te worden. Nu mag je majoor terug naar Riga. De lijken kan hij meenemen.'

'Daar zal hij blij om zijn', zei Wallander. 'Dat hij naar huis mag, bedoel ik.'

'Spijt het je?'

'Niet in het minst.'

'Zou je hem willen vragen om even bij mij langs te komen. Ik heb Björk al op de hoogte gesteld. Is Liepa misschien ergens in de buurt?'

'Hij zit in de kamer van Svedberg te roken. Ik heb nog nooit een man ontmoet die zoveel rookt als hij.'

Met een vroege ochtendvlucht vloog majoor Liepa de volgende dag naar Stockholm en vandaar door naar Riga. De beide loden kisten werden per auto naar Stockholm vervoerd om daar in een vliegtuig te worden geladen.

Wallander en Liepa namen bij de incheckbalie op Sturup afscheid van elkaar. Wallander had een fotoboek van Skåne als afscheidsgeschenk gekocht. Iets beters was hem niet te binnen geschoten.

'Ik zou graag willen horen hoe het afloopt', zei hij.

'Ik zal u doorlopend op de hoogte houden', antwoordde de majoor.

Ze gaven elkaar een hand en de majoor vertrok.

Een eigenaardige man, dacht Wallander toen hij van het vliegveld wegreed. Wat zou hij eigenlijk van mij gedacht hebben?

De volgende dag was het zaterdag. Wallander sliep lang uit en reed toen naar zijn vader. 's Avonds ging hij naar een pizzeria om wat te eten en dronk rode wijn bij zijn maaltijd. Hij was in gedachten voortdurend bezig met de vraag of hij nu wel of niet bij Trelleborgs Gummifabrik zou solliciteren. Over een paar dagen zou de sollicitatietermijn verstreken zijn. De zondagochtend bracht hij door in het washok en met het troosteloze karwei van zijn flat schoonmaken. 's Avonds ging hij naar de enige bioscoop die nog in bedrijf was in Ystad. Hij zag er een Amerikaanse politiefilm. Tegen wil en dank vond hij hem spannend, ondanks alle overdrijvingen.

Op maandagochtend stapte hij even na acht uur zijn kamer binnen. Hij had juist zijn jack uitgetrokken toen Björk binnenkwam.

'We hebben zojuist een telex van de politie in Riga ontvangen', zei Björk.

'Van majoor Liepa? Wat schrijft hij?'

Björk maakte een onzekere indruk.

'Het is zo dat majoor Liepa helemaal niets schrijft', zei hij aarzelend.

Wallander keek hem vragend aan.

'Wat wil je daarmee zeggen?'

'Majoor Liepa is vermoord', zei Björk. 'Op de dag dat hij thuiskwam. Deze telex is getekend door een politiekolonel, Putnis genaamd. Ze vragen ons om hulp. Dat zal wel betekenen dat jij erheen moet.'

Wallander ging zitten om de telex te lezen.

De majoor dood? Vermoord?

'Ik vind dit heel erg', zei Björk. 'Dit zijn afschuwelijke dingen. Ik zal de chef van de rijkspolitie bellen om te vragen wat ze willen.'

Wallander zat als lamgeslagen in zijn stoel.

Majoor Liepa vermoord?

Hij voelde een brok in zijn keel. Wie had die bijziende, kettingrokende, kleine man gedood? En waarom?

Hij dacht aan Rydberg, die dood was. Ineens voelde hij zich helemaal alleen op de wereld.

Drie dagen later vertrok hij naar Letland. Even voor tweeën op de middag van de 28ste februari zette het vliegtuig van Aeroflot een linkerbocht in over de Golf van Riga.

Wallander keek naar de baai ver onder hem en vroeg zich af wat hem te wachten stond.

7

Het eerste wat hem opviel was de kou.

Terwijl hij in de rij voor de paspoortcontrole stond, merkte hij geen verschil met even daarvoor, toen hij uit het vliegtuig was gestapt en naar de aankomsthal was gelopen. Hij bevond zich in een land waar het binnen even koud was als buiten, en hij had spijt dat hij geen lange onderbroek had ingepakt.

De lange rij rillende passagiers bewoog zich langzaam voort in de sombere aankomsthal. Twee Denen trokken in de knarsende stilte de aandacht door zich luid te beklagen over wat hun tijdens hun bezoek aan Letland te wachten stond. De oudste van de twee was kennelijk al eerder in Riga geweest. Nu lichtte hij zijn jongere collega in over de hopeloze apathie en onzekerheid die er volgens hem in het land heersten. Wallander ergerde zich aan de luidruchtige Denen. Het was alsof hij wenste dat ze wat meer respect zouden tonen voor een bijziende Letse majoor die een paar dagen geleden was vermoord.

Hij probeerde zich te herinneren wat hij van het land wist, waarin hij zojuist gearriveerd was. Nog maar een week geleden zou hij de Baltische staten nauwelijks in de juiste volgorde op de landkaart hebben kunnen zetten. Tallinn had de hoofdstad van Letland kunnen zijn en Riga een belangrijke havenstad in Estland. Uit zijn ver achter hem liggende schooltijd herinnerde hij zich slechts wat vage en onvolledige brokstukken van de aardrijkskundige kaart van Europa. In de dagen die aan zijn vertrek naar Letland voorafgegaan waren, had hij geprobeerd alles over Letland te lezen wat hij maar te pakken kon krijgen. Hij had de indruk gekregen van een klein land dat door de nukken van de geschiedenis voortdurend het slachtoffer was geworden van de onderlinge twisten van diverse grootmachten. Ook Zweden had met bloedige vastberadenheid enkele malen in dit land huisgehouden. Maar hij meende ook begrepen te hebben dat de oorzaak van de huidige, noodlottige situatie in het voorjaar van 1945 gezocht moest worden, toen het Duitse strijdros was geveld en de sovjetmacht Letland ongehinderd had kunnen bezetten en inlijven. De pogingen om een onafhankelijke Letse regering te vormen waren bruut neergeslagen en het bevrijdingsleger uit het oosten was, met de onontkoombare neiging van de geschiedenis tot cynische salto-mortale's, al gauw in zijn tegendeel veranderd: een regime dat meedogenloos en vastbesloten de hele Letse natie in zijn wurggreep hield. Toch meende hij dat hij nog steeds zo goed als niets van het land wist. Zijn kennis vertoonde heel wat lacunes.

De beide luidruchtige Denen, die blijkbaar in Riga waren om in landbouwmachines te handelen, waren nu de paspoortcontrole genaderd. Juist toen Wallander zijn paspoort uit zijn binnenzak haalde, voelde hij dat iemand zijn schouder aanraakte. Hij schrok, alsof hij in zijn hart een onderdrukte angst had gevoeld om als een misdadiger ingerekend te worden. Toen hij zich omdraaide stond er een man in een grijsblauw uniform voor hem.

'Kurt Wallander?' vroeg de man. 'Ik ben Jazeps Putnis. Mijn excuses dat ik zo laat ben, maar het vliegtuig is eerder geland dan verwacht. U kunt de formaliteiten vergeten, we gaan hierlangs.'

Jazeps Putnis sprak voortreffelijk Engels. Wallander moest aan de strijd denken die Liepa voortdurend had moeten voeren om de juiste woorden en de juiste uitspraak te vinden. Hij volgde Putnis naar een deur waarvoor een soldaat op wacht stond. Ze kwamen in een andere hal, al even somber en vervallen als de eerste, waar men bezig was koffers op een wagen te laden.

'Laten we hopen dat uw bagage snel komt', zei Putnis. 'Mag ik u welkom heten in Letland en Riga? Bent u al eens eerder in ons land geweest?'

'Nee', antwoordde Wallander. 'Het is er nooit van gekomen.'

'Ik had me uiteraard betere omstandigheden kunnen indenken', vervolgde Putnis. 'De dood van majoor Liepa is een zeer onfortuinlijke gebeurtenis.'

Wallander wachtte op wat komen zou, maar er kwam niets. Jazeps Putnis, die volgens de door de Zweedse politie ontvangen telex de rang van kolonel bekleedde, zweeg abrupt. In plaats van te praten over de gestorven majoor liep hij met rasse schreden naar een man in een gebleekte overall en bontmuts, die tegen een muur geleund stond. De man rechtte zijn rug toen Putnis hem met barse stem toesprak. Daarop verdween de man door een deur die toegang gaf tot het vliegveld.

'Het gaat allemaal zeer traag', zei Putnis glimlachend. 'Is dat in Zweden ook zo?'

'Soms', zei Wallander. 'Soms moet je wachten.'

Kolonel Putnis was het exacte tegendeel van majoor Liepa. Hij was zeer lang, zijn bewegingen waren doelbewust en energiek en uit zijn ogen straalde een doordringende blik. Zijn profiel was scherp getekend en zijn grijze ogen leken alles te zien wat er om hem heen gebeurde.

Kolonel Putnis deed Wallander aan een dier denken. Misschien een lynx of luipaard, in een grijsblauw uniform.

Hij probeerde de leeftijd van de kolonel te schatten. De man kon een jaar of vijftig zijn, maar ook een stuk ouder.

In een wolk van uitlaatgassen kwam een rammelende tractor aanrijden met een bagagewagentje erachter. Wallander ontdekte zijn koffer meteen, maar hij kon niet verhinderen dat kolonel Putnis deze voor hem droeg.

Naast een rij taxi's stond een zwarte politiewagen van het merk Volga te wachten. Een chauffeur deed het portier open en salueerde. Wallander werd door dit gebaar overvallen, maar het lukte hem toch aarzelend terug te salueren.

Dit had Björk moeten zien, flitste het door hem heen. Wat moet majoor Liepa niet van al die in spijkerbroek geklede rechercheurs gedacht hebben, die hij in dat onbeduidende Zweedse stadje Ystad had gezien? Die nooit voor hem salueerden?

'We hebben een kamer voor u gereserveerd in hotel Latvija', zei kolonel Putnis toen ze van het vliegveld reden. 'Dat is het beste hotel van de stad. Het telt meer dan vijfentwintig verdiepingen.'

'Het zal ongetwijfeld een goed hotel zijn', zei Wallander. 'Ik moet u namens al mijn collega's in Ystad condoleren. We hebben majoor Liepa maar een paar dagen mee mogen maken, maar hij heeft zich zeer geliefd gemaakt.'

'Dank u', zei kolonel Putnis. 'Het overlijden van de majoor is een groot verlies voor ons allemaal.'

Opnieuw wachtte Wallander op een vervolg dat niet kwam.

Waarom zegt hij niets, dacht Wallander. Waarom vertelt hij niet wat er gebeurd is? Waarom is majoor Liepa vermoord? Door wie? Hoe? Waarom hebben ze me gevraagd hier te komen? Denken ze soms dat er een verband is met het bezoek van de majoor aan Zweden?

Hij keek naar het landschap waar ze doorheen reden. Eenzame velden met hier en daar wat sneeuw. Zo nu en dan een in het wilde weg neergesmeten grijs huis met een ongeverfd hek eromheen. Een varken wroetend op een mestvaalt. Op Wallander maakte het de indruk van een oneindige triestheid; het deed hem denken aan het ritje met zijn vader naar Malmö, dat ze kort geleden gemaakt hadden. Het Skånse landschap mocht dan in de wintermaanden deprimerend zijn, hier was sprake van een leegte die je afwees en die veel verder ging dan hij ooit voor mogelijk had gehouden.

Wallander voelde zich treurig worden toen hij naar het landschap keek. Het was alsof de pijnlijke geschiedenis van het land haar penseel gedoopt had in een altijd volle bus grijze verf.

Plotseling voelde hij de behoefte iets te doen.

Hij was niet naar Riga gekomen om zich door een somber winterlandschap terneer te laten slaan.

'Ik zou graag zo spoedig mogelijk een verslag willen krijgen', zei hij. 'Wat is er eigenlijk gebeurd? Ik weet alleen dat majoor Liepa op de dag van zijn terugkeer naar Riga vermoord is.'

'Als u zich in uw kamer geïnstalleerd hebt, kom ik u halen', zei kolonel Putnis. 'We hebben voor vanavond een vergadering belegd.'

'Ik hoef alleen mijn koffer maar weg te zetten', zei Wallander. 'Dat is in een paar minuten gebeurd.'

'De vergadering is om halfacht vanavond', antwoordde kolonel Putnis.

Wallander zag in dat zijn dadendrang geen verandering in dat plan zou kunnen brengen.

Toen ze door de buitenwijken van Riga naar het centrum reden, begon het te schemeren.

Wallander keek peinzend naar de sombere woonwijken die zich aan beide kanten van de weg uitstrekten. Hij had moeite erachter te komen hoe hij zich eigenlijk voelde tegenover wat hem wachtte. Het hotel lag in het centrum van de stad, aan het einde van een brede laan. Wallander ving een glimp van een standbeeld van Lenin op. Hotel Latvija rees als een donkerblauwe zuil naar de nachtelijke hemel op. Kolonel Putnis leidde Wallander snel door een verlaten foyer naar de receptie.

Wallander kreeg het gevoel dat hij zich in een parkeergarage bevond, die met moeite tot de entree van een hotel was omgebouwd.

Aan een van de korte zijden knipperde een rij liften. Boven hem leidden trappen diverse kanten op.

Tot zijn verbazing hoefde hij zich niet in het hotelregister in te schrijven. Kolonel Putnis nam de sleutel van de receptionist in ontvangst. Ze gingen met een van de nauwe liften naar de vijfde verdieping. Wallander had kamer 506 met uitzicht over de daken van de stad gekregen. Hij vroeg zich af of hij de Golf van Riga zou kunnen zien als het dag was.

De kolonel liet hem alleen nadat hij hem gevraagd had of hij tevreden was met zijn kamer. Hij zou Wallander over twee uur komen halen voor de vergadering van die avond op het hoofdbureau van politie.

Wallander ging voor het raam staan en keek naar de nokken van de daken, die zich voor hem uitstrekten. Ver beneden hem op straat reed een rammelende vrachtwagen voorbij. Door de slecht sluitende raamkozijnen drong koude lucht naar binnen. Hij voelde aan de radiator die nauwelijks meer dan lauw te noemen was. Ergens hoorde hij aan één stuk door een telefoon overgaan.

Een lange onderbroek, dacht hij. Dat is het eerste wat ik morgen moet kopen.

Hij pakte zijn koffer uit en zette zijn toiletartikelen in de grote badkamer neer. Op het vliegveld had hij een fles whisky gekocht. Na enige aarzeling schonk hij een bodempje in een wastafelglas.

Hij zette een radio van Russische makelij aan, die op een tafeltje naast het bed stond. Een opgewonden man sprak heel gehaast alsof hij een sport versloeg waarbij de gebeurtenissen zich snel en onvoorspelbaar voltrokken. Wallander sloeg de sprei terug en ging boven op het bed liggen.

Nu ben ik in Riga, dacht hij en ik weet nog altijd niet wat er met de majoor gebeurd is. Ik weet alleen dat hij dood is en wat ik helemaal niet weet is wat die kolonel, die Putnis heet, verwacht dat ik zal kunnen doen.

Het werd te koud om boven op het bed te blijven liggen. Hij besloot om naar de receptie te gaan om geld te wisselen. Misschien had het hotel een bar waar hij koffie kon krijgen. In de receptie zag hij tot zijn verbazing de beide Deense zakenlieden aan wie hij zich op het vliegveld zo geërgerd had. Een van hen, de oudste, stond bij de receptionist en wuifde boos met een kaart. Het leek wel alsof hij bezig was de vrouw achter de balie uit te leggen hoe je een papieren vlieger of een zweefvliegtuigje kunt maken. Wallander schaterde in stilte. Toen zag hij een bordje met de mededeling dat hij daar geld kon wisselen. Een oudere vrouw knikte vriendelijk naar hem en hij schoof haar twee biljetten van honderd dollar toe. Hij kreeg een grote stapel geld terug. Toen hij naar de balie terugkeerde, waren de twee Denen verdwenen. Hij vroeg de receptionist waar hij koffie kon krijgen en werd verwezen naar de grote eetzaal. Een kelner bracht hem naar een tafeltje bij het raam en overhandigde hem een menukaart. Hij nam een omelet en een kop koffie. Hij ving een glimp op van mensen in bontjassen en van rammelende trolleybussen aan de andere kant van het hoge raam. De zware gordijnen bewogen zich heen en weer in de tocht van de raamkozijnen die niet goed sloten.

Hij keek om zich heen in de verlaten eetzaal. Aan een tafeltje zat een ouder echtpaar in diep stilzwijgen te eten, aan een ander tafeltje zat een eenzame man in een grijs kostuum thee te drinken. Dat was alles.

Wallander dacht terug aan de vorige avond, toen hij met een middagvlucht vanaf Sturup in Stockholm was geland. Zijn dochter Linda had achter het centraal station bij de busterminal op hem staan wachten. Ze waren naar hotel Central gelopen, dat vlakbij in Vasagatan lag. Omdat Linda een kamer in Bromma had, in de buurt van de volkshogeschool, had hij voor haar een kamer in hetzelfde hotel geboekt. 's Avonds had hij haar mee uit eten genomen naar een restaurant in Gamla Stan. Ze hadden elkaar heel wat maanden niet gezien en het gesprek sleepte zich traag voort over diverse, willekeurige onderwerpen. Hij vroeg zich af of haar schriftelijke verslagen werkelijk de waarheid bevatten, maar op zijn vragen kreeg hij slechts korte antwoorden. Toen hij, zonder een lichte irritatie te kunnen onderdrukken, informeerde wat ze voor toekomstplannen had, zei ze dat ze die niet had.

'Wordt dat dan niet eens tijd?' had hij gevraagd.

'Daar heb jij niks mee te maken', had ze gezegd.

Daarna hadden ze ruzie gemaakt zonder hun stem te verheffen. Hij vond dat ze zo niet door kon gaan met haar wispelturige zwerftocht langs weer een andere school en zij had gezegd dat ze oud genoeg was om te doen wat ze zelf wilde.

Plotseling had hij begrepen dat Linda op hem leek. Hij kon niet precies zeggen wat het was, maar hij had het gevoel dat hij zijn eigen stem in de hare hoorde. En dat zich iets aan het herhalen was. Pratend met zijn dochter meende hij zijn eigen gecompliceerde relatie met zijn vader te herkennen.

Ze dronken wijn en aten een langgerekte maaltijd. Geleidelijk aan ebde de irritatie en spanning tussen hen weg. Wallander vertelde van zijn reis en heel even speelde hij met de gedachte te vragen of ze soms zin had om mee te gaan. De tijd verstreek snel en het was al na middernacht toen hij afrekende. Ondanks de kou gingen ze lopend naar het hotel terug. Daarna zaten ze op zijn kamer tot over drieën te praten. Toen ze ten slotte naar haar eigen kamer ging, vond Wallander dat het ondanks het slechte begin toch een gezellige avond was geworden, maar helemaal zeker was hij daar niet van. Hij kon de doffe ongerustheid niet van zich afzetten dat hij niet zeker wist hoe het leven van zijn dochter eigenlijk wel was.

Toen hij de volgende ochtend het hotel verliet lag ze nog te slapen. Hij betaalde en schreef een briefje dat de receptionist haar zou geven.

Hij schrok op uit zijn gemijmer, omdat het zwijgende, oude echtpaar de eetzaal verliet. Er waren geen nieuwe gasten bij gekomen. Alleen de eenzame man met zijn kop thee zat er nog. Wallander keek op zijn horloge. Er restte hem nog een uur voordat kolonel Putnis hem zou komen halen.

Hij betaalde en rekende uit zijn hoofd haastig uit hoeveel hij omgerekend betaald had. Het eten was heel goedkoop geweest. Weer op zijn kamer nam hij wat stukken door, die hij meegenomen had. Hij merkte dat hij langzaam weer greep begon te krijgen op het onderzoek, waarvan hij gemeend had dat hij het voor altijd aan de vergetelheid van het archief had toevertrouwd. Hij kreeg opnieuw de geur van de zware sigaretten van de majoor in zijn neus.

Om kwart over zeven klopte kolonel Putnis op Wallanders kamerdeur.

Er stond een auto voor het hotel te wachten. Ze reden door de donkere stad naar het hoofdbureau van politie in Riga. Er waren maar weinig mensen op straat. Het was in de loop van de avond snel kouder geworden. De straten en pleinen van de stad waren slecht verlicht en Wallander kreeg het gevoel dat hij door een stad reed, bestaande uit in silhouet geknipte coulissen en schaduwbeelden. Ze reden onder een poort door en stopten op iets wat nog het meest weg had van een binnenplein van een burcht. Kolonel Putnis had tijdens de rit gezwegen en Wallander wachtte nog steeds op de verklaring, waarom hij eigenlijk in Riga was. Ze liepen door echoënde, verlaten gangen, gingen een trap af en liepen opnieuw een gang door. Ten slotte bleef kolonel Putnis voor een deur staan, die hij zonder te kloppen opendeed.

Kurt Wallander kwam een groot, warm, maar slecht verlicht vertrek binnen. De kamer werd gedomineerd door een ovale vergadertafel, bedekt met een groen vilten kleed. Om de tafel stonden twaalf stoelen. Midden op het kleed stonden een waterkaraf en een paar glazen.

Diep in de schaduwen wachtte een man. Hij draaide zich om

toen Wallander binnenkwam en liep hem tegemoet.

'Het verheugt me dat u kon komen', zei de man. 'Ik ben Juris Murniers.'

'Kolonel Murniers en ik zijn samen verantwoordelijk voor het oplossen van de moord op majoor Liepa', zei Putnis.

Wallander voelde onmiddellijk een zekere spanning tussen de beide kolonels. Iets in de klank van Putnis' stem had dat verraden. De korte replieken hadden ook nog iets anders verborgen, maar wat kon Wallander niet zeggen.

Kolonel Murniers was een man van in de vijftig. Hij had kort geknipt, grijs haar. Zijn gezicht was bleek en opgezwollen alsof hij aan suikerziekte leed. De kolonel was klein van stuk en het viel Wallander op dat hij zich volstrekt geruisloos bewoog.

Weer een katachtige, dacht hij. Twee kolonels, twee katten, beiden in grijs uniform.

Wallander en Putnis trokken hun jas uit en gingen aan de tafel zitten. De wachttijd is voorbij, dacht Wallander. Wat is er met majoor Liepa gebeurd? Dat gaan ze me nu vertellen.

Het was Murniers die het woord voerde. Wallander zag dat hij zo was gaan zitten dat bijna zijn hele gezicht in de schaduw lag. De stem die het woord tot hem richtte in een goed geformuleerd, rijk Engels, leek uit een oneindig donker te komen. Kolonel Putnis zat recht voor zich uit te kijken, alsof hij zich eigenlijk niet de moeite gaf te luisteren.

Eindelijk was het wachten van Kurt Wallander voorbij en mocht hij weten welk lot de majoor getroffen had.

'We staan voor een groot raadsel', zei Murniers. 'Op de dag dat majoor Liepa uit Stockholm terugkeerde, heeft hij verslag uitgebracht aan kolonel Putnis en mij. We hebben de zaak hier in deze kamer doorgenomen. We hebben toen afgesproken dat majoor Liepa het verdere onderzoek in ons land op zich zou nemen. Om ongeveer vijf uur zijn we opgebroken. Naderhand hebben we vernomen dat majoor Liepa rechtstreeks naar huis is gereden. Hij en zijn vrouw wonen in een huis achter de dom van Riga. Mevrouw Liepa heeft verteld dat er niets bijzonders aan haar man te merken was, behalve natuurlijk dat hij blij was weer thuis te zijn. Ze hebben gegeten en majoor Liepa heeft over zijn belevenissen in Zweden verteld. U schijnt trouwens een zeer goede indruk op hem gemaakt te hebben, hoofdinspecteur. Even voor elf uur ging de telefoon, majoor Liepa stond juist op het punt naar bed te gaan. Zijn vrouw kon niet zeggen wie er gebeld had, maar majoor Liepa had zich weer aangekleed en gezegd dat hij onmiddellijk op het hoofdbureau verwacht werd. Ze had geen reden daar verbaasd over te zijn. Mogelijk dat ze wel een beetje teleurgesteld was, omdat hij op de avond dat hij van een buitenlandse reis thuiskwam, alweer weggeroepen werd. Hij had niet gezegd wie er gebeld had of waarom hij die nacht dienst moest doen.'

Murniers zweeg en reikte naar de karaf water. Wallander wierp een blik op Putnis die nog steeds recht voor zich uit zat te staren.

'Daarna is het allemaal zeer onduidelijk', vervolgde Murniers. 'Vroeg in de ochtend werd het lichaam van majoor Liepa door een paar havenarbeiders in Daugargriva gevonden. Zo heet het deel van het uitgestrekte havengebied van Riga, dat het verst weg ligt. De majoor lag dood op de kade. Naderhand hebben we vast kunnen stellen dat zijn achterhoofd met een hard voorwerp was ingeslagen, misschien met een ijzeren staaf of een houten knuppel. Het medisch onderzoek heeft uitgewezen dat hij één of hoogstens twee uur nadat hij zijn huis verlaten had, is vermoord. Dat is in grote lijnen alles wat we weten. Niemand heeft hem gezien toen hij zijn huis verliet en niemand heeft hem bij de haven gezien. Het is allemaal zeer raadselachtig. Het gebeurt zelden of nooit dat in ons land een politiefunctionaris vermoord wordt. En zeker niet iemand van de hoge rang van majoor Liepa. Uiteraard is er ons veel aan gelegen de dader zo snel mogelijk in te rekenen.' Murniers zweeg en zonk weer terug in de schaduwen.

'Er is dus van hieruit niet gebeld met het verzoek naar het hoofdbureau te komen', concludeerde Wallander.

'Dat is juist', zei Putnis haastig. 'Dat hebben we nagegaan. De dienstdoende commandant, een zekere kapitein Kozlov, heeft bevestigd dat ze die avond geen contact met majoor Liepa hebben opgenomen.'

'Dan blijven er dus twee mogelijkheden over', zei Wallander.

Putnis knikte. 'Of hij loog tegen zijn vrouw,' zei hij, 'of hij is weggelokt.'

'In dat laatste geval moet hij de stem herkend hebben', zei Wallander. 'Of degene die gebeld heeft, heeft iets gezegd waardoor zijn wantrouwen niet werd gewekt.'

'We hebben hetzelfde gedacht', zei Putnis.

'We kunnen natuurlijk niet uitsluiten dat er een verband bestaat tussen dat waar hij in Zweden mee bezig was en zijn moord', zei Murniers vanuit zijn schaduwwereld. 'We kunnen niets uitsluiten. Daarom hebben we de hulp van de Zweedse politie ingeroepen. Van u, hoofdinspecteur Wallander. We zijn dankbaar voor iedere bijdrage, voor iedere suggestie. U krijgt van ons alle assistentie die u nodig hebt.'

Murniers stond op.

'Ik stel voor dat we het voor vanavond hierbij laten. Ik kan me indenken dat u vermoeid van de reis bent, hoofdinspecteur Wallander.'

Wallander voelde zich helemaal niet moe. Hij was erop voorbereid geweest de hele nacht door te werken als dat nodig mocht zijn, maar omdat Putnis opstond besefte hij dat de vergadering afgelopen was. Murniers drukte op een bel die op de rand van de tafel was bevestigd. Bijna onmiddellijk ging de deur open en stond er een jonge geüniformeerde agent in de deuropening.

'Dit is sergeant Zids', zei Murniers. 'Hij spreekt vloeiend Engels en zal gedurende de tijd die u in Riga doorbrengt, uw chauffeur zijn.'

Zids sloeg zijn hakken tegen elkaar en salueerde. Wallander wist niets anders te doen dan hem een knikje te geven. Omdat noch Putnis noch Murniers hem te eten nodigde, zag hij in dat hij de avond voor zichzelf zou hebben. Hij volgde Zids naar de binnenplaats. De droge kou sloeg hem tegemoet. Het contrast met het goed verwarmde vergadervertrek was aanzienlijk. Hij ging op de achterbank van een zwarte auto zitten, waarvan Zids het portier voor hem open had gehouden.

'Het is koud', zei Wallander toen ze de poort uitreden.

'Ja kolonel', antwoordde sergeant Zids. 'Het is op dit moment zeer koud in Riga.'

Kolonel, dacht Wallander. Hij kan zich natuurlijk niet voorstellen dat deze Zweedse politieman een lagere rang bekleedt dan Putnis en Murniers. Hij vond het een vermakelijke gedachte. Tegelijk besefte hij dat een mens waarschijnlijk nergens zo snel aan went als aan privileges. Eigen auto, eigen chauffeur, gedienstigheid.

Sergeant Zids reed met grote snelheid door de lege straten. Wallander was totaal niet moe. De gedachte aan zijn kille hotelkamer joeg hem schrik aan.

'Ik heb honger', zei hij tegen de sergeant. 'Breng me naar een goed restaurant dat niet te duur is.'

'De eetzaal van hotel Latvija is de beste in Riga', antwoordde Zids.

'Daar ben ik al geweest', zei Wallander.

'Er is geen ander restaurant in de stad met zulk goed eten', zei Zids, terwijl hij abrupt voor een tram remde, die knersend een hoek om kwam.

'Er moet in een stad met een miljoen inwoners toch wel meer dan één goed restaurant zijn', probeerde Wallander opnieuw.

'Maar daar hebben ze geen goed eten', zei de sergeant. 'Wel in hotel Latvija.'

Daar moet ik dus kennelijk eten, dacht Wallander en zonk terug op de bank. Zou hij bevel gekregen hebben om me niet de stad in te laten gaan? Een chauffeur kan in bepaalde omstandigheden meer onvrijheid dan vrijheid betekenen.

Zids stopte voor het hotel. Voordat Wallander zijn hand naar de deurknop had kunnen uitstrekken, had de sergeant het portier al voor hem opengehouden.

'Hoe laat moet ik u morgen komen halen, kolonel?' vroeg Zids.

'Om acht uur is goed', zei Wallander.

De grote foyer lag er nu nog verlatener bij dan een paar uur daarvoor, toen Wallander weggegaan was. Ergens klonk gedempte muziek. Hij haalde zijn sleutel op bij de receptionist en vroeg of de eetzaal open was. De receptionist die zware oogleden had en door zijn bleke gezicht aan kolonel Murniers deed denken, knikte. Wallander maakte van de gelegenheid gebruik om te vragen waar de muziek vandaan kwam.

'We hebben een variété', zei de receptionist somber.

Toen Wallander de receptie uitliep, viel zijn oog plotseling op de man die al eerder in de eetzaal thee had zitten drinken. Nu zat hij, verdiept in een krant, op een versleten leren bank. Wallander wist zeker dat het dezelfde man was.

Ik word in de gaten gehouden, dacht hij. Als in de slechtste thriller over de koude oorlog zit er een man in een grijs pak te doen alsof hij er niet is. Wat denken Putnis en Murniers eigenlijk dat ik van plan ben?

De eetzaal lag er bijna net zo uitgestorven bij als eerder op de dag. Aan een lange tafel die een eind verderop stond, voerde een aantal donker geklede heren een mompelend gesprek. Tot zijn verbazing werd Wallander naar hetzelfde tafeltje als daarstraks gebracht. Hij at groentesoep en een hardgebakken, droge karbonade. Maar het Letse bier smaakte uitstekend. Omdat hij zich rusteloos voelde nam hij geen koffie, maar rekende af en verliet de eetzaal om op zoek te gaan naar de nachtclub van het hotel. De man in het grijze pak zat nog op de bank.

Het leek wel alsof hij zich in een labyrint bevond. Via diverse korte trappen die nergens naartoe schenen te leiden, kwam hij weer terug bij de eetzaal. Hij probeerde zich op de muziek te oriënteren en ten slotte zag hij een verlicht bordje aan het einde van een donkere gang. Een man die iets zei wat Wallander niet verstond, deed de deur voor hem open. Wallander stapte een spaarzaam verlichte bar binnen. Het contrast met de uitgestorven eetzaal was verbijsterend. Het was erg druk in de bar. Achter een draperie die de bar van de dansvloer scheidde, speelde een schetterend orkest. Wallander meende een song van Abba te herkennen. De lucht was bedompt en deed hem opnieuw aan de geur van de zware sigaretten van de majoor denken. Hij ontdekte een tafeltje dat vrij scheen te zijn en elleboogde zich door het gedrang heen. Hij had voortdurend het gevoel dat zijn bewegingen door vele ogen gevolgd werden. Hij was er zich terdege van bewust dat hij meer dan voldoende redenen had om voorzichtig te zijn. In Oost-Europese nachtclubs hingen vaak bendes rond die hun kostje verdienden met het beroven van westerse bezoekers.

Het lukte hem boven het lawaai uit zijn bestelling tegen een kelner te schreeuwen. Een paar minuten later stond er een glas whisky op zijn tafeltje. De whisky kostte bijna evenveel als de maaltijd van zo-even. Hij rook aan de inhoud van zijn glas en er rees voor zijn geestesoog een complot op met vergiftigde drank. Vervolgens toostte hij mismoedig met zichzelf.

Het meisje dat haar naam niet noemde, dook op uit de schaduwen en ging op de stoel tegenover hem zitten. Hij zag haar pas toen ze haar hoofd vlak bij zijn gezicht bracht. Haar parfum deed hem aan winterappelen denken. Toen ze hem in het Duits aansprak, schudde hij zijn hoofd. Haar Engels was slecht, veel slechter dan dat van de majoor. Maar ze hield hem tenminste gezelschap en wilde graag een drankje hebben. Wallander wist niet goed raad met de situatie. Hij had natuurlijk door dat ze een prostituee was, maar hij probeerde die gedachte te verdringen. In het uitgestorven, koude Riga wilde hij maar al te graag met iemand praten die geen politiekolonel was. Hij kon haar best een drankje aanbieden, hij was tenslotte degene die de grens trok. Alleen als hij een enkele keer zeer dronken was, kon het gebeuren dat zijn beoordelingsvermogen hem in de steek liet.

Dat was vorig jaar voor het laatst gebeurd, toen hij zich in een opwelling van woede en hitsigheid op officier van justitie Anette Brolin had geworpen. Hij rilde bij die gedachte. Dat mag nooit meer gebeuren, dacht hij. En zeker hier niet, in Riga.

Toch voelde hij zich gevleid door haar aandacht.

Ze is te vroeg aan mijn tafeltje gaan zitten, dacht hij. Ik ben hier nog maar net. Ik ben nog niet aan dit vreemde land gewend.

'Morgen misschien', zei hij. 'Vanavond niet.'

En vervolgens zag hij dat ze nauwelijks ouder dan twintig kon zijn. Achter de zwaar opgemaakte gelaatstrekken ving hij een glimp op van een gezicht dat hem aan dat van zijn eigen dochter deed denken.

Hij dronk zijn glas leeg, stond op en ging weg.

Dat was kantje boord, dacht hij.

In de foyer zat de grijsgeklede man nog achter zijn krant.

Slaap lekker, dacht Wallander. We zien elkaar ongetwijfeld morgen opnieuw.

Hij sliep onrustig. Het dek was te zwaar en het bed ongemakkelijk. Ver weg in zijn slaap hoorde hij een telefoon aan één stuk door rinkelen. Hij wilde opstaan om hem aan te nemen, maar toen hij wakker werd was alles om hem heen stil.

De volgende ochtend werd hij wakker doordat er op de deur werd geklopt. Slaapdronken riep hij: 'Binnen.' Nadat er opnieuw geklopt was, begreep hij dat de sleutel in het slot zat. Hij trok zijn broek aan en draaide de sleutel om. Voor de deur stond een vrouw in een jasschort met een ontbijtblad. Dat verbaasde hem, omdat hij geen ontbijt besteld had. Maakte dit misschien deel uit van het hotelpatroon? Of had sergeant Zids soms een ontbijt voor hem besteld? Het kamermeisje wenste hem in het Lets goedemorgen en hij probeerde de uitdrukking te onthouden. Ze zette het blad op een tafeltje, glimlachte een tikje verlegen en liep naar de deur. Hij volgde haar om die weer dicht te doen. Daarna ging alles heel snel in zijn werk. In plaats van de kamer uit te gaan, deed het kamermeisje de deur van binnenuit dicht en legde tegelijk haar vinger op haar mond. Wallander keek haar niet-begrijpend aan. Ze haalde voorzichtig een velletje papier uit haar jasschort. Wallander wilde juist iets zeggen, toen ze haar hand over zijn mond legde. Hij zag haar angst, begreep dat ze geen kamermeisje was, begreep evenneens dat ze geen bedreiging vormde. Ze was alleen bang. Hij nam het velletje papier aan en las de in het Engels gestelde tekst. Hij las deze twee keer over en prentte zich de inhoud in. Daarna keek hij haar aan en ze stak haar hand in de andere zak van haar schort om er iets uit te halen, dat op een verkreukeld affiche leek. Dat gaf ze hem en toen hij het gladstreek, zag hij dat het de losse omslag van het boek over Skåne was, dat hij de vorige week aan majoor Liepa had gegeven. Aan haar man? Opnieuw nam hij haar op. Op haar bange gezicht stond nog iets anders te lezen: wilskracht, of was het misschien opstandigheid? Hij liep over de koude vloer, nam een pen van het bureau en schreef op de achterkant van het boekomslag waarop de domkerk in Lund afgebeeld was, dat hij het begrepen had. *I have understood.* Hij gaf haar het omslag terug, terwijl hij dacht dat Baiba Liepa er helemaal niet uitzag zoals hij zich had voorgesteld. Maar wat hij dan wel gedacht had, toen de majoor op de bank in Mariagatan in Ystad naar Maria Callas had zitten luisteren en verteld had hoe zijn vrouw heette, herinnerde hij zich niet meer. Maar dit in ieder geval niet. Het was een ander gezicht geweest. Terwijl hij zijn keel schraapte, deed ze voorzichtig de deur weer open. Toen was ze verdwenen.

Ze was gekomen omdat ze met hem over de majoor wilde praten, over haar overleden man. En ze was bang.

Als er iemand naar zijn kamer belde en naar *meneer Eckers* vroeg, moest hij naar beneden gaan om in de foyer de trap naar de hotelsauna te nemen en daar naar de grijze stalen deur van de dienstingang van het restaurant zoeken. Die kon zonder sleutel van binnenuit geopend worden en daar, op straat, aan de achterkant van het hotel, zou ze op hem wachten om met hem over haar overleden man te praten.

Please, had ze geschreven. *Please, please.*

Hij was er nu zeker van dat haar gezicht niet alleen angst had uitgedrukt, maar ook opstandigheid, misschien zelfs haat.

Er is iets aan de hand dat groter is dan ik vermoed had, dacht hij. Er was een boodschapper in een jasschort voor nodig om me dat te laten inzien. Ik was vergeten dat ik me in een voor mij vreemde wereld bevind.

Een paar minuten voor acht stapte hij op de begane grond uit de lift. De kranten lezende man was verdwenen. Wel stond er nu een man een standaard met ansichtkaarten te bestuderen.

Wallander liep naar buiten. Het was minder koud dan gisteren. Sergeant Zids wachtte met de auto en wenste hem goedemorgen. Wallander ging op de achterbank zitten en de sergeant startte de motor. Langzaam begon de dag bezit te nemen van Riga. Het was druk op straat en sergeant Zids kon niet zo hard rijden als hij wou.

De hele tijd zag Wallander het gezicht van Baiba Liepa voor zich.

En plotseling, zonder waarschuwing, was hij bang.

8

Even voor halfnegen 's ochtends ontdekte Kurt Wallander dat kolonel Murniers dezelfde zware sigaretten rookte als majoor Liepa. Hij herkende het pakje van het merk Prima, dat de kolonel uit zijn uniformzak haalde en voor zich op tafel legde.

Wallander had zich ineens gerealiseerd dat hij zich diep in een labyrint bevond. Sergeant Zids had hem trap op, trap af door het ogenschijnlijk eindeloze hoofdbureau van politie geloodst, voordat hij stilhield voor een deur die van de kamer van Murniers bleek te zijn.

Wallander had het gevoel dat ze iets serieus tot een spelletje vermomd hadden. Er moest uiteraard een kortere en overzichtelijker weg naar Murniers' kamer zijn, maar het was niet de bedoeling dat hij die zou leren kennen.

De kamer was uiterst Spartaans gemeubileerd en niet erg groot, en wat onmiddellijk Wallanders aandacht trok, waren de drie verschillende telefoons die er stonden. Tegen een van de muren stond een gebutste, vergrendelde archiefkast. Op zijn bureau had Murniers behalve zijn telefoons een grote gietijzeren asbak staan, met een versiering erop. Eerst meende Wallander dat de versiering een paar zwanen voorstelde om vervolgens te zien dat het een man met dikke spierbundels was die een vlag in sterke tegenwind droeg.

Asbak, telefoons, maar geen papieren. De jaloezieën voor de twee hoge ramen achter de rug van Murniers waren voor de helft neergelaten of kapot. Wallander kon niet uitmaken wat het geval was. Hij keek naar de jaloezieën terwijl hij snel zijn gedachten liet gaan over het belangrijke nieuws dat Murniers hem had verteld toen hij een paar minuten geleden binnen was gekomen.

'We hebben een verdachte gearresteerd', had de kolonel gezegd. 'Vannacht heeft het onderzoek het resultaat opgeleverd waar we op gehoopt hadden.'

Kurt Wallanders eerste gedachte was dat Murniers het over de moordenaar van majoor Liepa had, maar daarna begreep hij dat de kolonel over de dode mannen in het reddingsvlot sprak.

'Een bende', zei Murniers. 'Een bende met vertakkingen in zowel Tallinn als Warschau. Een los-vaste groep misdadigers, die de kost verdient met smokkelen, berovingen, inbraken, kortom met alles wat maar geld op kan brengen. We vermoedden al dat ze de laatste tijd ook handelden in drugs, een handel die helaas in uw land voet aan de grond heeft gekregen. Kolonel Putnis is op dit moment bezig de mannen aan een verhoor te onderwerpen en we zullen binnenkort heel wat meer weten.'

De laatste woorden werden door Murniers op een kalme, zakelijke, weloverwogen toon gezegd. Wallander zag plotseling voor zich hoe Putnis langzaam de waarheid uit een man die gemarteld werd, kreeg. Wat wist hij eigenlijk van de Letse politie? Was er überhaupt een grens aan wat in een dictatuur was toegestaan? Kon je bij Letland eigenlijk van een dictatuur spreken?

Hij moest aan het gezicht van Baiba Liepa denken. Aan haar angst en aan wat het tegendeel van angst was geweest.

Als er iemand naar meneer Eckers vraagt, moet u komen.

Murniers glimlachte tegen hem alsof het vanzelfsprekend was dat hij de gedachten van de Zweedse politieman kon raden.

Wallander probeerde zijn heimelijke gedachten af te schermen door iets te zeggen wat niet waar was.

'Majoor Liepa zinspeelde erop dat hij zich zorgen maakte over zijn veiligheid,' zei Wallander, 'maar hij gaf geen reden. Kolonel Putnis zou moeten proberen daarachter te komen. Of er een direct verband bestaat tussen de dode mannen in het vlot en de moord op majoor Liepa.'

Wallander meende een bijna onmerkbare verandering op het gezicht van Murniers te bespeuren. Blijkbaar had hij iets gezegd dat ze niet verwacht hadden. Maar wat? Was het zijn kennis van zaken? Of het feit dat majoor Liepa zich zorgen had gemaakt en dat hij dat wist?

'U moet de dwingendste vragen al voor uzelf gesteld hebben', vervolgde Wallander. 'Wat kan het geweest zijn, dat majoor Liepa midden in de nacht van huis gelokt heeft? En wie had een reden om hem te vermoorden? Zelfs als een omstreden politicus vermoord wordt, moet men zich de vraag stellen of er privéredenen in het spel kunnen zijn. Dat heeft men gedaan toen Kennedy vermoord werd en dat heeft men ook gedaan toen de Zweedse premier een aantal jaren geleden midden op straat werd doodgeschoten. Daar moet u ook aan gedacht hebben! U moet daarbij tot de conclusie zijn gekomen dat een reden van privéaard niet erg aannemelijk is, anders had u mij niet gevraagd hier te komen.'

'Dat klopt', zei Murniers. 'U bent een ervaren politieman en u hebt een correcte analyse gemaakt. Majoor Liepa was gelukkig getrouwd. Hij had geen financiële problemen. Hij gokte niet, hij had geen minnares. Hij was een ijverige politiefunctionaris die van mening was dat zijn werk een bijdrage leverde aan de verdere ontwikkeling van ons land. Ook wij zijn van mening dat zijn dood op de een of andere manier verband houdt met zijn werk. Omdat hij niet met andere zaken bezig was, alleen met het onderzoek naar de dood van de twee mannen in het reddingsvlot, hebben we Zweden om hulp gevraagd. Misschien heeft hij iets tegen u gezegd, dat niet in het rapport stond, dat hij op de dag van zijn dood uitbracht. Het is van groot belang dat we dat weten en we hopen dat u ons kunt helpen.'

'Majoor Liepa heeft het over drugs gehad toen hij in Zweden was', zei Wallander. 'Hij zei dat er in Oost-Europa sprake was van een toenemend aantal amfetaminefabriekjes. Hij was ervan overtuigd dat de dode mannen het slachtoffer waren van een interne afrekening van een misdaadsyndicaat dat zich bezighoudt met het smokkelen van drugs. Dat hield hem intens bezig. Waren de mannen gedood uit wraak of hadden ze geweigerd te praten? Bovendien was er een meer dan gerede aanleiding om te geloven dat het reddingsvlot een lading drugs als ballast bij zich had, omdat het uit het politiebureau ontvreemd werd. Maar we zijn er nooit in geslaagd al deze vermoedens met elkaar in verband te brengen.'

'Ik hoop dat kolonel Putnis daar een antwoord op vindt', zei Murniers. 'Hij is een uitstekende verhoorleider. In de tussentijd zou ik u de plaats willen laten zien, waar majoor Liepa vermoord is. Als hij het nodig vindt, neemt kolonel Putnis altijd ruimschoots de tijd voor een verhoor.'

'Is de plek waar het lichaam gevonden is, dezelfde als de plek waar de moord heeft plaatsgevonden?'

'Niets wijst op het tegendeel. Het is een nogal eenzame plek. Er zijn 's nachts maar weinig mensen in het havengebied.'

Dit klopt niet, dacht Wallander. De majoor moet zich verzet hebben. Hij heeft zich niet zonder meer midden in de nacht naar die kade laten meenemen. Dat die plek afgelegen is, is als verklaring niet voldoende.

'Ik zou graag de weduwe van majoor Liepa ontmoeten', zei hij. 'Misschien dat een gesprek met haar ook voor mij zinvol kan zijn. Ik neem aan dat u al een paar keer met haar gesproken hebt?'

'Er zijn Baiba Liepa meerdere, zeer intensieve verhoren afgenomen', zei Murniers. 'Natuurlijk zullen we een ontmoeting met haar voor u regelen.'

Ze reden in de grauwe wintermorgen langs de rivier. Sergeant Zids had bevel gekregen naar Baiba Liepa te gaan, terwijl Wallander en kolonel Murniers op weg gingen naar de plaats waar het lichaam gevonden was, een plek waar volgens Murniers ook de moord gepleegd was.

'Uw theorie?' vroeg Wallander, toen ze op de achterbank van Murniers' auto zaten, die veel ruimer en geriefelijker was dan de auto die ze Wallander ter beschikking hadden gesteld. 'U zult zo uw gedachten over de zaak hebben, u zowel als kolonel Putnis.'

'Drugs', zei Murniers beslist. 'We weten dat de leiders van de drugshandel beschikken over hele legertjes lijfwachten. Het zijn praktisch altijd verslaafden, die er alles voor over hebben om aan hun dagelijkse dosis te komen. Misschien meenden de bendeleiders dat majoor Liepa hen te dicht op de hielen zat.'

'Was dat zo?'

'Nee. Als die theorie klopte, zou een tiental hogere politiefunctionarissen in Riga ongetwijfeld vóór majoor Liepa op een eventuele dodenlijst hebben gestaan. Het eigenaardige is dat majoor Liepa zich nooit met drugszaken bezighield. Dat we hem de meest geschikte man vonden om naar Zweden te sturen, was puur toeval.'

'Met wat voor soort misdrijven hield majoor Liepa zich dan wel bezig?'

Murniers keek afwezig uit het autoraampje toen hij antwoordde.

'Hij was een zeer bekwaam, allround rechercheur. Kort geleden heeft in Riga een aantal roofmoorden plaatsgevonden en majoor Liepa heeft alle aspecten die zich voordeden op een briljante manier ontrafeld en de dader weten te arresteren. Wanneer andere, minstens zo ervaren rechercheurs vastgelopen waren, werd vaak de hulp van majoor Liepa ingeroepen.'

Ze zwegen terwijl de politiewagen voor een rood stoplicht wachtte. Wallander keek naar een groepje bevroren mensen, dat bij een bushalte stond te rillen van de kou. Misschien zou er wel nooit een bus komen, die zijn deuren voor hen opende.

'Drugs', zei hij. 'Voor ons in het Westen is dat een oud probleem. Voor u een nieuw.'

'Niet zo nieuw', wierp Murniers tegen. 'Alleen de omvang van het probleem waarmee we tegenwoordig te kampen hebben, is nieuw. De open grenzen hebben de mogelijkheid voor nieuwe activiteiten gegeven en een nieuwe markt geschapen. Ik moet eerlijk bekennen dat we ons soms machteloos voelen. We zullen met de politie in het Westen moeten gaan samenwerken, want veel drugs die via Letland verscheept worden, zijn voor westerse markten bestemd. Het zijn de harde valuta die lokken. We zijn er stellig van overtuigd dat Zweden een van die afzetmarkten is, waar de belangstelling van de drugsbendes in Letland zich in de eerste plaats op richt. Er liggen niet zoveel zeemijlen tussen Ventspils en de Zweedse kust. Bovendien is de kustlijn in Zweden lang en dus moeilijk te bewaken. Desgewenst kan men zelfs van een oude smokkelweg spreken, die nu weer gebruikt wordt. Vroeger zijn er duizenden liters sterke drank via deze weg vervoerd.'

'Gaat u door', zei Wallander. 'Waar worden de drugs vervaardigd? Wie zijn de mensen die erachter zitten?'

'U moet goed begrijpen dat u zich in een verarmd land bevindt', zei Murniers. 'Net zo in verval en net zo arm als onze buurlanden. We hebben heel veel jaren moeten leven alsof we opgesloten zaten in een kooi. We konden alleen maar op afstand naar de overvloed in de westerse wereld kijken. Nu is dit alles plotseling binnen handbereik gekomen, maar wel onder één voorwaarde. Dat men over geld beschikt. Voor degene die geen middelen schuwt, voor iemand zonder moraal, zijn drugs de snelste weg tot dit geld. Toen u ons hielp onze muren te slechten en de poorten van onze landen waarin de mensen opgesloten zaten te openen, hebt u ook de sluizen geopend voor een ware hongergolf. Honger naar alles waar we alleen maar van een afstand naar konden kijken, maar waar we niet aan mochten of konden komen. En nog altijd weten we niet hoe het verder zal gaan.'

Murniers boog zich naar voren om iets tegen de chauffeur te zeggen, die de auto onmiddellijk aan de rand van het trottoir neerzette.

Murniers wees naar de gevel van een gebouw.

'Kogelgaten', zei hij. 'Ongeveer een maand oud.'

'Wat is dat voor een gebouw?' vroeg Wallander.

'Een ministerie', antwoordde Murniers. 'Ik laat het u zien, opdat u zult begrijpen. Begrijpen dat we nog altijd niet weten wat de toekomst ons zal brengen. Zal onze vrijheid toenemen? Of opnieuw afnemen? Misschien wel helemaal verdwijnen? Dat weten we nog niet. U moet goed beseffen, hoofdinspecteur Wallander, dat u in een land bent waar onzekerheid nog altijd troef is.'

Ze gingen weer verder en reden een uitgebreid havengebied in. Wallander probeerde te verwerken wat Murniers gezegd had. Plotseling was hij sympathie voor de bleke man met zijn opgezwollen gezicht gaan koesteren. Het was of wat Murniers gezegd had, ook op hem sloeg, in de eerste plaats op hem.

'We weten dat er laboratoria zijn die amfetamine en misschien ook synthetische drugs als morfine en efedrine vervaardigen', vervolgde Murniers. 'En we vermoeden dat Aziatische en Zuid-Amerikaanse cocaïnekartels proberen netwerken van nieuwe aanvoerwegen via de Oost-Europese staten op te bouwen, om zo de eerdere lijnen die rechtstreeks naar West-Europa liepen, te vervangen. De politie in Europa heeft al behoorlijk wat van die lijnen in kaart gebracht en opgerold, maar op de diverse maagdelijke markten van Oost-Europa zien ze een mogelijkheid om aan al te alerte politiefunctionarissen te ontsnappen. Zullen we zeggen dat wij ons gemakkelijker laten omkopen en corrumperen?'

'Zoals majoor Liepa?'

'Die zou zich nooit zo verlaagd hebben dat hij zich liet omkopen.'

'Ik bedoelde, was hij zo'n alerte politiefunctionaris?'

'Als hij te waakzaam geweest is, als dat zijn dood geworden is, dan hoop ik dat kolonel Putnis daar snel achter komt.'

'Wat is dat eigenlijk voor een man die jullie gearresteerd hebben?'

'We kennen hem al van vroeger, van affaires waar ook de twee dode mannen in het reddingsvlot bij betrokken waren. Een voormalige slager uit Riga, een van de leiders van de georganiseerde misdaad, die ons veel last bezorgen. Het is vreemd, maar hij is er altijd in geslaagd uit de gevangenis te blijven. Maar misschien kunnen we hem nu pakken.'

De auto was gestopt op een kade die vol schroot en omgevallen hijskranen lag. Ze stapten uit en liepen naar de rand van de kade.

'Daar lag majoor Liepa.'

Wallander keek om zich heen. Hij wilde eerst de meest elementaire indrukken opdoen.

Hoe waren de moordenaars en de majoor hier gekomen? En waarom waren ze juist hiernaartoe gegaan? Dat de kade ver van de bewoonde wereld lag, was op zich geen afdoende verklaring. Wallander keek naar de restanten van een omgevallen hijskraan. *Please*, had Baiba Liepa geschreven. Murniers rookte een sigaret terwijl hij systematisch met zijn voeten stond te stampen om het niet koud te krijgen.

Waarom wil hij me niets over de plaats van het misdrijf vertellen? dacht Wallander. Waarom wil Baiba Liepa mij in het geheim ontmoeten? *Als er iemand naar meneer Eckers vraagt moet u komen.* Wat doe ik hier eigenlijk?

Het onbehagen dat hij die ochtend gevoeld had, kwam terug.

Vermoedelijk omdat hij een vreemdeling in een hem vreemd land was. Politieman zijn houdt in dat je te doen hebt met een werkelijkheid waar je zelf deel van uitmaakt. Hier stond hij buiten de dingen. Zou hij als *meneer Eckers* wel in dit vreemde landschap binnen kunnen dringen? Voor de Zweedse politieman Kurt Wallander viel hier niets uit te richten.

Hij keerde naar de auto terug.

'Ik zou graag uw rapporten lezen', zei hij. 'Het rapport van de lijkschouwer, dat van het onderzoek op de plaats van het misdrijf, de foto's.'

'We zullen al het materiaal voor u laten vertalen', antwoordde Murniers.

'Misschien dat het met een tolk sneller gaat?' stelde Wallander voor. 'Sergeant Zids spreekt uitstekend Engels.'

Murniers glimlachte afwezig en stak nog een sigaret op.

'U hebt haast', zei hij. 'U bent te ongeduldig. Maar natuurlijk kan sergeant Zids de rapporten voor u vertalen.'

Toen ze op het hoofdbureau terug waren, gingen ze achter een gordijn staan om door een raam van spiegelglas te kijken naar kolonel Putnis en de man die hij verhoorde. Het verhoorvertrek was leeg en koud. Er stonden alleen een houten tafeltje en twee stoelen. Kolonel Putnis had zijn uniformjasje uitgetrokken. De man tegenover hem was ongeschoren en maakte een zeer vermoeide indruk. Hij gaf slechts heel traag antwoord op de vragen die Putnis hem stelde.

'Dit gaat tijd kosten', zei Murniers peinzend. 'Maar vroeg of laat komen we achter de waarheid.'

'Welke waarheid?'

'Of we gelijk hebben of niet.'

Ze keerden naar de binnenste, holle ruimte van het labyrint terug en Wallander kreeg een kleine kamer toegewezen aan de gang waaraan ook de kamer van Murniers lag. Sergeant Zids kwam binnen met een map met daarin de neerslag van het onderzoek naar de omstandigheden rond de dood van de majoor. Voordat Murniers hen alleen liet, hadden hij en de sergeant nog een kort gesprek in het Lets.

'Baiba Liepa wordt vanmiddag om twee uur hier gebracht voor verhoor', zei Murniers.

Wallander schrok. *U hebt me verraden, meneer Eckers. Waarom?*

'Ik had meer aan een gesprek gedacht', zei Wallander. 'Niet aan een verhoor.'

'Ik had een ander woord moeten gebruiken', zei Murniers. 'Laat ik het zo uitdrukken: ze was blij u te mogen ontmoeten.'

Murniers ging weg. Twee uur later had Zids alles wat zich tussen de omslagen van de map bevond, vertaald. Wallander had de onduidelijke foto's van het dode lichaam bestudeerd. Zijn gevoel dat er iets wezenlijks niet klopte, had zich alleen maar versterkt. Omdat hij wist dat hij het beste kon denken wanneer hij andere dingen deed, vroeg hij de sergeant hem naar een winkel te rijden, waar hij een lange onderbroek kon kopen. *Long underpants* had hij gezegd, en de sergeant had niet verbaasd gereageerd. Wallander was zich bewust van het absurde van de situatie toen hij de door de sergeant uitgezochte winkel binnenstapte. Het was alsof hij onder politie-escorte een lange onderbroek kocht. Zids deed het woord voor hem en hij drong erop aan dat Wallander de onderbroek paste voordat de winkel dicht zou gaan. Wallander kocht twee onderbroeken en ze werden hem overhandigd in bruin papier met een touwtje eromheen.

Toen ze weer op straat stonden, stelde hij voor dat ze wat zouden gaan eten.

'Maar niet in hotel Latvija', zei hij. 'Waar geeft niet, maar daar niet.'

Op een van de hoofdstraten sloeg sergeant Zids een zijstraat in en wurmde de auto het oude stadscentrum binnen. Nu was hij dus op weg naar weer een nieuw labyrint waar hij op eigen houtje nooit uit zou komen, dacht Wallander.

Het restaurant dat Zids uitgezocht had heette Sigulda. Wallander nam een omelet, terwijl de sergeant de voorkeur gaf aan een bord soep. De lucht was er bedompt en de tabaksrook verstikkend. Het restaurant was vol geweest toen ze binnenkwamen. Wallander had gezien dat de sergeant een tafeltje vorderde.

'Dat zou in Zweden niet mogelijk geweest zijn', zei hij toen ze zaten te eten. 'Dat een politieman een restaurant binnenstapt en een tafeltje eist, ook al zit het restaurant vol.'

'Hier wel', zei sergeant Zids onverstoorbaar. 'Hier wil men het liefst op goede voet met de politie staan.'

Wallander begon zich te ergeren. Sergeant Zids was te jong voor de arrogantie die hij tentoonspreidde.

'In het vervolg wil ik niet dat we voorgaan als er een rij staat', zei hij.

De sergeant keek hem verbaasd aan.

'Dan krijgen we niets te eten', zei hij.

'De eetzaal van hotel Latvija is altijd leeg', antwoordde Wallander kortaf.

Even voor tweeën waren ze terug op het hoofdbureau van politie. Tijdens het eten had Wallander zwijgend zitten piekeren over wat er zoal niet klopte in het rapport dat Zids voor hem vertaald had. Hij had zich gerealiseerd dat zijn wantrouwen was gewekt door de voorbeeldige rapportage. Het leek wel alsof het verslag opgesteld was om alle vragen bij voorbaat overbodig te maken. Maar veel verder dan dat was hij niet gekomen, waar nog bij kwam dat hij zijn eigen oordeel wantrouwde. Zag hij misschien spoken waar geen spoken waren? Murniers was weg en kolonel Putnis was nog druk bezig met zijn verhoor. De sergeant ging Baiba Liepa halen en Wallander was alleen in de kamer die ze hem gegeven hadden. Hij vroeg zich af of ze afgeluisterd werden. Of iemand hem vanachter een verborgen spiegelruit gadesloeg. Als om zijn onschuld te bewijzen, maakte hij het pakje open, trok zijn broek uit en een van de lange onderbroeken aan. Hij had net gevoeld dat het op zijn benen begon te kriebelen, toen er op de deur geklopt werd. Hij riep: 'Binnen' en de sergeant hield de deur voor Baiba Liepa open. *Nu ben ik Wallander, niet meneer Eckers. Ik wil met u praten, omdat ik Wallander ben.*

'Spreekt mevrouw Liepa Engels?' vroeg hij aan de sergeant.

Zids knikte.

'Dan kun je ons alleen laten.'

Hij had geprobeerd zich voor te bereiden. *Ik moet niet vergeten dat alles wat ik zeg en doe in het geheim gadegeslagen kan worden. We kunnen niet eens onze vinger op onze mond leggen en zeker geen briefjes schrijven. Toch moet Baiba Liepa weten dat meneer Eckers nog bestaat.*

Ze had een donkere jas aan en een bontmuts op. In tegenstelling tot die ochtend droeg ze nu een bril. Ze zette haar bontmuts af en schudde haar halflange, donkere haar uit.

'Neemt u alstublieft plaats, mevrouw Liepa', zei Wallander. Tegelijk gleed er een haastig glimlachje over zijn gezicht, alsof hij stiekem een afgesproken teken met een zaklantaarn knipperde. Hij zag dat ze het begreep, dat ze niet verbaasd was, dat ze niets anders verwacht had. Hij wist dat hij alle vragen waarop hij het antwoord al wist, toch moest stellen. Maar misschien dat ze hem een boodschap in haar antwoorden kon aanreiken, hem een blik kon geven in wat nog verborgen was en alleen voor *meneer Eckers* was bestemd.

Hij condoleerde haar op een formele maar desalniettemin overtuigende manier. Vervolgens stelde hij de in dit verband voor de hand liggende vragen en al die tijd vergat hij niet dat een onbekende meeluisterde en meekeek naar wat ze zeiden en deden.

'Hoelang bent u met majoor Liepa getrouwd geweest?'

'Acht jaar.'

'Ik meen begrepen te hebben dat u geen kinderen hebt?'

'We wilden wachten. Ik heb mijn baan.'

'Wat bent u van beroep?'

'Ik ben ingenieur. Maar de laatste jaren heb ik voornamelijk wetenschappelijke literatuur vertaald. Onder andere voor onze technische hogeschool.'

Hoe heb je het klaargespeeld om me mijn ontbijt te brengen? dacht hij. Wie is je vertrouwenspersoon in hotel Latvija?

De gedachten brachten hem op een zijspoor. Hij stelde zijn volgende vraag.

'En dat was niet te combineren met kinderen?'

Meteen had hij spijt van zijn vraag. De vraag had betrekking op haar privé-leven, deed niet ter zake. Hij verontschuldigde zich door het antwoord niet af te wachten en haastte zich een volgende vraag te stellen.

'Mevrouw Liepa', begon hij. 'U moet erover nagedacht hebben, uw hersens gepijnigd hebben, u moet zich hebben afgevraagd wat er eigenlijk precies met uw man gebeurd is. Ik heb de processen-verbaal van de verhoren die door de politie zijn afgenomen, gelezen. U zegt dat u niets weet, er niets van begrijpt, geen vermoeden hebt. Dat zal ongetwijfeld waar zijn. U wilt natuurlijk niets liever dan dat de moordenaar van uw man gepakt wordt en zijn gerechte straf niet ontgaat. Toch zou ik u willen vragen terug te gaan, terug naar de dag dat uw man uit Zweden thuiskwam. Misschien hebt u vergeten iets te vertellen vanwege de schok die u kreeg toen u hoorde dat uw man vermoord was.'

Haar antwoord hield het eerste heimelijk teken in dat hij moest zien te duiden.

'Nee', zei ze. 'Ik ben en heb niets vergeten. Niets. Helemaal niets.' *Meneer Eckers, ik heb geen schok gekregen van iets wat ik niet verwacht had. Waar we bang voor waren is gebeurd.*

'Misschien moet u nog verder teruggaan', zei Wallander. En hij zocht nu omzichtig zijn weg om haar geen moeilijkheden te bezorgen, die ze niet aankon.

'Mijn man sprak niet over zijn werk', zei ze. 'Hij verbrak zijn zwijgplicht als politieman nooit. Ik was getrouwd met een man met een zeer hoge morele standaard.'

Dat klopt, dacht Wallander. En het was precies die hoge moraal, die hem noodlottig was geworden.

'Die indruk had ik ook van majoor Liepa,' zei hij, 'al hebben we elkaar slechts een paar korte dagen in Zweden ontmoet.'

Begreep ze dat hij aan haar kant stond? Dat hij haar daarom had verzocht te komen? Om een rookgordijn van vragen op te trekken, dat niets te betekenen had?

Hij herhaalde zijn vraag of ze terug wilde gaan in haar herinnering. Het spel van vraag en antwoord werd nog een paar keer opgevoerd, totdat Wallander van mening was dat hij het gesprek kon beëindigen. Hij drukte op een belletje waarvan hij aannam dat sergeant Zids het zou horen. Toen stond hij op en gaf haar een hand.

Hoe wist je dat ik in Riga was? dacht hij. Iemand moet je dat verteld hebben. Iemand die wilde dat we elkaar zouden ontmoeten. Maar waarom?

Waarmee denk je dat een Zweedse politieman uit een onbeduidend stadje je zou kunnen helpen?

De sergeant verscheen en begeleidde Baiba Liepa naar een verre uitgang. Wallander ging voor het tochtige raam staan en keek naar de binnenplaats. Er viel natte sneeuw over de stad. Achter de hoge muren zag hij een kerktoren en wat verspreid staande, hoge flatgebouwen.

Ineens dacht hij dat hij het zich allemaal maar verbeeldde. Zijn verbeelding was met hem op de loop gegaan zonder dat hij zijn gezond verstand tegenwerk had laten bieden. Hij zag samenzweringen waar die niet waren, hij had zich overeten aan irreële mythen. Die mythen wilden dat het in de dictatoriale regimes van Oost-Europa normaal was om samenzweringen van staatsburgers met elkaar in verband te brengen. Welke reden had hij eigenlijk om Murniers en Putnis te wantrouwen? Er kon een heel wat minder dramatische verklaring zijn dat Baiba Liepa als kamermeisje in zijn hotel was opgedoken en een andere dan hij zich inbeeldde.

Zijn gedachtegang werd onderbroken door een klop op de deur. Kolonel Putnis kwam binnen. Hij zag er moe uit, zijn glimlach was geforceerd.

'Het verhoor met de verdachte is voor het moment opgeschort. Helaas heeft hij geen bekentenis afgelegd, zoals we gehoopt hadden. We moeten nu eerst bepaalde dingen die hij gezegd heeft, natrekken. Daarna zal ik met het verhoor doorgaan.'

'Waarom verdenkt u hem eigenlijk?' vroeg Wallander.

'We weten al een tijd dat hij Leja en Kalns vaak als koeriers en helpers inschakelde', zei Putnis. 'En verder hopen we te kunnen bewijzen dat ze zich het afgelopen jaar bezig hebben gehouden met drugstransporten. Hagelman, zo heet hij, is bovendien iemand die geen moment zou aarzelen zijn medewerkers, als het hem uitkwam, te martelen of te vermoorden. Hij opereert natuurlijk niet in zijn eentje. We zijn nog op zoek naar een aantal van zijn bendeleden. Omdat daar nogal wat sovjetburgers onder zijn, kunnen ze zich helaas in hun vaderland bevinden, maar we geven het niet op. Daar komt nog bij dat we een hoeveelheid wapens hebben gevonden, waar Hagelman gemakkelijk bij kon komen. Op dit moment gaan we na of de kogels die Leja en Kalns gedood hebben uit een van die wapens afkomstig zijn.'

'En welk verband bestaat er met de dood van majoor Liepa?' vroeg Wallander. 'Waar past die in dit beeld?'

'Dat weten we niet,' antwoordde Putnis, 'maar de moord was van tevoren beraamd, het was een executie. Hij is zelfs niet beroofd. We moeten aannemen dat er een verband bestaat tussen zijn dood en zijn werk.'

'Kan majoor Liepa een dubbelleven geleid hebben?' vroeg Wallander.

Putnis glimlachte zijn vermoeide glimlach.

'We leven in een land waar we het controleren van onze burgers tot een ware kunst verheven hebben', zei hij. 'En zeker de controle op de politie door het politieapparaat. Als majoor Liepa een dubbelleven had geleid, hadden we dat geweten.'

'Behalve als hij door iemand in bescherming werd genomen', zei Wallander.

Putnis keek hem verbaasd aan.

'Wie zou dat dan geweest moeten zijn?' vroeg hij.

'Dat weet ik niet', zei Wallander. 'Ik dacht alleen maar hardop. Een niet erg onderbouwde gedachte, vrees ik.'

Putnis stond op om te gaan.

'Ik was van plan u voor vanavond te eten uit te nodigen', zei hij. 'Dat is helaas niet mogelijk, omdat ik het verhoor met de verdachte voort wil zetten. Misschien dat kolonel Murniers hetzelfde van plan is. Het is niet erg beleefd van ons om u in een vreemde stad aan uw lot over te laten.'

'Hotel Latvija is een uitstekend hotel', zei Wallander. 'Bovendien wil ik een samenvatting maken van alles wat er zo al door mijn hoofd speelt rond de dood van majoor Liepa. Ik was van plan om dat vanavond te doen.'

Putnis knikte.

'Morgenavond dan', zei hij. 'Ik zou het op prijs stellen als u mij en mijn vrouw morgenavond met een bezoek wilt vereren. Mijn vrouw kan uitstekend koken.'

'Graag', zei Wallander. 'Heel graag.'

Putnis ging weg en Wallander drukte op het belletje. Hij wilde weg zijn voordat Murniers hem eventueel thuis of in een restaurant te eten kon vragen.

'Ik ga nu naar mijn hotel', zei Wallander toen sergeant Zids in de deuropening stond. 'Ik heb nog wat schrijfwerk te doen, dat ik vanavond op mijn kamer af wil maken. Je kunt me morgen om acht uur komen halen.'

Toen sergeant Zids hem voor het hotel had afgezet, kocht Wallander in de receptie wat ansichtkaarten en postzegels. Hij vroeg ook om een plattegrond van de stad. Omdat de plattegrond die het hotel had niet gedetailleerd genoeg was, legde men hem de weg naar een boekwinkel in de buurt uit.

Wallander keek in de foyer om zich heen. Nergens zag hij een theedrinkende of kranten lezende man.

Dat betekent dat ze er nog zijn, dacht hij. De ene dag zijn ze zichtbaar, de volgende dag zijn ze verdwenen. Hun bedoeling is dat ik eraan ga twijfelen of ik wel geschaduwd word.

Hij verliet het hotel op zoek naar de boekwinkel. Het was inmiddels donker geworden en het trottoir was vochtig van de natte sneeuw die viel. Er waren veel mensen op straat en van tijd tot tijd bleef Wallander staan om een etalage te bekijken. De uitgestalde goederen waren schaars en de keuze was gering. Toen hij bij de boekwinkel was gekomen, wierp hij een snelle blik over zijn schouder. Nergens ontdekte hij iemand die plotseling zijn schreden inhield.

Een oudere man die geen woord Engels kende, verkocht hem een plattegrond van de stad. Hij praatte aan één stuk door in het Lets, alsof hij meende dat Wallander hem toch kon verstaan. Wallander ging naar zijn hotel terug. Ergens achter of voor hem was een schaduw die hij niet kon zien. Hij besloot om de volgende dag aan een van de kolonels te vragen waarom hij in de gaten werd gehouden. Hij zou het op een vriendelijke manier vragen, niet sarcastisch of geërgerd.

In de receptie vroeg hij of er iemand gebeld had. De receptionist schudde zijn hoofd. *No calls, mister Wallander. No calls at all.*

Hij ging naar zijn kamer om zijn ansichtkaarten te schrijven. Hij trok het schrijfbureau bij het raam vandaan om niet in de tocht te zitten. De kaart voor Björk in Ystad was er eentje van de dom in Riga. Daar ergens woonde Baiba Liepa, daar had een telefoontje de majoor op een avond laat weggeroepen. *Wie heeft er gebeld, Baiba? Meneer Eckers wacht op zijn kamer, wacht op antwoord.*

Hij schreef een kaart naar Björk, naar Linda en naar zijn vader. Hij aarzelde bij de laatste kaart. Toen schreef hij een groet aan zijn zuster Kristina.

Het was inmiddels zeven uur geworden. Hij liet water, dat lauw was, in de badkuip lopen. Op de rand van het bad liet hij een glas whisky balanceren. Toen sloot hij zijn ogen en ging alles wat er gebeurd was nog eens van het begin af aan na.

Het reddingsvlot, de dode mannen, hun vreemde omarming. Hij probeerde iets te zien wat hij nog niet gezien had. Rydberg had vaak gesproken over het vermogen *het onzichtbare* te zien. Het onverwachte in het schijnbaar natuurlijke te ontdekken. Systematisch ging hij het verloop der gebeurtenissen na. Waar waren aanwijzingen die hij tot nu toe over het hoofd had gezien?

Na zijn bad ging hij aan het bureau zitten om uit zijn hoofd opnieuw aantekeningen te maken. Hij was er nu van overtuigd dat de beide Letse politiekolonels het bij het juiste eind hadden. Niets wees erop dat de mannen in het reddingsvlot niet het slachtoffer van een strijd in eigen kring waren geworden. Waarom ze zonder hun colbertjes doodgeschoten waren en daarna in het reddingsvlot gegooid, was verder niet van doorslaggevende betekenis. Hij had het idee laten varen dat het de opzet van de daders was geweest dat de mannen gevonden zouden worden. *Waarom werd het reddingsvlot gestolen?* schreef hij. *Door wie? Hoe slaagden Letse misdadigers er op zo'n korte termijn in Zweden binnen te komen? Werd de diefstal door Zweden gepleegd of door Letten die elkaar op Zweeds grondgebied ontmoet hadden?* Hij ging een stapje verder. Majoor Liepa was op de avond dat hij uit Zweden terugkwam, vermoord. Veel wees erop dat hem het zwijgen was opgelegd. *Wat wist majoor Liepa?* schreef hij. *Waarom krijg ik een bijzonder gebrekkig onderzoek voorgeschoteld, dat koste wat kost de plaats van het misdrijf moet verbergen?*

Hij las zijn aantekeningen door en schreef verder. *Baiba Liepa,* schreef hij. *Wat weet ze dat ze niet aan de politie wil vertellen?* Hij schoof zijn aantekeningen opzij en schonk nog een whisky in. Het was bijna negen uur en hij had honger. Hij nam de hoorn van de haak en controleerde of de telefoon het deed. Daarna ging hij naar de receptie en deelde mee dat hij naar de eetzaal ging. Hij keek om zich heen in de foyer. Nergens een van zijn bewakers. In de eetzaal kreeg hij weer hetzelfde tafeltje. Misschien zit er een microfoon in de asbak? dacht hij ironisch. Misschien zit er een man onder de tafel die mijn polsslag opmeet. Hij dronk een halve fles Armeense wijn en at kip met aardappelen. Iedere keer als de klapdeuren naar de foyer opengingen, dacht hij dat het de receptionist was om te zeggen dat er telefoon voor hem was. Bij zijn koffie nam hij een cognacje. Hij keek om zich heen. Er waren deze avond veel tafeltjes bezet. In een hoek zaten een paar Russen; aan een lange tafel zat een Duits gezelschap met zijn Letse gastheren. Het was bijna halfelf toen hij het onvoorstelbaar geringe bedrag op de rekening betaalde. Hij aarzelde even of hij naar de nachtclub zou gaan. Toen nam hij een besluit en liep de trappen naar de vijfde verdieping op.

Op het moment dat hij de sleutel in het slot stak, hoorde hij de telefoon overgaan. Hij vloekte, rukte de deur open en griste de hoorn van de haak. *'Kan ik meneer Eckers spreken?'* Het was een man, zijn Engelse uitspraak was heel slecht. Wallander zei wat hij moest zeggen, dat er geen meneer Eckers was. *'Dat moet dan een misverstand zijn.'* De man verontschuldigde zich en het gesprek werd verbroken. *Neem de achterdeur. Please, please.*

Wallander deed zijn jas aan, trok een wollen muts over zijn hoofd, kreeg daar spijt van en stopte haar in zijn jaszak. Toen hij in de foyer was, zorgde hij ervoor dat hij niet vanuit de receptie gezien kon worden.

Het Duitse gezelschap kwam juist de eetzaal uit toen hij bij de klapdeuren was. Hij liep snel de trap naar de sauna van het hotel af en haastte zich vervolgens door een gang die eindigde bij de oprit van de dienstingang naar het restaurant. De grijze, ijzeren deur zag er precies uit zoals Baiba Liepa gezegd had. Hij deed haar voorzichtig open en voelde de koude nachtwind in zijn gezicht. Tastend zocht hij zijn weg over de schuine helling en al gauw stond hij aan de achterkant van het hotel.

Het straatje was schaars verlicht. Hij gleed de schaduwen in. Hij zag alleen een oude man die zijn hond uitliet. Wallander bleef stil in het donker staan wachten. Er verscheen niemand. De man wachtte geduldig toen de hond zijn poot tegen een vuilnisbak optilde. Op het moment dat ze langs Wallander liepen, zei de oude man dat hij hem moest volgen als hij om de hoek verdwenen was. In de verte knarste een tram en Wallander wachtte. Hij trok zijn wollen muts over zijn hoofd. Het sneeuwde niet en het was opnieuw kouder geworden. De man verdween om de hoek van de steeg en Wallander liep langzaam in dezelfde richting. Toen hij de hoek omsloeg, bevond hij zich opnieuw in een steeg. De man met de hond was verdwenen. Geluidloos ging naast hem het portier van een auto open. *'Meneer Eckers',* klonk een stem vanuit het donker van de auto. *'We moeten hier snel weg.'*

Hij kroop op de achterbank, terwijl er op dat moment een paniekerige gedachte door hem heen schoot. Hij was heel fout bezig. Hij herinnerde zich plotseling het gevoel dat hij die ochtend gehad had, toen hij in een andere auto had gezeten met sergeant Zids achter het stuur. Hij herinnerde zich zijn angst. Die was nu teruggekeerd.

9

De zurige lucht van natte wol.

Zo zou Kurt Wallander zich de nachtelijke autorit door Riga herinneren. Hij had zich gebukt en was op de achterbank gekropen en voordat zijn ogen aan het donker hadden kunnen wennen, hadden onbekende handen snel een kap over zijn hoofd getrokken. De kap had naar wol geroken en toen het zweet na een poosje uit zijn poriën naar buiten drong, voelde hij dat zijn huid begon te kriebelen. Maar de angst, dat intense gevoel dat er iets totaal mis was, die angst was op het moment dat hij op de achterbank had plaatsgenomen, verdwenen. Een stem die – naar hij aannam – bij de handen hoorde, die de kap over zijn hoofd trokken, had hem geruststellend toegesproken. '*We are no terrorists. We just have to be cautious.*' Hij herkende de stem van het telefoontje, de stem die naar *meneer Eckers* had gevraagd. Naderhand had hij bedacht dat dit natuurlijk iets was dat mensen in de ineengestorte, in chaos verkerende Oost-Europese landen wel moesten doen: hun woorden overtuigend laten klinken wanneer ze zeiden dat er geen gevaar was, ook al was dat in feite wel zo.

Het was geen comfortabele auto. Het geluid van de motor zei hem dat het er een van Russische makelij was. Vermoedelijk een Lada. Hij kon er niet achter komen hoeveel mensen er in de auto zaten, behalve dan dat het er minstens twee moesten zijn, want ergens voor hem hoestte degene die reed, terwijl de man die de geruststellende woorden had gesproken naast hem zat. Heel even meende hij de zwakke geur van parfum in de auto te ruiken, Baiba Liepa's parfum, maar toen realiseerde hij zich dat dat verbeelding was of misschien een wensdroom.

Hij kon er niet achter komen of ze snel reden of niet. Maar ineens veranderde het wegdek en concludeerde hij dat ze de stad achter zich gelaten hadden. Zo nu en dan remde de auto en sloeg af en één keer reden ze over een rotonde. Hij probeerde de tijd in de gaten te houden, maar dat moest hij al gauw opgeven. Ergens liep de rit dan toch ten einde; de auto sloeg voor de laatste keer af en hotste en hobbelde alsof hij over ongebaand terrein reed. De chauffeur zette de motor af, de portieren gingen open en hij werd uit de auto geholpen.

Het was koud en hij meende de geur van naaldbomen te herkennen.

Iemand hield hem bij de arm zodat hij niet zou struikelen. Hij werd een trap opgeleid, een deur knarste in haar scharnieren, hij kwam een vertrek binnen waar het warm was, er sloeg hem een lucht van petroleum tegemoet en plotseling werd de kap van zijn gezicht genomen. Hij schrok even omdat hij weer kon zien. Die schok was sterker dan toen de kap over zijn gezicht getrokken werd. Het vertrek was langwerpig en had grove houten wanden. De eerste gedachte die bij hem opkwam, was dat hij zich in een soort jachthut bevond. Boven de open haard hing de kop van een hert, de meubelen waren allemaal van een lichte houtsoort en de enige verlichting bestond uit twee petroleumlampen.

De man met de geruststellende stem sprak opnieuw. Hij had een gezicht dat helemaal niet paste bij wat Kurt Wallander zich had voorgesteld, als hij zich al een gezicht had voorgesteld. De man was klein van stuk en zeer mager, alsof hij een ernstig lijden had doorgemaakt of zichzelf had uitgehongerd. Zijn gezicht was bleek. Een bril met een hoornen montuur leek te groot en te zwaar voor zijn jukbeenderen en het schoot door Wallander heen dat de leeftijd van de man van alles kon zijn, van vijfentwintig tot vijftig jaar.

De man glimlachte en wees naar een stoel. Wallander ging zitten. *'Sit down, please'*, zei de man met de geruststellende stem. Uit de schaduwen maakte zich geruisloos een andere man los met een thermoskan en een paar koppen, misschien de chauffeur, dacht Wallander. Deze man was ouder, donker, iemand die ongetwijfeld zelden glimlachte. Wallander kreeg een kop thee. De twee mannen gingen aan de andere kant van de tafel zitten en de chauffeur draaide voorzichtig de vlam van de petroleumlamp met het witte porseleinen kapje, die op de tafel stond, omhoog. Wallanders oren vingen een bijna onhoorbaar geluid op. Het kwam uit de schaduwen achter de lichtkring van de petroleumlampen. Er zijn nog meer mensen, dacht hij. Iemand die heeft zitten wachten, iemand die thee gezet heeft.

'We kunnen u alleen thee aanbieden', zei de man met de geruststellende stem. 'Maar u had net gegeten toen we u kwamen halen, meneer Wallander. We zullen u trouwens niet lang ophouden.'

Iets in wat de man zei, verontrustte Wallander. Zo lang hij *meneer Eckers* was geweest, had hij het gevoel gehad dat wat er gebeurde hem niet persoonlijk raakte. Maar nu was hij *meneer Wallander* en vanuit hun onzichtbare kijkgaten hadden ze hem in de gaten gehouden, hem zien eten. Ze hadden alleen de kleine fout gemaakt een paar seconden te vroeg te bellen, al voordat hij de deur van zijn kamer had geopend.

'Ik heb genoeg redenen om u te wantrouwen', zei hij. 'Ik weet niet eens wie u bent. Waar is Baiba Liepa, de weduwe van de majoor?'

'Ik moet u mijn verontschuldigingen voor onze onbeleefdheid aanbieden. Mijn naam is Upitis. U hebt niets te vrezen. Na ons gesprek kunt u naar uw hotel terugkeren. Dat garandeer ik u.'

Upitis, dacht Wallander. Net als *meneer Eckers*. Hoe hij ook heet, zo niet.

'De garantie van iemand die je niet kent, is niets waard', zei Wallander. 'U brengt me hierheen met een kap over mijn hoofd.' (Was 'kap' werkelijk *hood*?) 'Ik was bereid mevrouw Liepa op haar voorwaarden te ontmoeten, omdat ik haar man gekend heb. Ik nam aan dat ze me iets kon vertellen, iets wat de politie zou helpen een licht op de vraag waarom majoor Liepa is gedood, te werpen. Ik weet niet wie jullie zijn. Ik heb dus volop reden om jullie te wantrouwen.'

De man die gezegd had dat hij Upitis heette, knikte bedachtzaam en instemmend.

'Ik ben het met u eens', zei hij. 'U moet alleen niet denken dat we zonder reden zo voorzichtig zijn. Helaas is dat absoluut noodzakelijk. Mevrouw Liepa kon hier vanavond niet zijn. Maar ik spreek namens haar.'

'Hoe kan ik daar zeker van zijn? Wat willen jullie eigenlijk?'

'Uw hulp inroepen.'

'Waarom geeft u mij een valse identiteit op? Waarom een geheime ontmoetingsplaats?'

'Zoals ik daarstraks al zei, is dat helaas nodig. U bent nog niet zo lang in Letland, meneer Wallander. U leert het zeker nog wel begrijpen.'

'Op welke manier zou ik u kunnen helpen?'

Opnieuw drong het nauwelijks hoorbare geluid uit de schaduwen achter het zwakke schijnsel van de petroleumlampen tot hem door. Baiba Liepa, dacht hij. Ze laat zich niet zien, maar ze is hier, vlak bij me.

'U moet een paar minuten geduld met ons hebben', vervolgde Upitis. 'Laat me u eerst uitleggen wat Letland eigenlijk is.'

'Is dat nou werkelijk nodig? Letland is een land als andere landen. Al moet ik toegeven dat ik de kleuren van uw vlag niet ken.'

'Ik merk nu toch werkelijk dat het nodig is dat ik u het een en ander uitleg. Als u zegt dat ons land een land is als andere landen, concludeer ik daaruit dat er bepaalde dingen zijn, die u toch echt zou moeten weten.'

Wallander dronk van zijn lauwe thee. Hij probeerde de schaduwen met zijn blik te doorboren. Misschien glom er in zijn ene ooghoek een zwak streepje licht, als van een deur die niet helemaal dicht was?

De chauffeur warmde zijn handen aan zijn kop thee. Zijn ogen waren gesloten en Wallander besefte dat het gesprek tussen hem en Upitis zou gaan.

'Wie zijn jullie?' vroeg hij. 'Laat me dát in ieder geval weten.'

'Wij zijn Letten', antwoordde Upitis. 'We zijn toevallig in een zeer ongelukkig tijdperk in dit geschonden land geboren, onze wegen hebben elkaar gekruist en we hebben ingezien dat we een taak hebben, die ons verbindt en die we moeten volbrengen.'

'Majoor Liepa?' vroeg Wallander, maar maakte zijn vraag niet af.

'Laat me bij het begin beginnen', zei Upitis. 'U moet goed

begrijpen dat ons land op het punt staat ineen te storten. Net als in de beide andere Baltische staten en de andere landen die door de Sovjet-Unie als koloniale provincies zijn bestuurd, proberen de mensen hier de vrijheid te heroveren die na de Tweede Wereldoorlog verloren is gegaan. Maar deze vrijheid wordt geboren in chaos, meneer Wallander en in de schaduwen loeren monsters die het slechtste met ons voorhebben. Het zou een catastrofale dwaling zijn te geloven dat men alleen voor of tegen de vrijheid kan zijn. Vrijheid heeft vele gezichten. De vele Russen die hier zijn komen wonen om zich onder het Letse volk te mengen, wat op den duur tot de ondergang van ons volk zal leiden, maken zich niet alleen zorgen omdat hun aanwezigheid ter discussie wordt gesteld, ze zijn uiteraard bang hun voorrechten kwijt te raken. De geschiedenis kent geen voorbeelden van mensen die vrijwillig afstand van hun privileges hebben gedaan. Daarom rusten deze mensen zich uit om hun bestaan te verdedigen en dat doen ze in het geniep. Daarom ook kon gebeuren wat er afgelopen herfst is gebeurd, toen sovjetmilitairen de macht aan zich trokken en de uitzonderingstoestand uitriepen. Het is ook een dwaling te denken dat men als één natie, zonder kleerscheuren, de overgang van een brute dictatuur naar iets, dat men als democratie zou kunnen bestempelen, kan maken. Voor ons heeft de vrijheid iets verleidelijks, is ze als een mooie vrouw aan wie je geen weerstand kunt bieden. Voor anderen is vrijheid een bedreiging die met alle mogelijke middelen bestreden moet worden.'

Upitis zweeg alsof zijn woorden een openbaring bevatten, die ook voor hem schokkend was.

'Bedreiging?' vroeg Wallander.

'We mogen een burgeroorlog niet uitsluiten', zei Upitis. 'Er zou voor de huidige politieke discussie wel eens iets heel anders in de plaats kunnen komen en dat omdat mensen in hun hart alleen maar op wraak uit zijn, amok willen maken. Het verlangen naar vrijheid kan tot een ware verschrikking leiden, een die iedere voorspelling tart. Monsters liggen op de achtergrond op de loer, messen worden 's nachts geslepen. De uitkomst van deze strijd is al even moeilijk te voorspellen als de toekomst.'

Een taak die we moeten volbrengen. Al aftastend probeerde Wallander de eigenlijke draagwijdte van Upitis' woorden te achterhalen. Maar hij wist van tevoren dat dit zinloos was. Hij was niet bij machte de veranderingen die in Europa plaatsvonden, te begrijpen. Politiek had in zijn wereldje van politieman nooit een rol gespeeld. Als er verkiezingen waren, ging hij stemmen, ongeëngageerd, zonder veel politiek benul. Veranderingen die zijn leven niet rechtstreeks beïnvloedden gingen aan hem voorbij.

'Monsters vervolgen is nauwelijks iets waar een politieman zich mee bezighoudt', zei hij aarzelend, in een poging zijn eigen onwetendheid te verontschuldigen. 'Ik hou me bezig met reële misdrijven, gepleegd door reële mensen. Ik heb toegestemd om meneer Eckers te zijn, omdat ik dacht dat Baiba Liepa mij wilde ontmoeten zonder anderen erbij. De Letse politie heeft me gevraagd hen te helpen bij het vinden van de moordenaars van majoor Liepa. En wel in het bijzonder om na te gaan of er ergens een verband is met twee Letten die in Zweden dood aan land gedreven zijn. En nu roept *u* ineens mijn hulp in? Dat moet op een eenvoudiger manier kunnen, zonder lange uiteenzettingen over maatschappelijke vraagstukken die ik hoe dan ook niet begrijp.'

'Dat klopt', zei Upitis. 'Laten we dan liever zeggen dat we elkaar helpen.'

Wallander zocht in zijn hoofd naar het Engelse woord voor 'raadsel' zonder het te vinden.

Upitis trok een blocnote naar zich toe, die achter de petroleumlamp uit het zicht had gelegen. Uit de zak van zijn versleten colbertje haalde hij een pen.

'Majoor Liepa is bij u in Zweden geweest', zei hij. 'Twee dode Letten zijn op de Zweedse kust aan land gedreven. U hebt met de majoor samengewerkt.'

'Ja. Hij was een bekwaam politieman.'

'Maar hij is slechts een paar dagen in Zweden geweest?'

'Ja.'

'Hoe kon u dan in zo'n korte tijd tot de conclusie komen dat hij een bekwaam rechercheur was?'

'Ervaring en een grondige manier van aanpakken, dat merk je bijna altijd meteen.'

Het ging door Wallander heen dat de vragen onschuldig leken, maar hij had onmiddellijk doorgehad dat Upitis heel doelgericht bezig was. De vragen waren bedoeld om een net te spinnen, een onzichtbaar net. Upitis ging te werk als een bekwaam rechercheur. Hij had vanaf het eerste begin een bepaald doel voor ogen gehad. De onschuld van de vragen was maar een illusie. Misschien is hij wel een politieman, dacht Wallander. Misschien is het niet Baiba Liepa die zich in de schaduwen schuilhoudt? Misschien is het kolonel Putnis? Of Murniers?

'U had dus waardering voor het werk van majoor Liepa?'

'Natuurlijk. Dat heb ik al gezegd.'

'En als u zijn ervaring en grondige aanpak nu eens buiten beschouwing liet?'

'Hoe zou ik die buiten beschouwing kunnen laten?'

'Wat had u voor indruk van hem als mens?'

'Dezelfde indruk die hij als politieman uitstraalde. Hij was kalm, degelijk, beschikte over veel geduld, was kundig, intelligent.'

'Majoor Liepa dacht hetzelfde van u, meneer Wallander. Dat u een bekwaam politieman bent.'

Ergens in het binnenste van Wallander begon een alarmschel af te gaan. Hoewel het niet meer dan een vaag gevoel was, vermoedde Wallander dat Upitis nu het gebied had betreden waar zijn belangrijkste vragen lagen te wachten. Tegelijkertijd zag hij in dat er iets niet klopte. Majoor Liepa was maar een paar uur thuis geweest, voordat hij vermoord werd. Toch gaf deze Upitis er blijk van dat hij een gedetailleerde kennis van zaken bezat over de Zweedse reis van de majoor. Hij wist dingen die alleen majoor Liepa zelf had kunnen vertellen, rechtstreeks of via zijn vrouw.

'Dat was erg vriendelijk van hem', antwoordde Wallander. 'Dat hij waardering had voor wat ik deed.'

'U had het erg druk toen majoor Liepa in Zweden was.'

'Een moordonderzoek is altijd intensief.'

‘U had dus geen tijd om vriendschappelijk met elkaar om te gaan?’

‘Die vraag begrijp ik niet.’

‘Om elkaar buiten het werk te zien. Om samen te lachen, te zingen. Ik heb gehoord dat Zweden graag zingen.’

‘Majoor Liepa en ik hebben geen zangkoor gevormd, als u dat soms bedoelt. Ik heb hem een avond bij mij thuis uitgenodigd. Dat was alles. We hebben een fles whisky opgedronken en naar muziek geluisterd. Er woedde die avond trouwens een sneeuwstorm. Daarna is hij naar zijn hotel gegaan.’

‘Majoor Liepa hield heel veel van muziek. Hij klaagde soms dat hij zelden tijd had om naar een concert te gaan.’

De alarmschel in Wallander begon nog harder te rinkelen. Wat wil hij verdomme weten, dacht hij. Wie is deze Upitis? En waar is Baiba Liepa?

‘Mag ik vragen naar welke muziek u geluisterd hebt?’ vroeg Upitis.

‘Operamuziek. Maria Callas. Ik herinner het me niet precies meer. *Turandot*, meen ik.’

‘Die opera ken ik niet.’

‘Het is een van de mooiste opera’s van Puccini.’

‘U dronk whisky?’

‘Ja.’

‘En er woedde een sneeuwstorm?’

‘Ja.’

Nu is hij bij de kern van de zaak beland, dacht Wallander koortsachtig. Wat wil hij dat ik zeg zonder dat ik het zelf weet?

‘Wat hebt u voor whisky gedronken?’

‘JB, meen ik.’

‘Majoor Liepa was een zeer matige drinker, maar zo nu en dan mocht hij graag met een glaasje relaxen.’

‘O ja?’

‘Hij was in alle opzichten een matig man.’

‘Ik denk dat ik meer onder invloed was dan hij. Wilt u dat soms weten?’

‘Toch schijnt u zich die avond goed te herinneren.’

'We hebben naar muziek zitten luisteren. Met een glas in de hand. Hebben gepraat. Hebben gezwegen. Waarom zou ik me dat niet herinneren?'

'U hebt natuurlijk ook gesproken over de dode mannen die aan land gedreven waren.'

'Niet dat ik me herinner. Als er gepraat werd, was het meestal door majoor Liepa, die over Letland vertelde. Het was trouwens op die bewuste avond, dat ik hoorde dat de majoor getrouwd was.'

Plotseling merkte Wallander dat er iets in de kamer veranderde. Upitis keek hem onderzoekend aan, de chauffeur ging bijna onmerkbaar verzitten. Zo sterk was zijn intuïtie dat hij doorhad dat ze zojuist het punt gepasseerd waren, waar Upitis de hele tijd naartoe gewerkt had. Maar welk punt? Voor zijn geestesoog zag hij de majoor op de bank zitten, het eenvoudige Duralex-glas steunend op zijn knie, hoorde hij weer de muziek die uit de boxen op de boekenkast kwam.

Maar er moest dus nog iets geweest zijn, iets wat hen ertoe gebracht had meneer Eckers te creëren als een heimelijk evenbeeld van een Zweedse politieman.

'Hebt u majoor Liepa niet een boek gegeven toen hij wegging?'

'Ik heb een boekwerk over Skåne voor hem gekocht. Misschien getuigt dat niet van veel fantasie, maar ik kon niets beters bedenken.'

'Majoor Liepa waardeerde uw geschenk.'

'Hoe weet u dat?'

'Dat heeft hij zijn vrouw verteld.'

Nu verwijderen we ons weer van waar het om draaide, dacht Wallander. Deze vragen worden alleen gesteld om afstand te scheppen tot waar het allemaal om begonnen was.

'Hebt u al eens eerder met de politie uit een van de Oost-Europese landen samengewerkt?'

'We hebben een keer iemand uit Polen gehad, die onderzoek deed. Dat is alles.'

Upitis schoof de blocnote weg. Hij had tijdens het hele gesprek geen enkele aantekening gemaakt, maar Wallander was ervan overtuigd dat Upitis nu wist wat hij weten wilde. Wat? dacht hij. Wat is er zo belangrijk? Wat vertel ik zonder dat ik me daarvan bewust ben?

Wallander dronk van zijn inmiddels helemaal koud geworden thee. Nu is het mijn beurt, dacht hij. Ik moet dit gesprek nu een slag draaien.

'Waarom moest majoor Liepa sterven?' vroeg hij.

'Majoor Liepa maakte zich grote zorgen over de situatie in ons land', antwoordde Upitis aarzelend. 'We hebben er vaak over gesproken, wat daaraan gedaan kon worden.'

'Moest hij daarom sterven?'

'Waarom zou hij anders vermoord zijn?'

'Dat is geen antwoord. Dat is een nieuwe vraag.'

'We zijn toch bang dat dit de waarheid is.'

'Wie had er belang bij om hem uit de weg te ruimen?'

'U moet niet vergeten wat ik daarstraks gezegd heb. Over mensen die bang zijn voor de vrijheid.'

'Die in het donker hun messen slijpen?'

Upitis knikte langzaam. Wallander probeerde na te denken, probeerde alles wat hij gehoord had, goed tot zich door te laten dringen.

'Als ik het goed begrepen heb, zijn jullie een organisatie?'

'Het lijkt me beter om te spreken van een losse groep mensen. Een organisatie kan veel te gemakkelijk opgespoord en vernietigd worden.'

'Wat willen jullie?'

Upitis scheen te aarzelen. Wallander wachtte.

'Wij zijn vrije mensen, meneer Wallander, die in onvrijheid leven. Wij zijn in zoverre vrij dat we een analyse kunnen maken van wat er om ons heen in Letland gebeurt. Misschien moet ik eraan toevoegen dat de meesten van ons intellectuelen zijn. Journalisten, wetenschappers, dichters. Misschien vormen wij de kern van wat tot een politieke beweging zou kunnen uitgroeien, een die dit land van de ondergang kan redden. Wanneer de chaos uitbreekt. Wanneer de Sovjet-Unie militair ingrijpt. Wanneer een burgeroorlog niet te vermijden is.'

'Majoor Liepa was een van u?'

'Ja.'

'Een van de leiders?'

'We hebben geen leiders, meneer Wallander, maar majoor Liepa was een belangrijk lid van onze groep. Door zijn positie wist hij veel. We hebben redenen om aan te nemen dat hij verraden is.'

'Verraden?'

'De politie in ons land is geheel en al in handen van de bezettingsmacht. Majoor Liepa was een uitzondering. Hij speelde een dubbelspel tegenover zijn collega's. Hij nam grote risico's.'

Wallander dacht na. Hij herinnerde zich iets wat een van de kolonels gezegd had. *We zijn goed in het bewaken van elkaar.*

'Wilt u daarmee zeggen dat iemand binnen de politie achter de moord gezeten kan hebben?'

'We weten het natuurlijk niet zeker, maar we denken dat het zo gegaan is. Er is geen ander redelijk alternatief.'

'Wie zou dat dan moeten zijn?'

'We hopen dat u ons kunt helpen om daarachter te komen.'

Plotseling begreep Wallander dat hij hoogstwaarschijnlijk eindelijk over de eerste aanwijzing beschikte dat er ergens een verband was. Hij dacht aan het gebrekkige onderzoek op de plaats waar het lichaam van de majoor gevonden was. Aan het feit dat hij vanaf zijn aankomst in Riga geschaduwd was. Ineens zag hij heel duidelijk een patroon van schijnbewegingen oprijzen dat in elkaar greep.

'Een van de kolonels?' vroeg hij. 'Putnis of Murniers?'

Upitis antwoordde zonder over zijn antwoord na te denken. Later zou Wallander zich herinneren dat er iets van triomf in Upitis' stem had doorgeklonken.

'We verdenken kolonel Murniers.'

'Waarom?'

'We hebben zo onze redenen.'

'Welke redenen?'

'Kolonel Murniers heeft zich op diverse manieren doen kennen als de loyale sovjetburger die hij is.'

'Is hij een Rus?' vroeg Wallander verbaasd.

'Murniers is in de oorlog naar Letland gekomen. Zijn vader was bij het Rode Leger. Murniers is in 1957 bij de politie begonnen. Hij was toen nog heel jong. Heel jong en zeer veelbelovend.'

'Dan zou hij dus een van zijn eigen ondergeschikten gedood hebben?'

'Er is geen andere verklaring. Maar we weten niet of Murniers het eigenhandig heeft gedaan. Het kan ook een ander geweest zijn.'

'Maar waarom werd majoor Liepa vermoord op de avond dat hij uit Zweden terugkeerde?'

'Majoor Liepa was een zwijgzaam man', antwoordde Upitis op scherpe toon. 'Hij zei nooit een woord te veel. Dat leer je in dit land. Hoewel ik een goede vriend van hem was, zei hij zelfs tegen mij niet meer dan nodig was. Je leert het om je vrienden niet te belasten met te veel vertrouwelijkheden, maar soms ontglipte het hem dat hij iets op het spoor was.'

'Wat?'

'Dat weten we niet.'

'U moet toch wel iets weten?'

Upitis schudde zijn hoofd. Hij zag er ineens heel moe uit. De chauffeur zat roerloos op zijn stoel.

'Hoe weet u dat u me kunt vertrouwen?' vroeg Wallander.

'Dat weten we niet. Maar dat risico moeten we nemen. We kunnen ons goed voorstellen dat een Zweedse politieman niet al te diep bij de ontzettende chaos die er hier heerst, betrokken wil raken.'

Precies, dacht Wallander. Ik wil niet geschaduwd worden, ik wil niet 's nachts naar een onbekende jachthut gebracht worden. Eigenlijk wil ik het liefst naar huis.

'Ik moet Baiba Liepa spreken', zei hij.

Upitis knikte.

'We zullen bellen en naar *meneer Eckers* vragen', zei hij. 'Misschien morgen al.'

'Ik kan haar voor verhoor bij me laten komen.'

Upitis schudde zijn hoofd. 'Er kunnen te veel mensen meeluisteren', zei hij. 'We zullen een ontmoeting regelen.'

Het gesprek viel stil. Upitis leek in gedachten verzonken. Wallander wierp een blik in de schaduwen. Het zwakke streepje licht was verdwenen.

'Weet u nu wat u wilde weten?' vroeg Wallander.

Upitis glimlachte zonder te antwoorden.

'De avond dat majoor Liepa bij mij thuis whisky dronk en naar *Turandot* luisterde, heeft hij niets gezegd dat enig licht op zijn dood kan werpen. Dat had u mij ook zonder omwegen kunnen vragen.'

'In ons land kun je geen kortere weg nemen', zei Upitis. 'Vaak is een omweg de enig begaanbare en veilige.'

Hij schoof zijn blocnote opzij en stond op. De chauffeur sprong overeind.

'Ik wou op de terugweg liever geen kap over mijn hoofd hebben', zei Wallander. 'Hij kriebelt.'

'Goed', zei Upitis. 'Maar u moet zich kunnen indenken dat het ook voor uw eigen veiligheid is dat we voorzichtig zijn.'

De maan scheen en het was koud toen ze naar Riga terugreden. Door een raampje van de auto zag Wallander voorbijglijdende silhouetten van donkere dorpen. Ze reden door de buitenwijken van Riga, eindeloze hoge flatgebouwen en in het donker gelegen straten.

Wallander stapte uit de auto op dezelfde plek waar hij ingestapt was. Upitis had tegen hem gezegd dat hij de achterdeur van het hotel moest nemen. Toen hij aan de deurknop voelde, was de deur op slot. Hij aarzelde wat hij moest doen. Daarna hoorde hij dat de deur vanbinnen voorzichtig van het slot werd gedaan. Tot zijn verbazing herkende hij de man die een paar dagen geleden de deur van de nachtclub voor hem had opengehouden. Wallander volgde hem een brandtrap op en hij werd pas alleen gelaten toen hij de deur van kamer 506 van het slot had gedaan. Het was drie minuten over twee.

Het was koud in de kamer. Hij schonk wat whisky in het wastafelglas, sloeg een deken om zich heen en ging aan het schrijfbureau zitten. Hoewel hij moe was, wist hij dat hij niet tot rust kon komen voordat hij een samenvatting had gemaakt van wat er die nacht gebeurd was. Zijn pen voelde koud aan in zijn hand. Hij trok de aantekeningen die hij eerder gemaakt had, naar zich toe, nam een slok whisky en begon te denken.

Ga terug naar je uitgangspunten, zou Rydberg gezegd hebben. *Laat de open plekken en vaagheden voor wat ze zijn. Begin met waar je zeker van bent.* Maar wat wist hij eigenlijk? Twee vermoorde Letten drijven in een Joegoslavisch reddingsvlot bij Ystad aan land. Dat was een uitgangspunt waar niet aan te tornen viel. Een majoor van de politie uit Riga komt een paar dagen naar Ystad om bij het onderzoek te helpen. Zelf begaat Wallander de onvergeeflijke fout het vlot niet behoorlijk te inspecteren. Vervolgens wordt het gestolen. *Door wie?* Majoor Liepa keert naar Riga terug. Hij brengt verslag uit aan de kolonels Putnis en Murniers. Daarna gaat hij naar huis en laat zijn vrouw het boek zien, dat hij van de Zweedse politieman Wallander gekregen heeft. *Waar heeft hij het met zijn vrouw over gehad?* Waarom wendt ze zich tot Upitis, nadat ze zich eerst als kamermeisje vermomd heeft? *Waarom bedenkt ze meneer Eckers?*

Wallander dronk van zijn whisky en schonk zich nog eens in. Zijn vingertoppen waren wit en hij warmde zijn handen aan de deken. *Zoek een verband, ook waar je denkt dat het niet kan zijn,* zou Rydberg zeggen. Maar was er wel een verband? De gemeenschappelijke noemer was majoor Liepa, meer had hij niet. De majoor had het over smokkelen gehad, over drugs. Kolonel Murniers idem dito. Maar bewijzen hadden ze niet, alleen vermoedens.

Wallander las wat hij geschreven had door. Hij dacht ook aan wat Upitis gezegd had. *Majoor Liepa was iets op het spoor gekomen.* Maar wat? Een van de monsters waarover Upitis gesproken had?

In gedachten keek hij naar het gordijn dat zachtjes in de tocht van het niet goed sluitende raam bewoog.

Iemand heeft hem verraden. We verdenken kolonel Murniers.

Zou dat mogelijk zijn? Wallander moest denken aan vorig jaar, toen een politieman in Malmö in koelen bloede een asielzoeker had doodgeschoten. Bestond er iets wat niet mogelijk was?

Hij schreef verder. *Dode mannen in vlot – drugs – majoor Liepa – kolonel Murniers.* Wat betekende deze reeks? Wat had Upitis willen weten? Geloofde hij dat majoor Liepa, toen hij bij mij op de bank zat en naar Maria Callas luisterde, zich iets had laten ontvallen? Wilde hij weten wat er gezegd was? Of wilde hij weten of majoor Liepa mij überhaupt enigszins in vertrouwen had genomen?

Het was bijna kwart over drie. Wallander voorzag dat hij niet veel verder zou komen. Hij ging naar de badkamer om zijn tanden te poetsen. In de spiegel zag hij dat zijn gezicht vlekkerig rood was van de kriebelende wol. *Wat weet Baiba Liepa? Wat zie ik over het hoofd?* Hij kleedde zich uit en kroop in bed, nadat hij de wekker op even voor zeven had gezet. Hij kon de slaap niet vatten. Hij keek op zijn horloge. Kwart voor vier. De wijzers van de wekker lichtten zwak op in het donker. Vijf over halfvier. Hij legde zijn kussen recht en deed zijn ogen dicht. Plotseling schrok hij op. Hij keek opnieuw op zijn horloge. Negen minuten voor vier. Hij stak zijn hand uit en knipte het bedlampje aan. De wekker stond op elf minuten over halfvier. Hij ging rechtop in bed zitten. Waarom liep de wekker niet goed? Of was het zijn horloge? Waarom liepen de klokjes niet gelijk? Dat was nog nooit gebeurd. Hij pakte de wekker, draaide aan de wijzers zodat de beide klokjes dezelfde tijd aanwezen. Zes minuten voor vier. Daarna deed hij het lampje uit en sloot zijn ogen. Op het moment dat hij in slaap zou vallen, werd hij weer naar de oppervlakte getrokken. Hij lag roerloos in het donker en veronderstelde dat hij het zich inbeeldde. Maar ten slotte knipte hij het bedlampje weer aan, ging rechtop in bed zitten en schroefde de achterkant van de wekker los.

Het microfoontje was niet groter dan een dubbeltje, drie of vier millimeter dik.

Het zat ingeklemd tussen de twee batterijen. Wallander meende eerst dat het een stofbolletje was of een stukje grijze tape. Maar toen hij het kapje van het bedlampje verstelde en de wekker inspecteerde, zag hij dat het een draadloze microfoon was, die tussen de batterijen zat.

Lang bleef hij met de wekker in zijn hand zitten. Toen schroefde hij de achterkant weer vast.

Even voor zes uur gleed hij weg in een onrustige sluimer.

Het bedlampje liet hij aan.

10

Kurt Wallander werd wakker met een nog niet uitgeraasde woede. Hij voelde zich vernederd en was geschokt door de ontdekking dat iemand een microfoon in zijn wekker had geplaatst. Terwijl hij de vermoeidheid uit zijn lichaam probeerde weg te douchen, besloot hij om onmiddellijk uit te zoeken waarom hij in de gaten werd gehouden. Dat de beide kolonels hier achter zaten nam hij als vanzelfsprekend aan. Maar waarom hadden ze de Zweedse politie om assistentie gevraagd als ze hun wantrouwen meteen al lieten blijken door hem te schaduwen? Hij had geen moeite met de man in het grijze kostuum, die hij in de eetzaal en later opnieuw in de receptie had gezien. Zo stelde hij zich het normale bestaan in een land achter het IJzeren Gordijn voor, het Gordijn dat kennelijk nog steeds bestond. Maar om in zijn kamer in te breken en een microfoon te verstoppen?

Om halfacht ontbeet hij in de eetzaal. Hij keek om zich heen naar een eventuele schaduw, maar hij zat er alleen, op twee Japanners na die aan een hoektafeltje op bezorgde, zachte toon een gesprek voerden. Even voor acht uur verliet hij het hotel. Het weer was zacht geworden, misschien was de lente al in aantocht. Sergeant Zids stond bij de auto en wuifde naar hem. Om zijn misnoegen kenbaar te maken zat Wallander zwijgend en gesloten op de achterbank tijdens de rit naar het versterkte hoofdbureau van politie. Hij gebaarde afwerend toen sergeant Zids hem naar zijn kamer in de gang van Murniers wilde brengen. Hij meende dat hij de weg nu wel kende, maar natuurlijk verdwaalde hij en geërgerd moest hij de weg vragen. Hij bleef staan voor de deur van kolonel Murniers' kamer en hief zijn hand op om aan te kloppen. Toen bedacht hij zich en ging naar zijn eigen kamer. Hij was nog steeds moe en had de behoefte zijn gedachten op een rijtje te zetten voordat hij zijn woede met de te verwachten woede van Murniers confronteerde. Juist toen hij zijn jack opgehangen had ging de telefoon.

'Goedemorgen', zei kolonel Putnis. 'Ik hoop dat u goed geslapen hebt, meneer Wallander.'

Je weet natuurlijk best dat ik bijna helemaal niet geslapen heb, dacht Wallander kwaad. Via de microfoon moeten jullie gehoord hebben dat ik niet heb liggen snurken. Je hebt natuurlijk al een rapport op je bureau liggen.

'Ik mag niet klagen', antwoordde hij. 'Hoe gaat het met het verhoor?'

'Niet al te best, vrees ik. Maar ik ga er vanochtend mee door. We zullen de verdachte met een aantal nieuwe feiten confronteren, misschien dat die hem ertoe zullen bewegen nog eens goed over zijn situatie na te denken.'

'Ik voel me hier overbodig', zei Wallander. 'Ik heb moeite in te zien wat ik eigenlijk kan bijdragen.'

'Goede politiemensen zijn altijd ongeduldig', antwoordde kolonel Putnis. 'Ik was van plan even bij u binnen te lopen, als u dat uitkomt.'

'Ik ben op mijn kamer', zei Wallander.

Een kwartier later arriveerde kolonel Putnis. Hij had een jonge agent in zijn kielzog, die een blad met twee koppen koffie droeg. Putnis zag er moe uit. Hij had donkere kringen om zijn ogen.

'U ziet er moe uit, kolonel.'

'De lucht in de verhoorkamer is slecht.'

'Misschien rookt u te veel?'

Putnis haalde zijn schouders op.

'Dat is ongetwijfeld waar', zei hij. 'Ik heb gehoord dat Zweedse politiemensen zelden roken. Ik weet niet hoe ik een leven zonder sigaretten uit zou kunnen houden.'

Majoor Liepa, dacht Wallander. Heeft hij nog kunnen vertellen van dat vreemde politiebureau in Zweden, waar je alleen in bepaalde ruimtes mag roken?

Putnis had een pakje sigaretten uit zijn zak gehaald.

'Staat u mij toe?' vroeg hij.

'Gaat u gang. Zelf rook ik niet, maar ik heb geen last van sigarettenrook.'

Wallander dronk van zijn koffie. Die had een bittere bijsmaak en was heel sterk. Putnis zat na te denken en keek naar de rook die naar het plafond steeg.

'Waarom bewaken jullie me?' vroeg Wallander.

Putnis keek hem vragend aan.

'Wat zei u?'

Hij weet hoe je moet veinzen, dacht Wallander, die zijn woede weer snel op voelde komen.

'Waarom bewaken jullie me? Ik heb uiteraard gemerkt dat jullie me schaduwen, maar waarom is het nodig om een microfoon in mijn wekker te plaatsen?'

Putnis nam hem nadenkend op.

'Die microfoon in uw wekker moet op een beklagenswaardig misverstand berusten', zei hij. 'Sommigen van mijn ondergeschikten zijn wel eens wat al te ijverig. Dat we u door een paar in burger geklede agenten in het oog laten houden, is alleen voor uw eigen veiligheid.'

'Wat zou er dan kunnen gebeuren?'

'We willen natuurlijk juist niet dat u iets overkomt. Voordat we weten wat er met majoor Liepa is gebeurd, zijn we extra voorzichtig.'

'Ik kan mezelf wel redden', zei Wallander afwijzend. 'Ik bedank voor nog meer microfoons. Als ik er nog meer vind, keer ik onmiddellijk naar Zweden terug.'

'Het spijt me', zei Putnis. 'Ik zal degene die verantwoordelijk is, onmiddellijk een stevige berisping geven.'

'Maar u hebt die opdracht toch zelf gegeven?'

'Niet van die microfoon', antwoordde Putnis haastig. 'Een van mijn ondergeschikte kapiteins moet zelf een ongelukkig initiatief genomen hebben.'

'De microfoon was heel klein', zei Wallander. 'Zeer geavanceerd. Ik neem aan dat er iemand in de kamer ernaast zit te luisteren?'

Putnis knikte.

'Vanzelfsprekend', zei hij.

'Ik dacht dat de koude oorlog voorbij was', zei Wallander.

'Als een historisch tijdperk door een ander wordt afgelost, blijft er altijd een groep mensen van de oude samenleving over', antwoordde Putnis filosofisch. 'Ik ben bang dat dat ook voor politiemensen opgaat.'

'Mag ik u een paar vragen stellen, die niet rechtstreeks met het onderzoek verband houden?' vroeg Wallander.

Putnis' vermoeide glimlach keerde terug.

'Natuurlijk,' zei hij, 'maar ik weet niet of ik wel een bevredigend antwoord kan geven.'

De overdreven beleefdheid van Putnis viel niet erg te rijmen met de voorstelling die hij van de politie in Oost-Europa had, schoot het door Wallander heen. Hij herinnerde zich dat hij bij hun eerste ontmoeting gedacht had dat Putnis op een katachtige leek. Een glimlachend roofdier. Een beleefd, glimlachend roofdier, dacht hij.

'Ik wil graag toegeven dat ik niet goed op de hoogte ben van wat zich in Letland afspeelt', begon hij. 'Maar ik weet natuurlijk wat hier in het najaar gebeurd is. Tanks in de straten, dode mensen in de goot. Het gewelddadige optreden van de gevreesde Zwarte Baretten. Ik heb de restanten van de barricades gezien, die nog in de straten liggen. Ik heb kogelgaten in de gevels van de huizen gezien. De mensen wensen zich los te maken van de Sovjet-Unie. Eindelijk een einde aan de bezetting te maken. En die wens stuit op weerstand.'

'Over het juiste van de ambitie heerst verdeeldheid', antwoordde Putnis aarzelend.

'Wat is de houding van de politie in deze situatie?'

Putnis keek hem verbaasd aan.

'Wij handhaven natuurlijk de orde', antwoordde hij.

'Hoe kun je tanks in toom houden?'

'Ik bedoel natuurlijk dat we ervoor zorgen dat de mensen zich rustig houden. Zodat niemand nodeloos gewond raakt.'

'Maar het zijn toch de tanks die de eigenlijke onrust veroorzaken?'

Putnis drukte zorgvuldig zijn sigaret uit voordat hij antwoordde.

'U en ik zijn beiden politiemensen', zei hij. 'We hebben hetzelfde hoge doel: we bestrijden de misdaad en zorgen ervoor dat de mensen zich veilig kunnen voelen. Maar wij werken onder andere omstandigheden. Dat drukt uiteraard zijn stempel op onze manier van werken.'

'U zei dat de meningen verdeeld zijn? Dat moet dan redelijkerwijs ook bij de politie zo zijn.'

'Ik weet dat de politie in het Westen beschouwd wordt als een apolitiek ambtenarenkorps. De politie dient geen standpunt in te nemen ten opzichte van een regering die op dat moment aan de macht is. In principe geldt dat ook voor ons.'

'Maar hier is maar één partij!'

'Nu niet meer. Er zijn de laatste jaren bepaalde nieuwe politieke organisaties ontstaan.'

Wallander besefte dat Putnis voortdurend handig vermeed om serieus op zijn vragen in te gaan. Wallander besloot tot een directe aanval.

'Hoe denkt u er zelf over?'

'Waarover?'

'Over zelfstandigheid? Over zich losmaken?'

'Een kolonel van de Letse politie behoort zich niet over zo'n kwestie uit te laten. In ieder geval niet tegenover een buitenlander.'

'Hier zijn vast geen microfoons', hield Wallander koppig vol. 'Uw antwoord blijft onder ons. Ik ga bovendien binnenkort terug naar Zweden. Er bestaat geen enkel risico dat ik midden op een plein ga uitbazuinen wat u mij in het volste vertrouwen verteld hebt.'

Putnis keek hem lang aan voordat hij antwoordde.

'Natuurlijk vertrouw ik u, meneer Wallander. Laat ik het zo uitdrukken dat ik sympathiseer met wat zich in dit land afspeelt. En in onze buurlanden. En in de Sovjet-Unie. Maar ik vrees dat niet al mijn collega's deze mening delen.'

Kolonel Murniers bijvoorbeeld, dacht Wallander. Maar dat zal hij natuurlijk nooit toegeven.

Kolonel Putnis stond op.

'Dit was een gesprek dat tot nadenken stemt', zei hij. 'Maar nu zit er een onaangenaam persoon in een verhoorkamer te wachten. Ik kwam eigenlijk alleen maar zeggen dat mijn vrouw, Ausma, vraagt of het u uitkomt om morgenavond te komen eten in plaats van vanavond. Ik was vergeten dat ze vanavond verhinderd is.'

'Dat komt me uitstekend uit', antwoordde Wallander.

'Kolonel Murniers heeft gevraagd of u vanochtend contact met hem wilt opnemen. Hij vond dat u beiden eens moest praten over de activiteiten waarop het onderzoek zich in de eerste plaats zou moeten toespitsen. Ik laat vanzelfsprekend iets van me horen als ik een doorbraak in het verhoor bereikt heb.'

Putnis verliet het vertrek. Wallander las de aantekeningen door die hij 's nachts, na thuiskomst uit de jachthut in het naaldbos, had gemaakt. *We verdenken kolonel Murniers*, had Upitis gezegd. *We geloven dat majoor Liepa verraden is. Een andere verklaring is er niet.*

Hij ging bij het raam staan en keek uit over de daken van de huizen. Hij was nooit eerder bij een soortgelijk onderzoek betrokken geweest, dacht hij. Het landschap waarin hij zich voortbewoog, werd bevolkt door mensen die een leven leidden waar hij nauwelijks enige ervaring mee had. Hoe moest hij zich eigenlijk opstellen? Misschien kon hij net zo goed naar huis gaan? Maar hij kon evenmin ontkennen dat hij nieuwsgierig was. Hij wilde weten waarom de kleine bijziende majoor doodgeslagen was. Waar was die verdomde samenhang toch? Hij ging aan zijn bureau zitten om opnieuw zijn aantekeningen door te nemen. De telefoon naast hem rinkelde. Hij nam de hoorn van de haak in de veronderstelling dat het kolonel Murniers was.

De lijn kraakte en hij hoorde eerst alleen een geweldig gesputter. Toen had hij door dat het Björk was, die zich in zijn slechte Engels verstaanbaar probeerde te maken.

'Ik ben het!' riep hij in de hoorn. 'Wallander. Ik hoor je.'

'Kurt!' schreeuwde Björk. 'Ben jij het? Ik kan je bijna niet verstaan. Hoe is het mogelijk dat de verbindingen over de Oostzee zo verdomd slecht zijn! Hoor je me?'

'Ik hoor je. Je hoeft niet te schreeuwen.'

'Wat zei je?'

'Schreeuw niet zo. Spreek langzaam.'

'Hoe gaat het?'

'Het vordert maar traag. Ik weet niet of er wel schot in zit.'

'Hallo?'

'Ik zei dat het traag vordert. Hoor je me?'

'Slecht. Praat langzaam. Schreeuw niet zo. Alles goed?'

Op dat moment werd de verbinding ineens glashelder. Björk had vanuit de kamer ernaast kunnen bellen.

'Nu versta ik je beter. Ik heb niet verstaan wat je zei.'

'Het schiet maar langzaam op. Ik weet niet eens of er wel schot in zit. Een politiekolonel die Putnis heet, is al sinds gisteren bezig een verdachte te verhoren, maar ik weet niet of het wat oplevert.'

'Denk je dat je daar van nut kunt zijn?'

Wallander aarzelde even. Toen antwoordde hij haastig en gedecideerd.

'Ja', zei hij. 'Ik denk dat het goed is dat ik hier ben. Als jullie me nog een poosje kunnen missen tenminste?'

'Er is hier niets bijzonders gebeurd. Alles is heel rustig. Je kunt je helemaal concentreren op waar je mee bezig bent.'

'Hebben jullie nog een spoor van het reddingsvlot gevonden?'

'Nee, helemaal niets.'

'Is er verder nog wat gebeurd dat ik moet weten? Is Martinson in de buurt?'

'Die ligt met griep in bed. We hebben het onderzoek gestaakt omdat Letland het heeft overgenomen. We hebben niets nieuws meer.'

'Sneeuwt het bij jullie?'

Wat Björk antwoordde, zou Wallander nooit weten. Het gesprek werd verbroken alsof iemand de lijn had doorgesneden. Wallander legde de hoorn op de haak en bedacht dat hij moest proberen zijn vader te bellen. Hij had ook de ansichtkaarten die hij geschreven had, nog niet op de bus gedaan. Zou hij eigenlijk niet ook wat souvenirs van Riga moeten kopen? Wat neemt iemand eigenlijk uit Letland mee naar huis?

Een vaag gevoel van heimwee leidde hem even af. Daarna dronk hij zijn koude koffie op en boog zich weer over zijn aantekeningen. Na een halfuur leunde hij achterover in zijn krakende bureaustoel en strekte zijn rug. Zijn vermoeidheid begon eindelijk af te nemen. Vóór alles moet ik een gesprek met Baiba Liepa hebben, dacht hij. Totdat ik dat gehad heb, gis ik alleen maar. Ze moet over informatie beschikken die van doorslaggevende betekenis kan zijn. Ik moet er hoe dan ook achter komen wat Upitis' bedoeling was met dat verhoor vannacht. Wat hoopte hij dat ik zou zeggen of vreesde hij dat ik zou weten?

Hij schreef haar naam op een vel papier en tekende een cirkel om de letters. Achter haar naam zette hij een uitroepteken. Daarna schreef hij de naam van Murniers op en zette een vraagteken achter de letters. Hij pakte zijn papieren bijeen, stond op en liep de gang in. Toen hij op de deur van Murniers' kamer klopte, hoorde hij een gegrom vanuit het vertrek. Murniers zat te bellen toen hij binnenkwam. De kolonel wenkte hem en wees naar een van de ongemakkelijke bezoekersstoelen. Wallander ging zitten wachten. Hij zat naar de stem van Murniers te luisteren. Het was een verhit gesprek. Het stemgeluid van de kolonel zwol zo nu en dan aan tot een waar gebrul. Wallander besefte dat er in het opgezwollen en vervallen lichaam aanzienlijke krachten scholen. Hij begreep geen woord van wat er gezegd werd, maar plotseling drong het tot hem door dat Murniers geen Lets sprak. De melodie van de taal was anders. Het duurde nog weer even voordat hij begreep dat het Russisch was. Het gesprek werd beëindigd met een ratelend, door Murniers afgevuurd woordensalvo dat als een dreigend bevel klonk. Daarna wierp hij de hoorn op de haak.

'Idioten', foeterde hij en veegde met een zakdoek over zijn gezicht. Daarna wendde hij zich tot Wallander en was weer kalm en beheerst. Hij glimlachte.

'Steeds weer problemen met ondergeschikten die niet doen wat ze moeten doen. Hebt u dat probleem in Zweden ook?'

'Dikwijls', zei Wallander hoffelijk.

Hij keek naar de man die aan de andere kant van het bureau zat. Kon hij majoor Liepa vermoord hebben? Natuurlijk kon hij dat, antwoordde Wallander zichzelf. Alle ervaring die hij in zijn vele jaren als politieman had opgedaan, leidde tot een eenduidig antwoord. Er bestonden geen moordenaars, er bestonden alleen mensen die moorden.

'Ik had gedacht dat we het materiaal nog maar eens door moesten nemen', zei Murniers. 'Ik ben ervan overtuigd dat kolonel Putnis op dit moment een man verhoort, die op de een of andere manier bij deze zaak betrokken is. Misschien dat we intussen samen nog nieuwe invalshoeken in de verslagen kunnen vinden?'

Haastig besloot Wallander in het offensief te gaan.

'Ik heb de indruk dat het onderzoek op de plaats van het misdrijf gebrekkig heeft plaatsgevonden.'

Murniers trok zijn wenkbrauwen op.

'In welk opzicht?'

'Toen sergeant Zids het verslag voor me vertaalde, vond ik een aantal omstandigheden nogal eigenaardig. Om te beginnen heeft kennelijk niemand de moeite genomen de kade aan een onderzoek te onderwerpen.'

'Wat had men daar dan kunnen vinden?'

'Sporen van een auto. Majoor Liepa zal die nacht ongetwijfeld niet lopend naar de haven zijn gegaan.'

Wallander wachtte op Murniers' commentaar. Omdat de kolonel niets zei, vervolgde hij: 'Er schijnt ook niet naar een moordwapen gezocht te zijn. Over het algemeen lijkt de vindplaats niet bepaald de plaats van de moord te zijn. In de verslagen die sergeant Zids voor me vertaald heeft, werd alleen maar geconstateerd dat de vindplaats en de plaats van het misdrijf dezelfde zijn. Ik heb eigenlijk geen argumenten gevonden, die dat ondersteunen. Maar wat ik het vreemdst vind, is dat er geen getuigenverhoren hebben plaatsgevonden.'

'Er waren geen getuigen', zei Murniers.

'Hoe weet u dat?'

'We hebben met de bewakers in de haven gesproken. Niemand heeft iets gezien. Bovendien is Riga een stad die 's nachts slaapt.'

'Ik denk eerder aan de buurt waar majoor Liepa woonde. Hij heeft 's avond laat zijn huis verlaten. Iemand kan een deur dicht hebben horen slaan en nieuwsgierig zijn geworden wie er zo laat nog wegging. Er kan een auto gestopt zijn. Als je maar diep genoeg graaft, is er bijna altijd wel iemand die iets gezien of gehoord heeft.'

Murniers knikte.

'Daar zijn we juist mee bezig', zei hij. 'Op dit moment gaat een aantal agenten met een foto van de majoor de trappenhuizen langs.'

'Is dat niet een beetje laat? Mensen vergeten snel. Of ze halen dag en datum door elkaar. Majoor Liepa ging immers iedere dag zijn trappenhuis in en uit.'

'Wachten kan soms ook een voordeel hebben', zei Murniers. 'Toen het gerucht zich verspreidde dat majoor Liepa vermoord was, waren er mensen die van alles gezien hadden. In ieder geval beeldden ze zich dat in. Door een paar dagen te wachten geven we ze de gelegenheid na te denken en waanideeën en daadwerkelijke constateringen te schiften.'

Wallander wist dat Murniers gelijk had. Maar hij wist uit eigen ervaring ook dat men er zijn voordeel mee kan doen door twee keer een bezoek te brengen met een paar dagen tussenruimte.

'Zijn er soms nog meer dingen die u zich afvraagt?' vroeg Murniers.

'Wat had majoor Liepa aan?'

'Wat hij aanhad?'

'Had hij zijn uniform aan of droeg hij zijn eigen kleren?'

'Hij was gekleed in zijn uniform. Hij had tegen zijn vrouw gezegd dat hij dienst moest doen.'

'Wat heeft men in zijn zakken gevonden?'

'Sigaretten en lucifers. Wat kleingeld. Een pen. Niets wat er niet thuishoorde. Er werd ook niets vermist. Zijn legitimatiebewijs zat in zijn borstzakje. Zijn portefeuille had hij thuis gelaten.'

'Had hij een dienstwapen bij zich?'

'Majoor Liepa droeg liever alleen een wapen wanneer er een direct risico was dat hij het moest gebruiken.'

'Hoe ging majoor Liepa meestal naar het politiebureau?'

'Hij had natuurlijk een auto met chauffeur, maar vaak liep hij liever. God mag weten waarom.'

'In het proces-verbaal met Baiba Liepa staat dat ze zich niet kan herinneren gehoord te hebben dat er een auto in de straat gestopt is.'

'Uiteraard. Hij had immers geen dienst. Het was een smoes.'

'Dat wist hij toen niet. Hij moet gedacht hadden dat er iets met de auto aan de hand was. Wat zal hij toen gedaan hebben?'

'Waarschijnlijk koos hij ervoor om te gaan lopen, maar zeker weten we dat niet.'

Wallander kon geen nieuwe vragen meer bedenken, maar het gesprek met Murniers had hem ervan overtuigd dat het onderzoek slecht gedaan was. Zo slecht dat het de indruk kon wekken een verdraaid beeld te geven. Maar om wat te verbergen?

'Ik zou graag een paar uur wijden aan het verkennen van zijn huis en de omliggende straten', zei Wallander. 'Sergeant Zids kan me assisteren.'

'U zult niets vinden', antwoordde Murniers, 'maar u bent natuurlijk vrij om uw gang te gaan. Als er iets bijzonders in de verhoorkamer plaatsvindt, laat ik u waarschuwen.'

Hij drukte op het belletje en even later stond sergeant Zids in de deuropening. Wallander vroeg hem eerst wat rond te rijden om hem de stad te laten zien. Hij voelde dat hij behoefte had aan een frisse wind door zijn hersenen voordat hij zich weer met het lot van majoor Liepa zou bezighouden.

Sergeant Zids scheen plezier te hebben in de opdracht zijn stad te laten zien. Uitvoerig beschreef hij de straten en parken die ze passeerden. Wallander bespeurde Zids' trots. Ze reden over de lange, eentonige Aspazijas bulvāris. Links lag de rivier. De sergeant stopte langs het trottoir om hem het hoge vrijheidsmonument te laten zien. Wallander probeerde erachter te komen wat de geweldige obelisk voorstelde. Hij moest aan de woorden van Upitis over de vrijheid denken, waar men naar kon verlangen, maar die men ook kon vrezen. Aan de voet van het monument zaten een paar uitgebluste mannen te niksen, slecht gekleed, rillend van de kou. Wallander zag dat een van hen een sigarettenpeuk van de straat opraapte. Riga is een stad van onbarmhartige tegenstellingen, dacht hij. Alles wat ik zie en langzamerhand meen te begrijpen, heeft onmiddellijk zijn tegenhanger. Ongeverfde flatgebouwen staan tussen rijk versierde maar vervallen huurhuizen van voor de oorlog. Brede lanen monden uit in nauwe stegen, machtige pleinen komen uit bij het grauwe betonnen exercitieveld uit de koude oorlog of bij zware granieten monumenten.

Toen de sergeant voor rood stopte, probeerde Wallander naar de mensen te kijken die zich in een gestage stroom over de trottoirs voortbewogen. Waren ze gelukkig? Waren ze anders dan de mensen thuis? Hij kwam er niet achter.

'Het Vērmanespark', zei sergeant Zids. 'Daarachter liggen twee bioscopen, Spartak en Riga. Links ziet u de Esplanāde. Nu rijden we Valdemāra iela in. Als we de brug over het kanaal gepasseerd zijn, ziet u rechts de Stadsschouwburg. En hier slaan we weer af naar links, de 11 Novembrakade op. Wilt u nog meer zien, kolonel Wallander?'

'Zo is het wel genoeg', antwoordde Wallander, die zich totaal geen kolonel voelde. 'Straks moet je me helpen om wat souvenirs te kopen, maar nu moet je stoppen in de buurt van het huis van majoor Liepa.'

'In Skārņu iela', zei sergeant Zids. 'Midden in het hartje van het oudste deel van Riga.'

Hij stopte achter een rokende vrachtwagen waar zakken aardappelen vanaf geladen werden. Wallander aarzelde even of hij de sergeant mee zou nemen. Zonder hem zou hij geen vragen kunnen stellen, maar hij had ook behoefte alleen te zijn met zijn gedachten en met wat hij zag.

'Dat daar is het huis van majoor Liepa', zei sergeant Zids, die wees naar een gebouw dat ingeklemd lag tussen twee flatgebouwen die het gebouw tussen hen in schenen te steunen.

'Woonde hij aan de straatkant?' vroeg Wallander.

'Ja, op de tweede verdieping. Die vier ramen links.'

'Wacht hier bij de auto', zei Wallander.

Hoewel het midden op de dag was, waren er niet veel mensen op straat. Wallander liep langzaam op het huis toe dat majoor Liepa de avond dat hij aan zijn laatste, eenzame wandeling begon, had verlaten. Hij moest denken aan wat Rydberg een keer gezegd had, dat een politieman soms een soort toneelspeler moest zijn. Het onbekende met inlevingsvermogen aanpakken. In de huid van dader of slachtoffer kruipen, zich in zijn gedachten en reactiepatronen indenken. Wallander liep naar de buitendeur en deed die open. In het trappenhuis was het donker en hij rook de scherpe lucht van urine. Hij liet de deur los en die viel met slechts een zwakke klik weer dicht.

Nooit zou hij weten waar de ingeving vandaan kwam, maar toen hij in het donkere trappenhuis stond te staren, zag hij plotseling duidelijk de hele samenhang voor zich. Het was als een glimp, die onmiddellijk opbrandde en die maakte dat hij zich alles wat hij gezien had, herinnerde en voorbij zag flitsen. *Er was eerder al iets geweest,* dacht hij. Toen majoor Liepa naar Zweden kwam was er al heel wat gebeurd. Het reddingsvlot dat mevrouw Forsell op Mossby Strand had gevonden was slechts een deel van iets veelomvattenders, hing samen met wat majoor Liepa op het spoor was. En dat had Upitis willen weten toen hij zijn vragen stelde. Had majoor Liepa zijn argwaan uitgesproken, had hij wat hij wist of meende te weten over een misdrijf in zijn vaderland tegen anderen geopperd? Het stond Wallander ineens glashelder voor de geest dat hij een schakel in zijn gedachtegang, die hij al eerder had moeten zien, had overgeslagen. Als Upitis gelijk had, als majoor Liepa door een van zijn eigen mensen, misschien door kolonel Murniers verraden was, was het dan niet denkbaar dat ook anderen dan Upitis zich dezelfde vraag stelden: *Wat weet de Zweedse politieman Kurt Wallander eigenlijk?* Had majoor Liepa misschien zijn kennis of achterdocht aan hem meegedeeld?

Wallander realiseerde zich dat de angst die hij een paar keer in Riga gevoeld had, een waarschuwingssignaal was geweest. Misschien moest hij meer op zijn qui-vive zijn dan hij gedacht had? Zonder twijfel zouden degenen die achter de moorden op de mannen in het reddingsvlot en op majoor Liepa zaten niet aarzelen opnieuw te doden.

Hij stak de straat over en ging zó staan dat hij de ramen kon zien. Baiba Liepa moet iets weten, dacht hij. Maar waarom is ze zelf niet naar de jachthut gekomen? Wordt ook zij in de gaten gehouden? Moest ik daarom in meneer Eckers veranderen? Waarom mijn gesprek met Upitis? Wie is Upitis? Wie stond er in de deuropening waar een lamp een zwak licht verspreidde, te luisteren?

Inleving, dacht hij. Nu zou Rydberg zijn eenzame toneelstukje opgevoerd hebben.

Majoor Liepa keert uit Zweden terug. Hij rapporteert aan de kolonels Putnis en Murniers. Daarna gaat hij naar huis. Iets wat hij tijdens zijn rapportage over het onderzoek in Zweden gezegd heeft, leidt ertoe dat iemand onmiddellijk Liepa's doodvonnis uitvaardigt. Liepa gaat naar huis, hij eet het avondmaal met zijn vrouw en laat het boek zien, dat hij van de Zweedse politieman Wallander heeft gekregen. Hij is blij dat hij weer thuis is, hij heeft er geen voorgevoel van dat dit de laatste avond van zijn leven is. Maar als hij dood is, zoekt zijn weduwe contact met de Zweedse politieman; zij bedenkt meneer Eckers en een man die zich Upitis noemt, neemt hem een verhoor af om erachter te komen wat hij weet. Ze roepen de hulp van de Zweedse politieman in zonder dat duidelijk wordt hoe hij hen kan helpen. Maar zoveel is zeker, er is een verband tussen een misdaad en de politieke onrust in het land en de spil waar alles om draait is een dode majoor van politie, Liepa geheten. Opnieuw dus een schakel om aan de eerdere toe te voegen. Politiek. Ging het gesprek van de majoor met zijn vrouw op zijn laatste avond daar soms over? Even voor elf uur gaat de telefoon. Niemand weet wie er belt, maar de majoor schijnt niet te vermoeden dat dit de aankondiging is van zijn doodvonnis dat voltrokken zal worden. Hij zegt dat hij die nacht dienst moet doen. Hij verlaat zijn huis. Hij keert er nooit meer terug.

Er kwam geen auto, dacht Wallander. Hij heeft natuurlijk een paar minuten staan wachten. Nog altijd koestert hij geen argwaan. Na een poosje heeft hij gedacht dat de auto misschien panne heeft gekregen. Hij besluit te gaan lopen.

Wallander haalde de plattegrond van Riga uit zijn zak en begon te lopen.

Sergeant Zids zat in de auto naar hem te kijken. Aan wie rapporteert hij?, dacht Wallander. Aan kolonel Murniers?

De stem door de telefoon die hem die nacht het huis uit lokte, moet vertrouwen ingeboezemd hebben, dacht Wallander. Majoor Liepa kan geen argwaan gehad hebben. En toch had hij genoeg reden om iedereen erg te wantrouwen! Wie kan hij eigenlijk wel vertrouwd hebben?

De vraag beantwoordde zichzelf. Baiba Liepa, zijn vrouw.

Wallander realiseerde zich dat hij niet verder zou komen door met een plattegrond in de hand rond te wandelen. De personen – want het moeten er meer dan een geweest zijn – die de majoor voor zijn laatste reis opgehaald hadden, waren zorgvuldig te werk gegaan. Hij moest andere sporen volgen om verder te komen.

Toen hij naar Zids, die in de auto zat te wachten, terugliep, bedacht hij dat het vreemd was dat er geen schriftelijk verslag van de Zweedse reis van de majoor voorhanden was. Wallander had zelf gezien dat de majoor tijdens zijn verblijf in Ystad voortdurend aantekeningen maakte. Majoor Liepa had diverse malen opgemerkt hoe belangrijk het was om onmiddellijk gedetailleerde, schriftelijke verslagen op te stellen. Het geheugen was te vluchtig voor een politieman die grondig te werk ging. Maar sergeant Zids had nooit een schriftelijk rapport voor hem vertaald. Het was Putnis of Murniers geweest, die van hun laatste ontmoeting met de majoor mondeling verslag had uitgebracht.

Hij meende majoor Liepa voor zich te kunnen zien. Zodra het vliegtuig van Sturup was opgestegen, had de majoor het kleine tafeltje neergeklapt om zijn rapport te schrijven. Hij kon eraan verder gewerkt hebben toen hij op Arlanda moest wachten en verder nog gedurende het laatste deel van zijn vlucht over de Oostzee naar Riga.

'Heeft majoor Liepa geen schriftelijk verslag ingeleverd van zijn werkzaamheden in Zweden?' vroeg hij toen hij weer in de auto zat.

Zids keek hem verbaasd aan.

'Hoe zou hij daar tijd voor gehad hebben?'

Die heeft hij wel degelijk gehad, dacht Wallander stil voor zich uit. Dat rapport moet ergens zijn. Maar misschien is er iemand die niet wil dat ik het zie.

'Souvenirs', zei Wallander. 'Breng me naar een warenhuis. Daarna gaan we lunchen. Maar ik wil niet weer voorgaan.'

Ze parkeerden de auto voor het Centrale Warenhuis. Een uur lang draafde Wallander door het warenhuis met de sergeant in zijn kielzog. Het was er druk, maar het aanbod was mager. Pas bij de afdeling boeken en platen bleef hij geïnteresseerd staan. Hij vond een aantal zeer laag geprijsde operaplaten met Russische zangers en orkesten. Verder kocht hij nog een paar kunstboeken voor dezelfde lage prijs. Aan wie hij die zou geven wist hij niet precies. Zijn aankopen werden voor hem ingepakt en de sergeant loodste hem behendig tussen de verschillende kassa's heen en weer. De hele procedure was zo omslachtig dat het zweet Wallander uitbrak.

Toen ze weer op straat stonden, stelde hij zonder veel omhaal voor om in hotel Latvija te gaan eten. De sergeant knikte tevreden, alsof zijn woorden nu eindelijk tot Wallander doorgedrongen waren.

Wallander ging met zijn pakjes naar zijn kamer. Hij hing zijn jack op en waste zijn handen in de badkamer. Vruchteloos hoopte hij dat de telefoon zou gaan en dat iemand naar meneer Eckers zou vragen. Maar er belde niemand en hij sloot zijn kamer af en ging met de trage lift naar beneden. Hoewel sergeant Zids naast hem had gestaan, had hij naar eventuele boodschappen gevraagd toen hij zijn sleutel haalde. De receptionist had zijn hoofd geschud. Wallander keek in de receptie om zich heen naar een van de schaduwen van de kolonels. Niemand. Hij had sergeant Zids vast naar de eetzaal gestuurd in de hoop dat hij daardoor een ander tafeltje zou krijgen.

Plotseling zag hij dat een vrouw hem wenkte. Ze zat achter een toonbank met kranten en ansichtkaarten. Hij keek om zich heen om er zeker van te zijn dat ze hem gewenkt had. Toen liep hij naar haar toe.

'Wilt u niet een paar ansichtkaarten kopen, meneer Wallander?' vroeg ze.

'Op dit moment niet', antwoordde Wallander en vroeg zich af hoe ze zijn naam wist.

De vrouw achter de toonbank was gekleed in een grijze jurk en ze was een jaar of vijftig. In misplaatst enthousiasme had ze haar lippen in een lelijke, rode kleur geverfd. Ze mist een oprechte vriendin die haar eerlijk zegt hoe slecht dat haar staat, dacht Wallander.

Ze gaf hem een paar ansichten.

'Zijn ze niet mooi?' vroeg ze. 'Hebt u geen zin om meer van ons land te bezichtigen?'

'Daar heb ik helaas geen tijd voor', zei hij. 'Ik zou anders heel graag wat door uw land rondreizen.'

'Maar voor een orgelconcert hebt u toch wel tijd?' vroeg de vrouw. 'U houdt immers van klassieke muziek, meneer Wallander.'

Onmerkbaar voer er een schok door hem heen. Hoe kende ze zijn smaak op muzikaal gebied? Dat stond niet in zijn paspoort.

'Er is vanavond een orgelconcert in de Gertrūdeskerk', vervolgde ze. 'Het begint om zeven uur. Ik heb een plattegrondje voor u getekend voor als u erheen wilt.'

Ze gaf het hem en hij zag dat op de achterkant met potlood *meneer Eckers* stond.

'Het concert is gratis', zei de vrouw toen hij in zijn binnenzak naar zijn portefeuille zocht.

Wallander knikte en stopte het plattegrondje in zijn zak. Hij kocht een paar ansichtkaarten en liep daarna naar de eetzaal.

Dit keer wist hij zeker dat hij Baiba Liepa zou zien.

Sergeant Zids wenkte hem. Hij zat aan het gebruikelijke tafeltje. Het was ongewoon druk in de eetzaal. Voor één keer leken de gezamenlijke kelners moeite te hebben om de bestellingen bij te benen.

Wallander ging zitten en liet zijn ansichtkaarten zien.

'We wonen in een heel mooi land', zei sergeant Zids.

Een ongelukkig land, dacht Wallander. Gewond, bezeerd als een aangeschoten dier.

Vanavond zal ik een van die vogels met aangeschoten vleugels ontmoeten.

Baiba Liepa.

II

Om halfzes verliet Kurt Wallander het hotel. Als hij er in de komende uren niet in zou slagen zijn eeuwige schaduwen af te schudden, zou het hem nooit lukken, dacht hij. Nadat hij na hun gezamenlijke maaltijd afscheid van sergeant Zids had genomen – hij had zich geëxcuseerd door te zeggen dat er nog werk op hem lag te wachten, dat hij liever op zijn hotelkamer wilde doen – had hij de rest van de middag besteed om te verzinnen hoe hij zijn waakhonden van zich af kon schudden.

Hij had geen ervaring met geschaduwd worden. En hij had zelf maar heel zelden verdachte personen in de gaten gehouden. Hij wroette in zijn geheugen en vroeg zich af of Rydberg ooit iets zinnigs over de moeilijke kunst van het schaduwen had gezegd.

Maar hij herinnerde zich niet dat Rydberg cruciale opvattingen had gehad over hoe dat tot een geslaagd einde te brengen. Hij had zich bovendien gerealiseerd dat hij zich in de moeilijkst denkbare situatie bevond. Hij kende de straten hier niet en kon daarom geen verrassingselement inbouwen. Als hij ertussenuit kneep, moest hij op het juiste moment zijn kans waarnemen en hij had geen vertrouwen in de uitslag. Toch vond hij dat hij het moest proberen. Zonder goede reden zou Baiba Liepa nooit zoveel moeite gedaan hebben hun ontmoetingen af te schermen tegen wat ze zag als gevaarlijk en ongewenst toezicht. Wallander kon zich niet indenken dat de vrouw die met de majoor getrouwd was geweest, onnodig haar toevlucht tot dramatische situaties zou nemen.

Het was al donker toen hij het hotel verliet. Hij legde zijn sleutel op de balie van de receptie zonder te zeggen waar hij naartoe ging of wanneer hij weer terug dacht te zijn. De Gertrūdeskerk, waar het concert gegeven werd, lag in de buurt van hotel Latvija. Vaag hoopte hij dat hij misschien ongemerkt zou kunnen wegglippen tussen de mensen die van hun werk op weg naar huis waren.

Toen hij het hotel uitkwam, merkte hij dat het was gaan

waaien. Hij knoopte zijn jack tot aan zijn kin dicht en keek snel om zich heen. Natuurlijk zag hij geen mens die zijn schaduw kon zijn. Misschien was het er ook meer dan één? Hij had eens gelezen dat ervaren waakhonden iemand nooit van achteren naderden, maar altijd posities kozen vóór degene die ze schaduwden. Hij liep langzaam en bleef vaak voor etalages staan kijken. Er was hem niets beters ingevallen dan net te doen of hij een avondwandelingetje maakte, een buitenlander, toevallig op bezoek in Riga, misschien op zoek naar geschikte souvenirs voor hij weer naar huis vertrok. Hij stak de brede Esplanāde over en sloeg een straat achter de kanselarij in. Even was hij in de verleiding om een taxi te nemen en te vragen hem ergens heen te brengen waar hij in een andere auto over kon stappen. Maar hij vermoedde dat zijn onzichtbare schaduwen dat meteen door zouden hebben. De mensen die hem schaduwden hadden natuurlijk auto's en konden op zeer korte termijn over een overzicht beschikken welke passagiers door welke taxi's vervoerd waren en waar naartoe.

Hij bleef voor een etalage met treurigmakende herenkleding staan. Hij herkende niemand van de mensen die achter zijn rug passeerden en die in het raam weerspiegeld werden. Wat moet ik doen, dacht hij. *Baiba, je had tegen meneer Eckers moeten zeggen hoe hij de kerk kon bereiken zonder geschaduwd te worden.* Hij liep verder. Hij had koude handen gekregen en had spijt dat hij geen handschoenen had meegenomen.

In een opwelling besloot hij een café binnen te gaan. Hij stapte een rokerig lokaal binnen, dat vol was. Het rook er naar bier en tabak en doorgezwete kleren. Hij keek om zich heen naar een vrij tafeltje. Dat was er niet, maar helemaal in een hoek zag hij een stoel die niet bezet was. Twee oudere mannen met bierglazen voor zich waren in een diep gesprek gewikkeld en knikten alleen maar, toen hij een vragend gebaar naar de lege stoel maakte. Een dienster met zweetplekken onder de armen riep iets tegen hem en hij wees naar een van de bierglazen op het tafeltje. De hele tijd hield hij de buitendeur in de gaten. Zou de schaduw hem volgen? De dienster bracht hem zijn schuimende glas. Hij gaf haar een bankbiljet en ze legde het wisselgeld op het kliederige tafelblad. Er kwam een man in een versleten leren jack binnen. Wallander volgde hem met zijn blik. De man ging bij een gezelschap zitten, dat ongeduldig op hem gewacht leek te hebben. Wallander dronk van zijn bier en keek op zijn horloge. Vijf minuten voor zes. Nu moest hij beslissen wat hij ging doen. Schuin achter hem waren de toiletten. Iedere keer als iemand door de deur naar binnen ging, walmde de urine hem tegemoet.

Toen hij de helft van zijn bier ophad, ging hij naar het toilet. Een eenzame gloeilamp bungelde aan het plafond. Hij bevond zich in een smalle gang met wc's aan beide kanten. Aan het eind van de gang was een pissoir. Misschien was er een achteruitgang die hij kon gebruiken, maar de gang eindigde in een dikke bakstenen muur. Het lukt niet, dacht hij. Het is volstrekt zinloos om het ook maar te proberen. Hoe ontsnap je aan iets wat je niet kunt zien? *Helaas heeft meneer Eckers ongewenst gezelschap meegebracht.* Hij voelde dat het hem ergerde dat hij geen oplossing kon bedenken. Hij ging voor het urinoir staan om te plassen. Op dat moment ging de deur van het lokaal open en er kwam een man binnen, die de deur van een van de wc's achter zich dichtdeed.

Wallander wist meteen dat het iemand was die ná hem het café binnen was gekomen. Hij had een goed geheugen voor kleren en gezichten. Hij aarzelde geen seconde, hij wist dat hij het risico moest nemen een fout te begaan. Snel draaide hij zich om en liep door het rokerige lokaal naar de deur. Op straat keek hij om zich heen, probeerde met zijn blik in de schaduwen van de portieken te dringen, maar hij zag niemand. Toen liep hij haastig dezelfde weg terug, sloeg een steegje in en rende zo hard hij kon tot hij opnieuw op de Esplanāde was. Er stopte een bus bij een halte en hij kon zich net voordat de deuren dichtgingen naar binnen wringen. Bij de volgende halte stapte hij uit. Niemand had hem gevraagd te betalen. Hij liet de brede straat achter zich en sloeg opnieuw een van de talloze stegen in. In het schijnsel van een straatlantaarn pakte hij snel zijn plattegrond om zich te oriënteren. Hij had nog tijd genoeg en besloot een paar minuten te dralen voor hij verder liep. Hij gleed een donker portiek in. Na tien minuten was er niemand langsgekomen, die een van zijn schaduwen had kunnen zijn. Hoewel hij heel goed wist dat hij nog steeds in de gaten gehouden kon worden, vond hij toch dat hij gedaan had wat hij kon.

Om negen minuten voor zeven liep hij de kerk in. Het was er al vol. In een zijbeuk was een rij zitplaatsen waar nog een hoekplaatsje vrij was. Hij ging zitten en keek naar de mensen die aan één stuk door de kerk binnenstroomden. Nergens bleef zijn blik rusten op iemand die zijn schaduw zou kunnen zijn. Nergens ook zag hij Baiba Liepa.

Het gedreun van het orgel kwam als een schok. Het was alsof de hele ruimte door de machtige muziek explodeerde. Wallander herinnerde zich dat zijn vader hem als kind een keer meegenomen had naar een kerk en dat de orgelmuziek hem zo'n angst had aangejaagd dat hij hard was gaan huilen. Nu onderging hij de muziek onmiddellijk als iets rustgevends. Bach heeft geen vaderland, dacht hij. Zijn muziek is overal. Hij liet de muziek in zijn bewustzijn wegzinken. *Murniers kan gebeld hebben,* dacht hij. *Iets wat de majoor bij zijn terugkomst uit Zweden gezegd heeft, kan Murniers ertoe gebracht hebben hem onmiddellijk het zwijgen op te leggen. Majoor Liepa kreeg de mededeling dat hij dienst moest doen. Niets wijst erop dat hij niet op het politiebureau vermoord is.*

Plotseling schrok hij op uit zijn gedachten. Hij had het gevoel dat iemand hem gadesloeg. Hij keek naar de zijbeuken, maar daar zag hij alleen ingekeerde gezichten, in diepe concentratie vanwege de muziek. In de brede middenbeuk zag hij slechts ruggen en nekken. Hij liet zijn blik verder dwalen tot hij bij de tegenoverliggende zijbeuk was gekomen.

Baiba Liepa ving zijn blik op. Ze zat in het midden van een rij tussen allemaal oude mensen. Ze had haar bontmuts op en wendde haar blik af toen ze er zeker van was dat Wallander haar gezien had. Tijdens de rest van het ruim een uur durende concert probeerde hij niet opnieuw naar haar te kijken. Maar een paar maal werd zijn blik onweerstaanbaar naar haar toegetrokken en hij zag dat ze met gesloten ogen naar het orgel zat te luisteren. Er overviel hem een gevoel van onwerkelijkheid. Nog maar een paar weken geleden had haar man, de majoor, op de bank in zijn flat in Mariagatan gezeten en hadden ze samen naar de stem van Maria Callas in *Turandot* geluisterd, terwijl er buiten een sneeuwstorm woedde. Nu zat hij in een kerk in Riga, de majoor was dood en zijn weduwe zat met gesloten ogen te luisteren naar een fuga van Bach.

Ze zal wel weten hoe we hier weg kunnen glippen, dacht hij. Zij heeft de kerk als ontmoetingsplaats gekozen, niet ik.

Toen het concert afgelopen was stonden de bezoekers onmiddellijk op. Er ontstond meteen een gedrang bij de deuren van de kerk. Wallander werd overrompeld door deze haast. Het was alsof de muziek nooit bestaan had, alsof de bezoekers de kerk na een onverwachte bommelding ontruimden. Hij verloor Baiba Liepa in het gedrang uit het oog en liet zich door de mensen, die nauwelijks konden wachten de kerk te verlaten, voortduwen. Maar vlak voor het kerkportaal zag hij haar, diep in de schaduwen van de linkerzijbeuk. Ze gaf hem een teken en hij maakte zich los uit de stroom mensen die zich naar de buitendeuren liet duwen.

'Volg me', was alles wat ze zei. Achter een grafkapel, zwaar van ouderdom, was een kleine zijdeur, die ze opende door aan een sleutel te draaien, die groter was dan haar hele hand. Ze bevonden zich op een kerkhof. Snel keek ze om zich heen en liep toen tussen een aantal vervallen grafstenen en roestige ijzeren kruisen door. Ze verlieten het kerkhof via een hek dat toegang gaf tot een achterstraatje; een auto met gedoofde lichten startte plotseling zijn gierende motor. Dit keer was Wallander er heel zeker van dat het een Lada was. Ze stapten in. De man achter het stuur was heel jong, hij rookte een van de bekende zware sigaretten en Baiba Liepa glimlachte even naar Wallander, schuw en onzeker. Toen sloegen ze de brede hoofdstraat in, waarvan Wallander aannam dat het Valdemāra iela was. Ze reden in noordelijke richting, passeerden een park dat Wallander zich herinnerde van het tochtje met sergeant Zids en sloegen daarna linksaf. Baiba Liepa vroeg iets aan de chauffeur en kreeg een hoofdschudden als antwoord. Wallander zag dat de chauffeur vaak in het achteruitkijkspiegeltje keek. Weer sloegen ze linksaf en plotseling gaf de chauffeur vol gas en nam een scherpe bocht, zodat de auto nu op de andere rijstrook in omgekeerde richting reed. Ze kwamen opnieuw langs het park. Wallander wist nu zeker dat dit het Vērmanespark was en dat ze naar het centrum teruggingen. Baiba Liepa zat voorover geleund, alsof ze de chauffeur, door in zijn nek te ademen, zwijgend opdracht gaf hoe hij moest rijden. Ze passeerden de Aspazijas bulvāris, nog zo'n uitgestorven plein en staken toen de rivier over via een brug waarvan Wallander de naam niet kende.

Ze kwamen in een buurt met vervallen fabrieken en sombere woonwijken. De auto leek vaart te minderen, Baiba Liepa leunde weer achterover op de bank en Wallander nam aan dat ze er nu zeker van waren dat geen schaduw erin geslaagd was hen te volgen.

Een paar minuten later stopte de auto voor een verwaarloosd pand van twee verdiepingen, Baiba Liepa gaf Wallander een knikje en ze stapten uit. Ze leidde hem snel een ijzeren hek door, een grindpad over en opende de deur met een sleutel die ze al in haar hand had. Wallander hoorde het geluid van de auto die achter zijn rug wegreed. Hij stapte een hal binnen waar het nog vaag naar een desinfecterend middel rook, er hing maar één zwakke gloeilamp onder een van rode stof gemaakt kapje. Het kon de toegang van een nachtclub van twijfelachtig allooi zijn. Ze hing haar dikke jas op en hij legde zijn jack op een stoel. Hij volgde haar een woonkamer in, waar het eerste wat hij zag een groot crucifix was, dat aan een muur hing. Ze stak een paar lampen aan; het werd licht in het vertrek en ineens was ze heel kalm en gebaarde dat hij moest gaan zitten.

Later, veel later, zou hij zich erover verbazen dat hij zich niets herinnerde van de kamer waar hij Baiba Liepa ontmoette. Het enige wat in zijn bewustzijn was blijven hangen was het zwarte, metershoge crucifix tussen twee ramen waarvoor de gordijnen zorgvuldig dichtgetrokken waren, plus de geur van het desinfecterende middel dat nog in de hal hing. Maar de kleur van de doorgezakte fauteuil waarin hij het angstaanjagende verhaal van Baiba Liepa aanhoorde, die kon hij zich niet herinneren. Het was alsof ze met elkaar gesproken hadden in een kamer met onzichtbare meubelen. Het zwarte crucifix had in de lucht kunnen hangen, bezield met een goddelijke kracht.

Ze was gekleed geweest in een roestbruin mantelpakje dat de majoor voor haar in een warenhuis in Ystad had gekocht, zoals hij later hoorde. Ze had dat aangetrokken om zijn nagedachtenis te eren, had ze gezegd en ook als herinnering aan de misdaad die ze haar aangedaan hadden door haar man zo schandelijk te verraden en te vermoorden. Alleen als een van beiden naar de wc moest, die links in de hal lag, of wanneer Baiba Liepa in de keuken thee zette, verliet een van hen de kamer. Hij was degene die de meeste tijd praatte, die de vele vragen stelde, die ze met haar ingehouden stem beantwoordde.

Het eerste wat ze deden was het afschaffen van *meneer Eckers.* Die bestond niet meer omdat hij niet langer nodig was.

'Waarom juist die naam?' had hij gevraagd.

'Zo maar een naam', had ze gezegd. 'Misschien een bestaande, misschien ook niet. Ik heb hem bedacht. Hij is gemakkelijk te onthouden. Misschien staat er wel iemand van die naam in het telefoonboek. Ik zou het niet weten.'

In het begin had ze gesproken op een manier die hem aan Upitis deed denken. Het was of ze tijd nodig had om tot de kern van de zaak te komen, misschien uit angst alles opnieuw op te moeten rakelen. Hij had aandachtig geluisterd, bang een ondertoon te missen. Hij was er inmiddels aan gewend dat de Letse samenleving doordrongen was van ondertonen. Maar ze bevestigde Upitis' woorden over monsters die in de schaduwen hun kwalijke zaakjes uitbroedden, over de onverzoenlijke strijd die er in Letland heerste. Ze sprak over wraak en haat, over een angst die langzaam zijn greep begon te verliezen, over een sinds de Tweede Wereldoorlog onderdrukte generatie. Ze was natuurlijk anticommunistisch, anti de Sovjet-Unie, een van die vrienden van het Westen, via wie de Oost-Europese landen paradoxaal genoeg altijd hun vermeende vijanden hadden gesteund, dacht hij. Maar ze nam niet een keer haar toevlucht tot beweringen die ze niet zorgvuldig met argumenten omkleedde. Later zag hij in dat ze geprobeerd had het hem te doen *begrijpen.* Ze was zijn leraar en wilde dat hij weet had van de achtergrond, een achtergrond die gebeurtenissen verklaarde, die nu nog niet in hun totaliteit te overzien waren. Hij realiseerde zich dat hij totaal niet op de hoogte was geweest van wat er eigenlijk in Oost-Europa aan de hand was.

'Zeg toch Kurt', had hij gezegd, maar ze had alleen haar hoofd geschud en bewaarde de afstand tot hem, die ze van tevoren bepaald had. Voor haar zou hij meneer Wallander blijven.

Hij had haar gevraagd waar ze waren.

'De woning van een vriend', had ze geantwoord. 'Willen we het uit kunnen houden en overleven, dan moeten we alles delen. En helemaal in een land en een tijd waarin iedereen aangemoedigd wordt alleen aan zichzelf te denken.'

'Communisme is voor mij juist het tegenovergestelde', zei hij. 'Ik meende dat communisme betekende dat alleen datgene acceptabel is wat gemeenschappelijk gedaan of gedacht wordt.'

'Ooit was dat ook zo', zei ze. 'Maar destijds was alles anders. Wie weet of die droom in de toekomst niet nog eens zal opbloeien? Maar misschien kunnen gestorven dromen niet meer tot leven gewekt worden. Zoals dode mensen altijd dood zullen blijven.'

'Wat is er gebeurd?' vroeg hij.

Eerst leek ze niet goed te weten waar zijn vraag op sloeg. Daarna begreep ze dat hij het over haar man had.

'Karlis is verraden en vermoord', zei ze. 'Hij was veel te veel te weten gekomen over een misdaad die te erg was en waar te veel belangrijke mensen bij betrokken waren, dan dat hij mocht blijven leven. Hij wist dat hij gevaar liep, maar meende dat hij nog niet als overloper ontmaskerd was. *A traitor inside the nomenklatura.*'

'Hij kwam uit Zweden thuis', zei Wallander. 'En hij reed direct van het vliegveld naar het hoofdbureau van politie om verslag uit te brengen. Hebt u hem van het vliegveld afgehaald?'

'Ik wist niet eens dat hij naar huis zou komen', antwoordde Baiba Liepa. 'Hij heeft misschien geprobeerd te bellen. Dat zal ik nooit weten. Of misschien heeft hij een telegram naar het politiebureau gestuurd om me te bellen? Dat zal ik ook nooit weten. Hij belde me pas toen hij al in Riga was. Ik had niet eens eten in huis om zijn thuiskomst te vieren. Een van mijn vrienden had een kip die ik over kon nemen. Ik had juist het eten klaar toen hij met dat mooie boek thuiskwam.'

Wallander schaamde zich een beetje. Het boek dat hij in grote haast en wat achteloos gekocht had, had voor hem verder geen gevoelswaarde gehad. Nu hij haar zo hoorde was het net alsof hij haar bedrogen had.

'Hij moet iets gezegd hebben toen hij thuiskwam', zei Wallander, die steeds meer begon te lijden onder zijn povere Engelse woordenschat.

'Hij was vrolijk', antwoordde ze. 'Natuurlijk was hij ook ongerust en heel kwaad, maar ik herinner me vooral hoe blij hij was.'

'Wat was er gebeurd?'

'Hij zei dat hij eindelijk duidelijkheid had gekregen. *Nu ben ik zeker van mijn zaak,* zei hij keer op keer. Omdat hij vermoedde dat onze woning afgeluisterd werd, trok hij me mee naar de keuken, draaide de kranen open en praatte fluisterend in mijn oor. Hij zei dat hij een samenzwering had ontmaskerd, die zo meedogenloos en barbaars was dat jullie in het Westen nu wel *moesten* beseffen wat er in de Baltische landen aan de hand was.'

'Zei hij dat? Een samenzwering in de Baltische landen? Niet in Letland?'

'Daar ben ik heel zeker van. Hij ergerde zich er vaak aan dat de drie Baltische landen als een eenheid beschouwd werden ondanks hun grote onderlinge verschillen. Maar dit keer had hij het niet alleen over Letland.'

'En hij gebruikte het woord samenzwering?'

'Ja. *Conspiracy.*'

'Wisten jullie wat dat inhield?'

'Net als iedereen was hij ervan op de hoogte dat er directe verbindingen tussen allerlei soorten misdadigers, politici en zelfs de politie waren. Ze hielden elkaar de hand boven het hoofd, maakten daardoor misdrijven mogelijk, waarna ze alles deelden waar ze maar de hand op konden leggen. Ze hadden ook Karlis al vaak steekpenningen aangeboden. Maar hij nam ze nooit aan omdat zijn gevoel van eigenwaarde dat verbood. Al een hele tijd had hij in het geheim geprobeerd om alles wat zich afspeelde in kaart te brengen, ook wie erbij betrokken waren. Natuurlijk wist ik dat. Wist ik dat we in een maatschappij leefden, die in feite niet anders dan één grote samenzwering was. Onze collectieve ideeënwereld had een monster gebaard en uiteindelijk bleek onze enige ware ideologie de samenzwering te zijn.'

'Hoelang heeft hij aan dat onderzoek gewerkt?'

'We zijn acht jaar getrouwd geweest. Hij was er al lang mee bezig voor we elkaar leerden kennen.'

'Wat hoopte hij ermee te bereiken?'

'In het begin alleen maar de waarheid.'

'De waarheid?'

'De waarheid voor het nageslacht. Voor de tijd die volgens hem ooit aan zou breken. Een tijd waarin het mogelijk moest zijn aan de kaak te stellen wat onder de uiterlijke schijn van het communisme schuilging.'

'Hij was dus een tegenstander van het communistische regime. Hoe heeft hij het dan tot zo'n hoge politiefunctie kunnen brengen?'

Haar antwoord was heftig, alsof hij een zware beschuldiging jegens haar man had geuit.

'Maar begrijpt u dat dan niet? Hij was juist wel een communist! Hij was vertwijfeld over dit kolossale verraad! Wat hem zo ontzettend verdrietig maakte, was juist die corruptie en onverschilligheid. De droom van een nieuwe maatschappij had plaatsgemaakt voor een leugen.'

'Hij leidde dus een dubbelleven?'

'U kunt zich nauwelijks voorstellen wat het is om je jaar in jaar uit te geven voor iemand die je niet bent, om meningen te verkondigen die je verafschuwt, een regime te verdedigen dat je haat. Maar dat gold niet alleen voor Karlis, ook voor mij en voor iedereen in ons land die weigert de hoop op een ander soort wereld op te geven.'

'Wat had hij ontdekt dat hem zo vrolijk stemde?'

'Ik weet het niet. We hebben nooit de tijd gekregen om daarover te praten. Onze vertrouwelijkste gesprekken voerden we onder de dekens, waar niemand ons kon horen.'

'Heeft hij niets gezegd?'

'Hij had honger. Hij wilde eten en een glaasje wijn drinken. Ik geloof dat hij eindelijk het gevoel had dat hij zich een paar uur kon ontspannen. Zijn vrolijke stemming vasthouden. Als de telefoon niet gegaan was, denk ik dat hij met zijn glas wijn in de hand was gaan zingen.'

Ze zweeg abrupt en Wallander wachtte. Ik weet niet eens of majoor Liepa al begraven is, dacht hij.

'Denk goed na', zei hij zachtjes. 'Hij kan iets gezegd hebben. Mensen die iets belangrijks weten, laten soms onbewust iets los, ook als ze dat niet van plan waren.'

Ze schudde haar hoofd.

'Ik heb erover nagedacht,' zei ze, 'maar ik ben zeker van mijn zaak. Misschien had hij in Zweden iets ontdekt. Misschien had hij eindelijk de oplossing voor een zeer belangrijk raadsel gevonden.'

'Bewaarde hij documenten thuis?'

'Ik heb ernaar gezocht, maar hij was heel voorzichtig. Geschreven woorden konden veel te gevaarlijk zijn.'

'Heeft hij dan misschien iets aan vrienden gegeven? Aan Upitis?'

'Nee, dan zou ik het geweten hebben.'

'Hij vertrouwde u?'

'We vertrouwden elkaar.'

'Vertrouwde hij verder nog iemand?'

'Natuurlijk vertrouwde hij zijn vrienden, maar u moet goed begrijpen dat ieder vertrouwen dat we iemand schenken een belasting voor die persoon kan zijn. Ik weet zeker dat niemand, behalve hijzelf dan, zoveel wist als ik.'

'U moet me alles vertellen', zei Wallander. 'Alles wat u van die samenzwering weet, is belangrijk.'

Ze zwegen even voor ze begon te praten. Wallander merkte dat hij zich zo concentreerde dat het zweet hem uitbrak.

'Een paar jaar voordat we elkaar leerden kennen, eind jaren zeventig, is er iets gebeurd wat hem voorgoed de ogen opende voor wat er in dit land gebeurde. Hij had het er vaak over en zei dat de ogen van elk mens op zijn eigen manier geopend moeten worden. Hij gebruikte een gelijkenis die ik eerst niet begreep. *Er zijn mensen die door hanen gewekt worden, anderen doordat de stilte te groot is.* Nu weet ik natuurlijk wat hij bedoelde. Want die keer, meer dan tien jaar geleden, had hij na een lang en moeizaam verlopen onderzoek eindelijk een dader kunnen inrekenen. Een man die een heleboel iconen uit onze kerken had gestolen. Onvervangbare kunstwerken waren het land uit gesmokkeld en voor ongekende bedragen verkocht. Het bewijs was rond en Karlis was ervan overtuigd dat de man veroordeeld zou worden. Maar dat was niet zo.'

'Wat gebeurde er dan?'

'De man werd niet vrijgesproken. Hij werd namelijk niet eens aangeklaagd. Het onderzoek werd geseponeerd. Karlis, die er niets van begreep, eiste natuurlijk dat er een rechtszaak zou komen. Maar op een dag werd de man uit voorlopige hechtenis ontslagen en alle papieren die op zijn zaak betrekking hadden, werden geheim verklaard. Karlis kreeg de opdracht de hele zaak te vergeten en het was zijn superieur die hem dat meedeelde. Ik herinner me zijn naam nog goed. Hij heette Amtmanis. Karlis was ervan overtuigd dat Amtmanis zelf de misdadiger de hand boven het hoofd had gehouden, ja misschien ook mee had gedaan en in de opbrengst had gedeeld. Die gebeurtenis heeft hem ontzettend aangegrepen.'

Wallander moest ineens aan de stormachtige avond denken, toen de bijziende kleine majoor op de bank in zijn flat had gezeten. *Ik ben religieus,* had hij gezegd. *Ik geloof niet in een god. Maar ik ben toch religieus.*

'Wat is er vervolgens gebeurd?'

'Ik had Karlis toen nog niet ontmoet, maar ik geloof dat hij een zware depressie heeft gehad. Misschien heeft hij er zelfs aan gedacht om naar het Westen te vluchten. Misschien wilde hij zijn werk als politieman er wel aan geven. Ik denk eigenlijk dat ik het was, die hem ervan heeft overtuigd dat hij met zijn werk door moest gaan.'

'Hoe hebt u elkaar leren kennen?'

Ze keek hem verbaasd aan.

'Is dat belangrijk?'

'Misschien. Ik weet het niet. Maar ik moet deze vragen stellen om u te kunnen helpen.'

'Hoe ontmoet je elkaar?' antwoordde ze met een weemoedige glimlach. 'Bij vrienden. Ik had gehoord van een jonge politieofficier die anders was dan zijn collega's. Bepaald knap was hij niet, maar ik werd de eerste avond al verliefd op hem.'

'Wat gebeurde er toen? Jullie zijn getrouwd? En hij bleef bij de politie?'

'Toen we elkaar leerden kennen, was hij al politieofficier, maar hij werd onverwacht snel bevorderd. Iedere keer als hij er een rang bij had gekregen, kwam hij thuis en zei dat er weer een onzichtbaar rouwfloers op zijn epauletten was bevestigd. Hij probeerde nog steeds bewijzen te vinden voor verbindingen tussen de politieke leiders van het land, de politie en een aantal misdaadorganisaties. Hij was vastbesloten die contacten allemaal in kaart te brengen en op een keer zei hij dat er een onzichtbaar departement in Letland bestond, dat maar één taak had: alle contacten tussen de onderwereld en de betrokken politici en politiemannen te coördineren. Ongeveer drie jaar geleden hoorde ik hem voor het eerst het woord samenzwering uitspreken. U moet niet vergeten dat hij toen voelde dat hij de wind mee had. De perestrojka in Moskou had ook ons bereikt en we kwamen steeds vaker bijeen om openlijk te praten over wat er in ons land moest gebeuren.'

'Was zijn chef toen nog altijd Amtmanis?'

'Amtmanis was gestorven. Murniers en Putnis waren toen al zijn directe superieuren. Hij wantrouwde beiden, omdat hij de stellige indruk had dat een van hen betrokken was, misschien de leider was, van de samenzwering waarin hij probeerde te infiltreren. Hij zei dat er binnen de politie een *condor* en een *kieviet* waren. Maar hij wist niet wie wat was.'

'Een condor en een kieviet?'

'Een condor is een gier, een kieviet een onschuldige zangvogel. Toen Karlis jong was, was hij zeer geïnteresseerd in vogels. Hij had er ooit van gedroomd ornitholoog te worden.'

‘Maar hij wist niet wie het was? Ik dacht dat hij tot de conclusie was gekomen dat het kolonel Murniers was?’

‘Dat was pas veel later, zo’n maand of tien geleden.’

‘Wat is er toen gebeurd?’

‘Karlis was een uitgebreide drugssmokkel op het spoor gekomen. Hij had het over een duivels plan dat ons twee keer de nekslag zou geven.’

‘Twee keer de nekslag zou geven? Wat bedoelde hij daarmee?’

‘Ik weet het niet.’

Ze stond haastig op alsof ze plotseling bang geworden was om verder te praten.

‘Ik kan u een kopje thee aanbieden’, zei ze. ‘Ik heb helaas geen koffie.’

‘Ik drink graag thee’, zei Wallander.

Ze verdween in de keuken en Wallander probeerde te bedenken welke vragen hij nog als eerste moest stellen. Hij had het gevoel dat ze oprecht tegen hem was, hoewel hij nog altijd niet wist waarmee hij hen, volgens haar en Upitis, kon helpen. Hij voelde zich onzeker. Zou hij wel aan hun verwachtingen kunnen voldoen? Ik ben maar een eenvoudige rechercheur uit Ystad, dacht hij. Jullie hebben een man als Rydberg nodig. Maar die is dood, net als de majoor. Hij kan jullie niet helpen.

Ze kwam binnen met een blad waarop een theepot en kopjes stonden. Er moest nog iemand in de woning zijn. Zo snel had het water niet kunnen koken. Overal word ik omringd door bewakers, dacht hij. Letland is een land waar ik weinig van begrijp, weinig begrijp van wat zich eigenlijk allemaal om me heen afspeelt.

Hij zag dat ze moe was.

‘Hoelang kunnen we nog doorgaan?’ vroeg hij.

‘Niet zo lang meer. Mijn huis zal ongetwijfeld in de gaten worden gehouden. Ik kan niet te lang wegblijven, maar we kunnen hier morgenavond verder praten.’

‘Kolonel Putnis heeft me dan te eten uitgenodigd, bij hem thuis.’

‘O, ja. Overmorgen dan?’

Hij knikte, dronk van zijn slappe thee en vroeg weer verder.

'U moet nagedacht hebben over wat Karlis bedoelde, toen hij zei dat drugs twee keer een nekslag kunnen uitdelen', zei hij. 'Upitis moet dat ook gedaan hebben. U moet er ook samen over gesproken hebben.'

'Op een keer zei Karlis dat je alles als chantagemiddel kunt gebruiken', antwoordde ze. 'Toen ik vroeg wat hij bedoelde, zei hij alleen dat een van de kolonels dat gezegd had. Waarom ik me uitgerekend die woorden herinner, weet ik niet. Misschien omdat Karlis in die tijd heel zwijgzaam en gesloten was.'

'Chantage?'

'Dat was het woord dat hij gebruikte.'

'Wie zou er gechanteerd worden?'

'Ons land. Letland.'

'Zei hij dat werkelijk? Dat een heel land gechanteerd wordt?'

'Ja. Als ik het niet zeker wist, zou ik het niet zeggen.'

'Wie van de beide kolonels heeft het woord chantage in de mond genomen?'

'Ik geloof dat het Murniers was. Maar zeker weten, doe ik het niet.'

'Wat dacht Karlis van kolonel Putnis?'

'Hij zei dat Putnis niet een van de slechtsten was.'

'Wat bedoelde hij daarmee?'

'Putnis hield zich aan de wet. Nam geen steekpenningen aan van Jan en alleman.'

'Maar hij pakte ze in principe wel aan?'

'Dat doet iedereen.'

'Karlis niet?'

'Nooit. Hij was anders.'

Wallander merkte dat ze onrustig werd. Hij besefte dat de vragen die hij nog wilde stellen zouden moeten wachten.

'Baiba', zei hij en het was voor het eerst dat hij haar bij haar voornaam noemde. 'Ik wil dat je alles wat je vanavond tegen me gezegd hebt, nog eens in gedachten nagaat. Overmorgen zal ik dezelfde vragen misschien nog een keer stellen.'

'Goed', zei ze. 'Het enige wat ik doe, is denken.'

Even meende hij dat ze in tranen uit zou barsten, maar toen

kreeg ze haar zelfbeheersing terug en stond op. Ze trok een gordijn dat voor een muur hing, opzij. Er zat een deur achter, die ze opendeed.

Er kwam een jonge vrouw de kamer binnen. Over haar gezicht gleed een vluchtige glimlach. Ze begon de theekopjes weg te nemen.

'Dit is Inese', zei Baiba Liepa. 'U hebt haar vanavond een bezoek gebracht. Dat geeft u als verklaring als iemand u iets mocht vragen. U hebt haar in de nachtclub van hotel Latvija ontmoet en ze is uw geliefde geworden. U weet niet waar ze precies woont, maar het is aan de overkant van de brug. U kent haar achternaam niet, omdat ze maar voor een paar korte dagen in Riga uw geliefde is. U denkt dat ze een eenvoudig kantoormeisje is.'

Wallander luisterde verbijsterd. Baiba Liepa zei iets in het Lets en het meisje dat Inese heette ging voor hem staan.

'Zo ziet ze eruit', zei Baiba Liepa. 'Vergeet haar gezicht niet. Overmorgen komt ze u halen. Ga na acht uur naar de nachtclub, daar zal ze zijn.'

'Welke verklaring hebt u achter de hand?'

'Ik ben eerst naar een orgelconcert geweest en ben daarna naar mijn broer gegaan.'

'Uw broer?'

'De chauffeur van de auto.'

'Waarom moest ik met een kap over mijn hoofd naar een man die Upitis heet gebracht worden?'

'Zijn oordeel is beter dan het mijne. We wisten niet of we u konden vertrouwen.'

'En dat weten jullie nu wel?'

'Ja', zei ze ernstig. 'Ik vertrouw u.'

'Wat denken jullie eigenlijk dat ik kan doen?'

'Overmorgen', zei ze ontwijkend. 'We moeten nu opschieten.'

De auto stond voor het hek te wachten. Onder de rit naar het centrum zweeg ze. Wallander vermoedde dat ze huilde. Toen ze hem in de buurt van zijn hotel afzetten, stak ze haar hand uit. Ze mompelde iets onverstaanbaars in het Lets en Wallander haastte zich de auto uit, die snel verdween. Hoewel hij honger had, liep hij meteen door naar zijn kamer. Hij schonk een whisky in en ging onder de sprei op het bed liggen.

Hij dacht aan Baiba Liepa.

Pas toen het al over tweeën was, kleedde hij zich uit en kroop in bed. 's Nachts droomde hij dat er iemand naast hem lag. Maar het was niet zijn geliefde, Inese genaamd, die hij toebedeeld had gekregen. Het was iemand anders en de droomcensor liet niet toe dat hij het gezicht van die persoon zag.

Sergeant Zids haalde hem de volgende ochtend precies om acht uur af. Om halfnegen kwam kolonel Murniers zijn kamer binnen.

'We denken dat we de moordenaar van majoor Liepa gevonden hebben', zei hij.

Wallander keek hem ongelovig aan.

'Is het de man die kolonel Putnis twee dagen lang verhoord heeft?'

'Die niet. Dat is een doortrapte misdadiger. Die heeft er ergens op de achtergrond wel wat mee te maken, maar dit is een andere man. Gaat u mee!'

Ze gingen naar de benedenverdieping. Murniers deed de deur van een verhoorkamer open. Een van de muren had een spiegelraam. Murniers gebaarde naar Wallander dat hij dichterbij moest komen.

Het vertrek bestond uit kale muren, er stonden een tafel en twee stoelen. Op een van de stoelen zat Upitis. Hij had een vuil verband op een van zijn slapen. Wallander zag dat hij hetzelfde overhemd aanhad als tijdens hun nachtelijke gesprek in de onbekende jachthut.

'Wie is dat?' vroeg Wallander zonder Upitis met zijn blik los te laten. Hij was bang dat de schok hem zou verraden. Maar misschien wist Murniers alles al?

'Een man die we al een hele tijd in de gaten houden', antwoordde Murniers. 'Een mislukte academicus, dichter, vlinderverzamelaar, journalist. Drinkt te veel, praat te veel. Hij heeft een paar jaar gevangenisstraf uitgezeten voor het bij herhaling plegen van verduisteringen. We wisten al lang dat hij ook bij aanzienlijk ernstiger vormen van criminaliteit betrokken was, maar we konden het niet bewijzen. We kregen een anonieme tip dat hij iets met de dood van majoor Liepa te maken kon hebben.'

'Hebt u daar bewijzen voor?'

'Hij bekent natuurlijk niets, maar we beschikken over een bewijs dat net zo zwaar weegt als een vrijwillig afgelegde bekentenis.'

'Wat voor bewijs?'

'Het moordwapen.'

Wallander draaide zich om om naar Murniers te kijken.

'Het moordwapen', herhaalde Murniers. 'We moesten nu maar naar mijn kamer gaan, dan kan ik verslag uitbrengen van de arrestatie. Kolonel Putnis zou daar inmiddels al moeten zijn.'

Wallander liep achter Murniers de trappen op. Hij merkte dat de kolonel in zichzelf liep te neuriën.

Iemand heeft me erin laten lopen, dacht hij met schrik.

Iemand heeft me erin laten lopen en ik heb geen idee wie.

Ik weet niet wie en ik weet niet eens waarom.

12

Upitis werd in hechtenis genomen. Bij het doorzoeken van zijn woning had de politie een oude houten knuppel met bloedvlekken en haren erop gevonden. Upitis had geen overtuigende verklaring kunnen geven voor wat hij de avond van de moord op majoor Liepa had gedaan. Hij beweerde dat hij dronken was geweest, dat hij bij vrienden op bezoek was gegaan, maar hij herinnerde zich niet welke vrienden. Murniers stuurde die ochtend een hele meute agenten op pad om allerlei mensen te verhoren, die Upitis een alibi hadden kunnen verschaffen, maar niemand kon zich herinneren Upitis gezien of op bezoek gehad te hebben. Murniers legde een enorme energie aan de dag, terwijl kolonel Putnis zich meer afwachtend opstelde.

Wallander probeerde koortsachtig te begrijpen wat zich om hem heen afspeelde. Zijn eerste gedachte, toen hij Upitis vanachter de nepglazen ruit zag, was natuurlijk geweest dat Upitis eveneens verraden was, maar vervolgens was hij gaan twijfelen. Te veel dingen waren nog onduidelijk. Baiba Liepa's woorden, dat ze in een maatschappij leefden waarin samenzwering de hoogste gemeenschappelijke norm was, echoden de hele tijd door zijn hoofd. Zelfs als het wantrouwen van majoor Liepa terecht was geweest en Murniers een corrupte politieman was en misschien ook achter de dood van de majoor stak, dan vond Wallander nog dat de zaak irreële proporties begon aan te nemen. Was Murniers bereid het risico te nemen een onschuldig man voor het gerecht te slepen, alleen om zich van hem te ontdoen? Was dit geen uiting van absurde arrogantie?

'Als hij schuldig is,' vroeg hij aan Putnis, 'wat krijgt hij dan voor straf?'

'We zijn ouderwets genoeg in ons land om de doodstraf nog te kennen', antwoordde Putnis. 'Een hoge politieofficier vermoorden is zo ongeveer het ergste wat iemand kan doen. Ik denk dat hij doodgeschoten wordt. Persoonlijk vind ik dat een passende straf.

Wat vindt u, inspecteur Wallander?'

Hij had geen antwoord gegeven. De gedachte dat hij zich in een land bevond waar men misdadigers terechtstelde, joeg hem zoveel schrik aan dat hij een kort moment sprakeloos was.

Hij had gezien dat Putnis zich afwachtend opstelde. Hij begreep dat de beide kolonels vaak op verschillende jachtterreinen opereerden zonder elkaar op de hoogte te houden. De anonieme tip die Murniers gekregen had, was niet eens aan Putnis doorgegeven.

Wallander had Putnis 's ochtends tijdens een van Murniers energieke aanvallen van daadkracht meegenomen naar zijn kamer. Hij had sergeant Zids gevraagd om koffie te halen en geprobeerd Putnis te laten uitleggen wat er eigenlijk allemaal om hem heen gebeurde. Wallander herinnerde zich dat hij al vanaf de eerste dag een zekere spanning tussen de beide kolonels bespeurd had en nu, midden in zijn eigen opperste verwarring, meende hij dat hij niets te verliezen had wanneer hij zijn verwondering aan Putnis voorlegde.

'Is dit werkelijk de juiste man?' vroeg hij. 'Wat kan hij voor motief gehad hebben? Een knuppel met bloedvlekken en een paar haren? Hoe kunnen die als bewijsmateriaal dienen voordat het bloed onderzocht is? De haren kunnen de snorharen van een kat zijn.'

Putnis haalde zijn schouders op.

'We zullen wel zien', zei hij. 'Murniers gelooft in wat hij doet. Hij pakt maar hoogst zelden de verkeerde op. Hij is beduidend effectiever dan ik. Maar u schijnt zo uw twijfels te hebben, hoofdinspecteur Wallander? Mag ik vragen op welke gronden?'

'Ik twijfel niet', antwoordde Wallander. 'Ik heb te vaak een dader ingerekend, die de laatste was van wie je het verwacht had. Ik ben alleen nieuwsgierig. Meer niet.'

Zwijgend dronken ze koffie.

'Natuurlijk is het goed dat de moordenaar van majoor Liepa gegrepen wordt', zei Wallander. 'Maar die Upitis maakt niet de indruk de leider van een complex misdaadsyndicaat te zijn, die zich van een politieofficier wil ontdoen.'

'Misschien is hij verslaafd', antwoordde Putnis aarzelend. 'Drugsverslaafden zijn tot alles in staat. Misschien dat iemand ergens op de achtergrond hem die opdracht heeft gegeven.'

'Om majoor Liepa met een houten knuppel te vermoorden? Een mes of een pistool, ja. Maar een knuppel? En hoe heeft hij het daarna aangepakt om het lichaam in de haven achter te laten?'

'Dat weet ik niet, maar daar komt Murniers wel achter.'

'Hoe gaat het met de man die u aan het verhoren was?'

'Goed. Hij heeft nog altijd niets van enige importantie toegegeven, maar dat zal hij ongetwijfeld doen. Ik ben ervan overtuigd dat hij iets te maken had met de drugssmokkel waarbij ook die in Zweden aan land gedreven mannen betrokken waren. Ik wacht nu af wie de langste adem heeft. Ik heb hem de tijd gegeven om over zijn situatie na te denken.'

Putnis ging weg en Wallander zat doodstil op zijn stoel. Hij probeerde in gedachten een overzicht op te stellen. Hij vroeg zich af of Baiba Liepa wist dat haar vriend Upitis opgepakt was voor de moord op haar man. In gedachten keerde hij terug naar de jachthut in het naaldbos. Hij begreep dat Upitis misschien bang was geweest dat Wallander iets had geweten waardoor hij ook met een houten knuppel op de schedel van een Zweedse politieman had moeten inslaan. Wallander zag al zijn theorieën als een kaartenhuis ineenstorten, alle schakels in zijn gedachtegang braken, de een na de ander. Hij probeerde de stukjes bijeen te vegen om te zien of er nog iets bij was waar hij wat mee kon doen.

Nadat hij een uur alleen in zijn kamer had gezeten, zag hij in dat hij eigenlijk maar een ding kon doen. Teruggaan naar Zweden. Hij was naar Riga gegaan omdat de Letse politie zijn hulp had ingeroepen. Hij had haar nergens mee kunnen helpen en nu er een vermoedelijke dader opgepakt was, was er geen reden om nog langer hier te blijven.

Het enige wat hij kon doen, was zijn eigen verwarring aanvaarden: iemand had hém een nachtelijk verhoor afgenomen, misschien wel degene naar wie hij zelf op zoek was geweest. Hij had de rol van *meneer Eckers* gespeeld zonder het stuk waarin hij scheen te figureren, te kennen. Het enig zinnige dat hij kon doen, was zo vlug mogelijk naar huis gaan en de hele zaak vergeten.

Toch verzette hij zich daartegen. Achter alle onlustgevoelens en verwarring in hem speelde iets anders mee: de angst en het verzet van Baiba Liepa, de vermoeide ogen van Upitis. Er mocht hem dan veel in de Letse samenleving ontgaan, dat hield nog niet in dat het ook uitgesloten was dat *hij* zag wat anderen niet konden zien.

Hij besloot nog een paar dagen af te wachten. Omdat hij de behoefte voelde praktisch bezig te zijn en hij niet langer op zijn kamer wilde zitten piekeren, vroeg hij aan sergeant Zids, die geduldig in de gang wachtte, hem de dossiers te brengen, waar majoor Liepa de afgelopen twaalf maanden aan had gewerkt. Nu hij op dit moment geen mogelijkheid zag om veel verder te komen, had hij besloten tot een tijdelijke terugtocht, terug in het verleden van de majoor. Wie weet zou hij in de dossiers iets vinden wat hem verder bracht.

Sergeant Zids legde een grote efficiëntie aan de dag en kwam na een halfuur terug met een hoge stapel stoffige mappen.

Zes uur later was de sergeant hees en klaagde over hoofdpijn. Wallander had hem noch zichzelf een lunchpauze gegund. Ze hadden de mappen doorgenomen, de ene na de andere, terwijl sergeant Zids vertaald en uitgelegd had en antwoord had gegeven op Wallanders vragen en weer opnieuw vertaald had. Nu waren ze bij de laatste bladzijde van het laatste rapport in de laatste map gekomen en Wallander was zich van zijn teleurstelling bewust. Op zijn lijstje had hij genoteerd dat majoor Liepa zijn laatste levensjaar had besteed aan het arresteren van een verkrachter en een roofovervaller die lange tijd een buitenwijk van Riga geterroriseerd had, aan het oplossen van twee gevallen van postfraude, plus drie moorden, waarvan er twee zich afgespeeld hadden in families waarbij slachtoffer en dader elkaar kenden. Nergens had hij iets kunnen vinden van wat volgens Baiba Liepa haar mans ware opdracht was geweest. Aan het beeld van majoor Liepa als een ijverig, misschien soms pedant speurder viel niet te twijfelen, maar dat was dan ook alles wat Wallander uit het archief kon halen. Hij stuurde Zids met de mappen weg en dacht dat wat ontbrak het enig opmerkelijke was. Ergens moest de majoor het materiaal van zijn heimelijke naspeuringen bewaard hebben, dacht Wallander. Het was absurd om te denken dat hij alles in zijn hoofd had gehad. Hij moest zich heel goed bewust geweest zijn van het risico dat hij liep om aan de kaak gesteld te worden. Hoe had hij serieus aan een onderzoek kunnen werken met de ambitie de uitkomst voor het nageslacht te bewaren als hij niet ergens voor *een testament* had gezorgd? Hij kon op straat overreden worden, waardoor alles verloren zou gaan. Er moest ergens schriftelijk materiaal liggen en iemand moest weten waar. Wist Baiba Liepa dat? Of Upitis? Was er stiekem nog iemand anders op de achtergrond, iemand die de majoor zelfs voor zijn eigen vrouw geheim had gehouden? Helemaal absurd was dat niet, redeneerde Wallander. *Elk vertrouwen dat je schenkt, is een belasting,* had Baiba Liepa gezegd. En dat waren ongetwijfeld de woorden van haar man geweest.

Sergeant Zids keerde uit het archief terug.

'Had majoor Liepa nog familie behalve zijn vrouw?' vroeg Wallander.

Sergeant Zids schudde zijn hoofd.

'Ik weet het niet', zei hij. 'Maar dat zal zij wel weten.'

Wallander wilde de vraag voorlopig liever niet aan Baiba Liepa stellen. Van nu af aan zou ook hij zich aan de hier geldende normen moeten houden. Geen onnodige informatie of vertrouwen om zich heen strooien, maar in zijn eentje op jacht gaan op het door hemzelf uitgekozen terrein.

'Er moet een persoonlijk dossier over majoor Liepa zijn', zei hij. 'Dat wil ik inzien.'

'Daar kan ik niet aankomen', antwoordde sergeant Zids. 'Er zijn maar een paar mensen die materiaal uit het personeelsarchief mogen halen.'

Wallander wees naar de telefoon.

'Bel iemand die die toestemming wel heeft', zei hij. 'Zeg tegen hem dat de Zweedse politieman graag het personeelsdossier van majoor Liepa wil inkijken.'

Na de nodige volharding lukte het sergeant Zids kolonel Murniers te pakken te krijgen, die beloofde dat het dossier van majoor

Liepa onmiddellijk ter beschikking gesteld zou worden. Vijfenveertig minuten later lag het op Wallanders bureau. Het zat in een rode map en het eerste wat hij zag toen hij het opensloeg, was het gezicht van de majoor. De foto was oud en hij was verbaasd dat de majoor in meer dan tien jaar nauwelijks van uiterlijk veranderd was.

'Vertaal', zei hij tegen Zids.

De sergeant schudde zijn hoofd.

'Ik heb geen toestemming om in de rode mappen te kijken', antwoordde hij.

'Als je de rode map mag halen, kun je ook de inhoud wel voor me vertalen.'

Sergeant Zids schudde ongelukkig zijn hoofd.

'Die toestemming heb ik niet', zei hij.

'Die geef ik je. Je hoeft me alleen maar te vertellen of majoor Liepa naast zijn vrouw nog andere familie had. Vervolgens geef ik je het bevel alles te vergeten.'

Tegen zijn zin ging sergeant Zids zitten om de map door te bladeren. Wallander had de indruk dat Zids de bladen aanraakte met dezelfde tegenzin waarmee hij een lijk onderzocht.

Majoor Liepa had een vader. Volgens het dossier had deze dezelfde naam als zijn zoon, Karlis. Het was een gepensioneerd hoofd van een postkantoor met een adres in Ventspils. Wallander herinnerde zich de folder die de vrouw met de rode lippen in het hotel hem had laten zien. Er had een reisje naar de kust en de stad Ventspils in gestaan. Volgens het dossier was de vader vierenzeventig jaar en weduwnaar. Wallander sloeg de map dicht en schoof die van zich af nadat hij nog een keer het gezicht van de majoor had bestudeerd. Op dat moment kwam Murniers de kamer binnen en sergeant Zids stond haastig op om een zo groot mogelijke afstand tussen zichzelf en het dossier te scheppen.

'Hebt u iets interessants gevonden?' vroeg Murniers. 'Iets wat wij over het hoofd hebben gezien?'

'Niets. Ik wilde het dossier juist naar het archief terug laten brengen.'

De sergeant pakte de rode map en verdween.

'Hoe is het met de man die jullie opgepakt hebben?' vroeg Wallander.

'We krijgen hem wel klein', zei Murniers hard. 'Ik weet zeker dat het de juiste man is, al schijnt kolonel Putnis daaraan te twijfelen.'

Ik heb ook zo mijn twijfels, dacht Wallander. Misschien kan ik daar vanavond met Putnis over praten, als ik hem zie. Om erachter te komen waar onze uitgangspunten liggen, waar onze twijfels uiteenlopen.

Ineens nam hij het besluit onmiddellijk aan zijn eenzame mars te beginnen en de diepe verwarring waaraan hij ten prooi was geweest, van zich af te schudden.

Hij zag geen reden meer om zijn gedachten voor zich te houden.

In het rijk van de leugen is de halve waarheid misschien koning, dacht hij. Waarom zou je zeggen hoe het er echt voorstaat als je de waarheid naar believen mag manipuleren?

'Eén ding dat majoor Liepa me tijdens zijn bezoek aan Zweden verteld heeft, heeft me zeer verbaasd', begon Wallander. 'Het was me niet helemaal duidelijk wat hij bedoelde. Hij had die avond nogal wat gedronken, maar hij zinspeelde erop dat sommige van zijn collega's misschien niet helemaal betrouwbaar waren.'

Er vertrok geen spier op het gezicht van Murniers, die verraadde dat Wallanders woorden hem verrast hadden.

'Hij was toen natuurlijk een beetje aangeschoten', vervolgde Wallander met enige weerzin vanwege zijn gelieg over iemand die dood was. 'Maar als ik hem goed begrepen heb, verdacht hij een van zijn superieuren ervan een band te hebben met verschillende misdadigerskringen in uw land.'

'Een interessante bewering, ook al kwam die van een dronken man', zei Murniers peinzend. 'Als hij het woord superieur gebruikt heeft, kan dat alleen maar op kolonel Putnis of op mij betrekking hebben gehad.'

'Hij heeft geen namen genoemd', zei Wallander.

'Zei hij ook waarop zijn wantrouwen gebaseerd was?'

'Hij had het over drugssmokkel. Over nieuwe aanvoerwegen

via Oost-Europa. Wat hij bedoelde was, dat dit soort dingen onmogelijk kon plaatsvinden zonder de protectie van een hooggeplaatst persoon.'

'Interessant', zei Murniers. 'Ik heb majoor Liepa altijd beschouwd als een buitengewoon verstandig mens. Een man met een bijzonder geweten.'

Het laat hem onberoerd, dacht Wallander. Zou hij ook zo gereageerd hebben als majoor Liepa gelijk had gehad?

'Wat trekt u hier zelf eigenlijk voor conclusies uit?' vroeg Murniers.

'Ik trek geen conclusies. Ik vond alleen dat ik het moest vertellen.'

'Daar hebt u goed aan gedaan', zei Murniers. 'Ik zou graag willen dat u dit ook aan mijn collega, kolonel Putnis, vertelt.'

Murniers ging weg. Wallander trok zijn jack aan en trof sergeant Zids in de gang. Toen hij weer in zijn hotel was, ging hij, gewikkeld in de sprei, op bed liggen om een uurtje te slapen. Vervolgens dwong hij zich tot een snelle douche onder het koude water en trok het donkerblauwe kostuum aan, dat hij van huis meegenomen had. Even na zevenen ging hij naar de foyer waar sergeant Zids tegen de balie van de receptie geleund op hem stond te wachten.

Kolonel Putnis woonde buiten, enkele tientallen kilometers ten zuiden van Riga. Tijdens de rit dacht Wallander eraan dat hij altijd in het donker door Letland reed. Hij verplaatste zich in het donker, hij dacht in het donker. Op de achterbank van de auto voelde hij opeens enig heimwee opkomen. Hij realiseerde zich dat dit door het vage van zijn opdracht kwam. Hij staarde de duisternis in. Hij moest morgen zijn vader bellen, dacht hij. Zijn vader zou ongetwijfeld vragen wanneer hij van plan was naar huis te komen.

Gauw, zou hij antwoorden, heel gauw.

Sergeant Zids verliet de hoofdweg en reed tussen twee hoge ijzeren hekken door. De oprit naar het huis was geasfalteerd: kolonel Putnis' privé-weg was de best onderhouden weg waarover hij tot nu toe in Letland gereden had, dacht Wallander. Sergeant

Zids stopte voor een terras dat verlicht werd door onzichtbare schijnwerpers. Wallander had sterk het gevoel dat hij plotseling in een ander land terechtgekomen was.

Toen hij uit de auto stapte en alles om hem heen niet langer donker en vervallen was, liet hij ook Letland achter zich.

Kolonel Putnis stond hem op het terras op te wachten. Hij had geen politie-uniform aan, maar was gekleed in een goed zittend kostuum dat Wallander deed denken aan de kleren die de dode mannen in het reddingsvlot aangehad hadden. Naast hem stond zijn vrouw die een stuk jonger was dan haar man. Wallander giste dat ze nog geen dertig was. Toen ze elkaar begroetten, bleek ze uitstekend Engels te spreken en Wallander stapte het mooie huis binnen met dat bijzondere welbehagen dat je alleen krijgt als je een lange, vermoeiende reis achter de rug hebt. Kolonel Putnis liet hem met een kristallen whiskyglas in de hand het huis zien en hij deed geen moeite te verhullen hoe trots hij was. Wallander zag dat de vertrekken vol stonden met geïmporteerde meubelen uit het Westen, wat het huis een praalziek en koel aanzien gaf.

Ik zou natuurlijk net zo geweest zijn als deze mensen als ik in een land woonde, waarin bijna alles op zijn eind schijnt te lopen, dacht hij. Maar alles moest veel geld gekost hebben en hij verbaasde zich dat een politiekolonel zo goed verdiende. Steekpenningen, dacht hij. Steekpenningen en corruptie, maar die gedachte duwde hij meteen weer weg. Hij kende kolonel Putnis en zijn vrouw Ausma niet. Misschien bezat men in Letland nog steeds familievermogens, al had de heersende klasse bijna vijftig jaar de tijd gehad om de economische spelregels te veranderen.

Wat wist hij eigenlijk? Niets.

Ze aten in een eetkamer die verlicht werd door kaarsen in hoge kandelaars. Uit wat er tijdens het gesprek gezegd werd, maakte Wallander op dat de vrouw van Putnis ook bij de politie werkte, maar in een andere sector. Hij kreeg het vage vermoeden dat ze werkte bij iets wat zeer geheim was en het flitste door hem heen dat dat wel eens de lokale Letse afdeling van de KGB kon zijn. Ze stelde hem een groot aantal vragen over Zweden en de wijn maakte dat hij begon op te scheppen, al probeerde hij zich te beheersen.

Na het eten verdween Ausma naar de keuken om koffie te zetten. Putnis serveerde cognac in een woonkamer waarin verscheidene zitgroepen met mooie leren fauteuils stonden. Wallander bedacht dat hij nooit in zijn leven genoeg geld zou hebben om zulke meubelen te kopen. Die gedachte maakte hem plotseling agressief. Vaag voelde hij een soort persoonlijke verantwoordelijkheid, alsof hij zelf, door niet te protesteren, een bijdrage had geleverd aan de steekpenningen die huis en haard van kolonel Putnis bekostigd hadden.

'Letland is een land van grote tegenstellingen', zei hij en merkte dat hij over de Engelse woorden struikelde.

'Is Zweden dat dan niet?'

'Natuurlijk wel, maar daar valt het niet zo op als hier. Het zou voor een Zweedse politiechef ondenkbaar zijn om in een huis als het uwe te wonen.'

Kolonel Putnis maakte een gebaar als om zich te verontschuldigen.

'Mijn vrouw en ik zijn niet rijk,' zei hij, 'maar we hebben vele jaren zuinig geleefd. Ik ben de vijfenvijftig al gepasseerd. Ik wil op mijn oude dag graag comfortabel leven. Is dat verkeerd?'

'Ik heb het niet over verkeerd', zei Wallander. 'Ik heb het over verschillen. Toen ik majoor Liepa ontmoette, leerde ik voor het eerst iemand uit een van de Baltische landen kennen. Ik had gedacht dat hij uit een land kwam, waar grote armoede heerste.'

'Ik zal niet ontkennen dat we hier veel arme mensen hebben.'

'Ik zou graag willen weten hoe het hier eigenlijk toegaat.'

Kolonel Putnis keek hem vorsend aan.

'Ik geloof niet dat ik uw opmerking begrijp.'

'Ik denk aan steekpenningen. Corruptie. De samenwerking tussen misdaadsyndicaten en politici. Ik zou graag een antwoord hebben op iets wat majoor Liepa zei, toen hij bij mij thuis was. Iets wat hij zei toen hij ongeveer net zo dronken was als ik nu.'

Kolonel Putnis nam hem glimlachend op.

'Natuurlijk', zei hij. 'Natuurlijk zal ik u tekst en uitleg geven als ik dat kan. Maar eerst moet ik weten wat majoor Liepa gezegd heeft.'

Wallander herhaalde de woorden, het bijeengelogen citaat dat hij een paar uur daarvoor aan kolonel Murniers had voorgelegd.

'Uiteraard is ook binnen het Letse politiekorps soms sprake van onregelmatigheden', antwoordde Putnis. 'Veel agenten hebben een laag loon en de verleiding je te laten omkopen is dan groot, maar ik moet wel opmerken dat majoor Liepa helaas een zekere neiging tot overdrijven had. Zijn eerlijkheid en werklust waren natuurlijk bewonderenswaardig, maar het is niet uit te sluiten dat hij feiten en emotionele waanideeën dooreen hutselde.'

'U bedoelt dat hij overdreef?'

'Helaas is dat zo.'

'Bijvoorbeeld toen hij beweerde dat een hoge politiechef diepgaand betrokken was bij criminele activiteiten?'

Kolonel Putnis verwarmde zijn cognacglas tussen zijn handen.

'Daar moet hij dan kolonel Murniers of mij mee bedoeld hebben', zei hij nadenkend. 'Dat verbaast me. Een zowel ongelukkige als onverstandige uitspraak.'

'Maar er moet toch een verklaring voor zijn?'

'Misschien vond majoor Liepa dat Murniers en ik te langzaam oud werden', glimlachte Putnis. 'Misschien beviel het hem niet dat we zijn bevordering in de weg stonden.'

'Majoor Liepa maakte niet de indruk dat zijn eigen carrière zijn grote drijfveer was.'

Putnis knikte peinzend.

'Laat me u een mogelijk antwoord geven,' zei hij, 'maar ik geef u dat in het volste vertrouwen.'

'Ik ben niet gewend vertrouwelijke mededelingen door te vertellen.'

'Zo'n jaar of tien geleden gaf kolonel Murniers blijk van een beklagenswaardige karakterzwakte', zei Putnis. 'Hij werd betrapt op het aannemen van steekpenningen van de manager van een textielfabriek, die wegens grove verduisteringen opgepakt was. Het geld dat Murniers had aangenomen was een compensatie voor het feit dat hij enkele van de medeplichtigen van de manager de gelegenheid had gegeven bepaalde documenten te vernietigen, die het overtuigende bewijs hadden moeten leveren.'

'Hoe is dat toen afgelopen?'

'De zaak is in de doofpot gestopt. De manager kreeg een symbolische straf. En binnen een jaar was hij terug als hoofd van een van de grootste zagerijen van het land.'

'Wat is er met Murniers gebeurd?'

'Niets. Hij had diepe spijt. Hij was overwerkt geweest en had ook nog een lange en pijnlijke echtscheiding achter de rug. Het Politbureau, dat een standpunt moest formuleren, vond dat het hem vergeven moest worden. Misschien heeft majoor Liepa de verkeerde conclusie getrokken dat een zwakte van voorbijgaande aard een chronische karakterfout was. Dat is het enige antwoord dat ik kan geven. Mag ik u nog eens inschenken?'

Wallander reikte hem zijn glas. Iets wat kolonel Putnis gezegd had en dat al eerder door Murniers was gezegd, verontrustte hem zonder dat hij wist waarom. Op dat moment kwam Ausma met een blad met koffie binnen en begon enthousiast te praten over de dingen die Wallander absoluut moest zien voordat hij uit Riga vertrok. Terwijl hij naar haar woorden luisterde, bleef de onrust in zijn binnenste knagen. Er was iets gezegd van doorslaggevend belang, een opmerking die bijna onmerkbaar gepasseerd was, maar die toch zijn aandacht had getrokken.

'De Zweedse Poort', zei Ausma. 'Hebt u ons gedenkteken aan de tijd dat Zweden een van de gevreesde Europese grootmachten was niet gezien?'

'Ik vrees dat ik dat gemist heb.'

'Vandaag de dag is Zweden nog altijd een grootmacht', zei kolonel Putnis. 'Een klein land, maar door zijn grote rijkdom een land om jaloers op te zijn.'

Bang zijn greep op zijn vage vermoedens te verliezen, excuseerde Wallander zich en ging naar het toilet. Hij deed de deur op slot en ging op de deksel van de wc zitten. Heel wat jaren geleden had Rydberg hem al geleerd meteen zijn intuïtie te volgen, meteen na te gaan of een aanwijzing zo voor de hand lag dat hij hem bijna over het hoofd zag. En toen wist hij het. Het was iets wat Murniers gezegd had en dat kolonel Putnis nog maar enkele minuten geleden in bijna dezelfde woorden had tegengesproken.

Murniers had het over majoors Liepa's gezonde verstand gehad, kolonel Putnis had het tegendeel gezegd. In het licht van wat Putnis over Murniers verteld had, viel dat misschien te begrijpen. Maar toen Wallander op de deksel van de wc zat, besefte hij dat zijn onrust gewekt was omdat hij precies het omgekeerde had verwacht.

We verdenken Murniers, had Baiba Liepa gezegd. We vermoeden dat mijn man verraden is.

Misschien heb ik het bij het verkeerde eind, dacht Wallander. Misschien zie ik in kolonel Murniers wat ik bij kolonel Putnis moet zoeken. Ik had verwacht dat de man die het over het gezonde verstand van majoor Liepa had, juist het tegenovergestelde zou beweren. Hij zocht in zijn geheugen naar de stem van Murniers en plotseling had hij het gevoel dat de kolonel nog iets meer had bedoeld. Majoor Liepa was een verstandig man, een verstandige politieman. En om die reden had hij het dus bij het rechte eind gehad.

Wallander dacht na en realiseerde zich dat hij veel te gemakkelijk verdachtmakingen en informatie uit de tweede en derde hand voor zoete koek had aangenomen.

Hij trok door en keerde terug naar zijn kop koffie en zijn glas cognac.

'Onze dochters', zei Ausma en gaf hem twee ingelijste foto's. 'Alda en Lija.'

'Ik heb ook een dochter', zei Wallander. 'Ze heet Linda.'

De rest van de avond praatten ze over koetjes en kalfjes. Wallander had graag gauw op willen stappen zonder onbeleefd te lijken, maar het was al bijna één uur voordat sergeant Zids de auto voor hotel Latvija stopte en Wallander afzette. Hij had op de achterbank liggen doezelen in het besef dat hij meer gedronken had dan hij had moeten doen. De volgende dag zou hij moe en met een kater wakker worden.

Hij lag lang in het donker te staren eer hij in slaap viel.

De gezichten van de beide kolonels vloeiden ineen tot één beeld. Plotseling begreep hij dat hij nooit naar huis terug kon gaan voor hij alles had gedaan om de dood van majoor Liepa op te helderen.

Er moet ergens een verband zijn, dacht hij. Majoor Liepa, de dode mannen in het reddingsvlot, de arrestatie van Upitis. Alles hangt met alles samen. Alleen zie ik dat verband nog niet. En achter mijn hoofd, aan de andere kant van de dunne muur, zitten onzichtbare mannen mijn ademhaling te registreren.

Misschien taxeren en rapporteren ze ook hoelang ik wakker lig voor ik in slaap val.

Misschien menen ze op die manier ook mijn gedachten te kunnen lezen.

Op straat reed een vrachtwagen rammelend voorbij.

Juist voordat hij ten slotte insliep, bedacht hij dat hij al zes dagen in Riga was.

13

Toen Kurt Wallander 's ochtends wakker werd, was hij net zo moe en had hij net zo'n kater als hij gevreesd had. Zijn slapen bonsden en toen hij zijn tanden poetste, was hij bang dat hij over zou geven. Hij loste twee aspirines op in een glas water en kwam tot het inzicht dat de tijd onherroepelijk voorbij was dat hij 's avonds door kon blijven drinken zonder dat de volgende dag te moeten bezuren.

Hij keek in de spiegel naar zijn gezicht en zag dat hij meer en meer op zijn vader begon te lijken. De kater bezorgde hem niet alleen wroeging, maar ook het gevoel dat er iets verloren was gegaan. Hij zag in zijn bleke, opgezwollen gezicht ook de eerste tekenen van een naderende ouderdom.

Om halfacht ging hij naar de eetzaal, dronk een kop koffie en at een gebakken eitje. Met de koffie in zijn maag nam zijn misselijkheid af. Het halve uur dat hem restte voordat sergeant Zids hem zou oppikken, probeerde hij te gebruiken om nog een keer alle feiten op een rijtje te zetten, die betrekking hadden op de chaotische toestanden, begonnen met het aan land drijven van de lijken van twee goedgeklede mannen op Mossby Strand. Hij deed zijn best te accepteren wat hij de vorige avond ontdekt had; dat het misschien kolonel Putnis en niet Murniers was die de rol van onzichtbare overloper had gespeeld, maar zijn gedachten keerden toch weer naar zijn eigen uitgangspunten terug. Alles was zwevend, niets was helder genoeg. In een land als Letland ging men bij een onderzoek van heel andere veronderstellingen uit dan in Zweden. In een totalitaire staat werd men geconfronteerd met ontwijkend gedrag, wat het verzamelen van feiten en het bijeenbrengen van bewijsmateriaal veel gecompliceerder maakte.

Misschien was het in Letland over het algemeen wel zo dat je eerst de beslissing moest nemen of je een misdrijf wel zou gaan onderzoeken of dat het misschien onder de categorie *niet-misdrijven* viel, een gewoonte die door de hele samenleving heen vaste voet aan de grond had gekregen. Toen hij ten slotte opstond en naar de sergeant liep, die met zijn auto stond te wachten, besloot hij dat hij nog intensiever dan tot nu toe bij de beide kolonels zelf naar verklaringen moest zoeken. Hij wist in de huidige situatie niet eens of zij nou onzichtbare deuren voor hem openden of sloten.

En zo reed hij door Riga. De combinatie van vervallen huizen en eindeloze, sombere pleinen maakte dat hij op een zeer speciale manier melancholiek werd. Het was een melancholie zoals hij die nog niet eerder in zijn leven had gekend. Hij stelde zich voor dat de mensen die hij zag, die bij de bushaltes stonden te wachten, die zich over de trottoirs voorthaastten, in hun hart een zelfde verlatenheid moesten voelen en hij rilde bij die gedachte. Opnieuw verlangde hij naar huis. Maar naar wat eigenlijk?

De telefoon rinkelde schril op het moment dat hij zijn kamer binnenkwam, nadat hij sergeant Zids om koffie had gestuurd. 'Goedemorgen', zei Murniers en Wallander hoorde dat de sombere kolonel goedgehumeurd was. 'Was het een geslaagde avond?'

'Sinds ik in Riga ben, heb ik nog niet zo goed gegeten', antwoordde Wallander. 'Maar ik ben bang dat ik een beetje te veel gedronken heb.'

'Matigheid is een deugd die we in ons land niet kennen', antwoordde Murniers. 'Ik heb begrepen dat uw succesmodel gebouwd is op het Zweedse vermogen soberheid te kunnen betrachten.'

Wallander wist geen geschikt antwoord te bedenken en Murniers vervolgde: 'Ik heb hier een interessant document voor me liggen. Ik denk dat u daardoor wel zult vergeten dat u te veel van de voortreffelijke cognac van kolonel Putnis hebt gedronken.'

'Wat voor document?'

'De bekentenis van Upitis. Vannacht op schrift gesteld en getekend.'

Wallander zei niets.

'Bent u er nog?' vroeg Murniers. 'Kunt u misschien meteen naar me toe komen?'

In de gang liep Wallander sergeant Zids tegen het lijf, die met een kop koffie aan kwam lopen. Met het kopje in zijn hand ging Wallander naar de kamer van Murniers die achter zijn bureau zat en zijn vermoeide glimlachje lachte. Wallander ging zitten en Murniers pakte een map van zijn bureau.

'Hier hebben we dus de bekentenis van de misdadiger Upitis', zei hij. 'Het zal me een waar genoegen zijn om die voor u te vertalen. Ik zie dat u verbaasd bent?'

'Ja', antwoordde Wallander. 'Hebt u hem zelf verhoord?'

'Nee. Kolonel Putnis heeft kapitein Emmanuelis opdracht gegeven het verhoor over te nemen. En die heeft dus boven verwachting succes geboekt. We hebben grote verwachtingen van Emmanuelis voor de toekomst.'

Was het ironie die Wallander daar in de stem van Murniers beluisterde? Of was het alleen de normale stem van de vermoeide en gedesillusioneerde politieman?

'De alcoholist, vlinderverzamelaar en dichter Upitis heeft dus besloten een volledige bekentenis af te leggen', vervolgde Murniers. 'Hij bekent dat hij samen met twee andere individuen, de heren Bergklaus en Lapin, majoor Liepa in de nacht van 23 februari heeft vermoord. Die drie heren hebben ondernemertje gespeeld door majoor Liepa op bestelling uit de weg te ruimen. Upitis beweert dat hij de reden voor deze moord-op-bestelling niet weet en dat zal ook wel zo zijn. Het contract was al door heel wat handen gegaan voordat het op het juiste adres terechtkwam. Omdat het om een hoge officier van politie ging, was er een aanzienlijk bedrag mee gemoeid. Upitis en de beide andere heren hebben met zijn drieën een honorarium voor de executie gedeeld, dat overeenkomt met honderd jaarsalarissen voor een Letse arbeider. Het contract is ruim twee maanden geleden al gesloten, dus lang voor de reis van majoor Liepa naar Zweden. De opdrachtgever had geen tijdslimiet gesteld. Zijn belangrijkste voorwaarde was dat Upitis en zijn medeplichtigen hun opdracht tot een goed einde zouden brengen, maar hij moet plotseling van gedachten veranderd zijn. Drie dagen voor de moord, majoor Liepa was toen dus nog in Zweden, heeft een van de tussenpersonen contact met Upitis gezocht, met de mededeling dat majoor Liepa, zodra hij naar Riga terugkeerde, uit de weg geruimd moest worden. Een reden voor deze plotselinge haast werd niet gegeven, maar het overeengekomen bedrag werd verhoogd en Upitis kreeg nu ook de beschikking over een auto. Upitis moest iedere dag naar een bioscoop gaan, Spartak om precies te zijn. Twee keer per dag, 's ochtends en 's avonds. Op een van de zwarte pilaren die het dak van de bioscoop stutten, zou op een keer een opschrift staan, dat wat u in het Westen graffiti noemt. Het was het sein dat majoor Liepa zonder uitstel geliquideerd moest worden. Op de ochtend van de dag dat majoor Liepa thuis zou komen, had dat opschrift er gestaan en Upitis had onmiddellijk contact met Bergklaus en Lapin gezocht. De tussenpersoon die al eerder contact met Upitis had gehad, had nog gezegd dat majoor Liepa 's avonds laat uit zijn woning weggelokt zou worden. Wat er daarna moest gebeuren, werd aan henzelf overgelaten. Dat heeft de drie moordenaars kennelijk nogal wat hoofdbrekens bezorgd. Ze namen aan dat majoor Liepa gewapend zou zijn, dat hij op zijn hoede was, dat hij zich waarschijnlijk zou verzetten. Daarom moesten ze meteen toeslaan als hij de deur uitkwam. Wel liepen ze zo een groot risico dat de aanslag zou mislukken.'

Murniers hield plotseling op met spreken en keek Wallander aan.

'Ga ik te snel?' vroeg hij.

'Nee. Ik denk dat ik u wel kan volgen.'

'Ze zijn dus met de auto naar de straat van majoor Liepa gereden. Nadat ze de gloeilamp boven de deur uit de houder geschroefd hadden, hebben ze zich in de schaduwen verstopt. Ze hadden verschillende soorten slagwapens bij zich gestoken. Eerder op de avond hadden ze een beruchte biertent bezocht om zich daar met grote hoeveelheden drank moed in te drinken. Toen majoor Liepa de deur uitkwam, hebben ze toegeslagen. Upitis beweert dat het Lapin was, die hem in de nek raakte. Als we Lapin en Bergklaus opgepakt hebben, mogen we verwachten dat ze elkaar de schuld in de schoenen schuiven. Anders dan bij de Zweedse wet is het bij ons mogelijk om beide verdachten te veroordelen als niet vast komt te staan wie de directe schuldige is. Majoor Liepa zakte op straat in elkaar, de auto kwam aanrijden en het lichaam werd op de achterbank gepropt. Onderweg naar de haven kwam majoor Liepa bij bewustzijn, waarna Lapin hem kennelijk opnieuw op het hoofd heeft geslagen. Upitis dacht dat majoor Liepa al dood was toen ze hem op de kade legden. Ze waren van plan geweest het te doen voorkomen als was majoor Liepa het slachtoffer van een ongeluk geworden. Dat plan was uiteraard gedoemd te mislukken en we hebben niet de indruk dat Upitis en zijn medeplichtigen zich veel moeite hebben gegeven om de politie om de tuin te leiden.'

Murniers liet het rapport op zijn bureau vallen.

Wallander moest aan de nacht denken, die hij in de jachthut had doorgebracht, aan Upitis en zijn vragen, aan de strook licht bij de deur, waar iemand had staan luisteren.

We vermoeden dat majoor Liepa verraden is, we verdenken kolonel Murniers.

'Hoe wisten ze dat majoor Liepa uitgerekend die dag thuis zou komen?'

'Misschien hebben ze iemand bij Aeroflot omgekocht. Luchtvaartmaatschappijen beschikken over passagierslijsten. Dat zoeken we natuurlijk nog uit.'

'Waarom is majoor Liepa vermoord?'

'In een samenleving als de onze doen geruchten snel de ronde. Misschien was majoor Liepa wel te lastig geworden voor bepaalde machtige misdaadsyndicaten die dat niet wensten te accepteren.'

Wallander dacht na voordat hij zijn volgende vraag stelde. Hij had naar Murniers' verslag van Upitis' bekentenis geluisterd en doorgekregen dat er iets fout zat, verschrikkelijk fout. Maar al wist hij dat alles gelogen was, daarmee wist hij nog niet wat er dan wél waar was. De leugens dekten elkaar. Hij zou er nooit in slagen boven tafel te krijgen wat er werkelijk gebeurd was noch de reden waarom.

Hij had geen vragen meer. Er waren geen vragen, slechts vage, van onmacht getuigende opmerkingen.

'Natuurlijk weet u dat er helemaal niets klopt van wat Upitis in zijn bekentenis gezegd heeft', zei hij.

Murniers keek hem vorsend aan.

'Waarom zou het niet kloppen?'

'Om de doodeenvoudige reden dat Upitis majoor Liepa niet gedood heeft. Die hele bekentenis is verzonnen. Iemand moet die Upitis gechanteerd hebben. Of Upitis lijdt aan verstandsverbijstering.'

'Waarom zou een twijfelachtig individu als Upitis majoor Liepa niet gedood kunnen hebben?'

'Omdat ik hem ontmoet heb', zei Wallander. 'Omdat ik met hem gesproken heb. Ik ben ervan overtuigd dat er in dit land één persoon is die in ieder geval van de lijst van verdachten op de moord op majoor Liepa geschrapt kan worden. En dat is Upitis.'

De verbazing van Murniers kon niet gespeeld zijn. Dan heeft hij dus niet in het donker in de jachthut staan luisteren, dacht Wallander. Maar wie dan wel? Baiba Liepa? Kolonel Putnis?

'U zegt dat u Upitis ontmoet hebt?'

Wallander besloot snel om opnieuw zijn toevlucht tot een halve waarheid te nemen. Hij kon niet anders, omdat hij Baiba Liepa moest beschermen.

'Hij kwam me in mijn hotel opzoeken. Hij stelde zich voor als Upitis. Later, toen kolonel Putnis me hem door de spiegelruit liet zien, heb ik hem herkend. Toen hij me opzocht, zei hij dat hij een vriend van majoor Liepa was.'

Murniers, die onderuitgezakt in zijn stoel had gezeten, ging rechtop zitten. Wallander zag dat hij zeer gespannen was. Al zijn aandacht concentreerde zich op wat Wallander zojuist gezegd had.

'Vreemd', zei hij. 'Heel vreemd.'

'Hij kwam me opzoeken om te vertellen dat hij vermoedde dat majoor Liepa door zijn eigen collega's vermoord was.'

'Door de Letse politie?'

'Ja. Upitis riep mijn hulp in om uit te zoeken hoe dat in zijn werk was gegaan. Ik heb geen idee hoe hij wist dat er een Zweedse politieman in Riga was.'

'Wat heeft hij nog meer gezegd?'

'Dat de vrienden van majoor Liepa geen bewijzen hadden,

maar dat de majoor zelf de indruk had gewekt dat hij zich bedreigd voelde.'

'Door wie?'

'Door iemand van de politie. Misschien wel van de KGB.'

'Waarom zou hij bedreigd worden?'

'Volgens Upitis om dezelfde reden waarom de georganiseerde misdaad in Riga besloten had dat de majoor geliquideerd moest worden. Er zou uiteraard een verband kunnen zijn.'

'Welk verband?'

'Dat Upitis twee keer gelijk heeft gehad. Hoewel hij één keer gelogen moet hebben.'

Murniers stond met een ruk op uit zijn stoel.

Wallander dacht dat hij, de Zweedse politieman, te ver was gegaan, dat hij een hem onbekende grens had overschreden. Maar Murniers keek bijna naar hem alsof hij een beroep op hem deed.

'Dit moet kolonel Putnis horen', zei Murniers.

'Ja', zei Wallander. 'Dit moet hij zeker horen.'

Murniers greep de telefoon en tien minuten later kwam kolonel Putnis binnen. Wallander had geen tijd hem nogmaals te bedanken voor de vorige avond, want Murniers begon meteen opgewonden en gehaast in het Lets te vertellen wat Wallander hem zojuist over zijn ontmoeting met Upitis meegedeeld had. Als kolonel Putnis die nacht verborgen in de schaduwen in de jachthut had staan luisteren, moest dat van zijn gezicht af te lezen zijn, dacht Wallander. Maar er viel niets op het gezicht van Putnis te bespeuren. Geen enkele aanwijzing waarop Wallander gehoopt had.

Hij probeerde voor zichzelf een aannemelijke verklaring te vinden waarom Upitis een valse bekentenis had afgelegd, maar de hele zaak was zo verwarrend dat hij het opgaf.

De reactie van Putnis verschilde van die van Murniers.

'Waarom hebt u niet verteld dat u die misdadiger Upitis ontmoet hebt?'

Wallander had geen antwoord. Hij realiseerde zich dat hij in de ogen van kolonel Putnis het vertrouwen dat deze in hem had gehad, verspeeld had. Tegelijk vroeg hij zich af of het toeval kon zijn dat hij bij de kolonel te eten was gevraagd, uitgerekend op de avond dat Upitis zijn bekentenis afgelegd zou hebben. Kon er in een totalitaire maatschappij überhaupt sprake zijn van toevalligheden? Had Putnis niet gezegd dat hij er altijd de voorkeur aan gaf zijn gevangenen alleen te verhoren?

Putnis' verontwaardiging verdween even snel als hij opgekomen was. Hij glimlachte weer en legde zijn hand op Wallanders schouder.

'Vlinderverzamelaar en dichter Upitis is een doortrapt heerschap', zei hij. 'Als je ergens van verdacht wordt, is het natuurlijk zeer geraffineerd om het op een ander af te wentelen door een Zweedse politieman op te zoeken, die toevallig in Riga is. Maar uiteraard is de bekentenis van Upitis waar. Ik hoefde alleen maar te wachten op het moment dat hij zijn verzet op zou geven. De moord op majoor Liepa is opgelost. Daarom hoeft u zich ook niet langer de moeite te getroosten in Riga te blijven. Ik zal onmiddellijk uw terugreis regelen. We zullen uiteraard het Zweedse ministerie van Buitenlandse Zaken via de officiële kanalen een bedankbrief sturen.'

En het was toen, op het moment dat Wallander besefte dat zijn bezoek aan Letland bijna ten einde liep, dat hij doorkreeg hoe deze gigantische samenzwering in elkaar zat.

Hij zag niet alleen de omvang en de vernuftige balans tussen waarheden en leugens, tussen valse sporen en het echte causale verband, hij ontdekte ook dat majoor Liepa de bekwame en achtenswaardige politieman was geweest voor wie hij hem steeds had gehouden. Hij begreep de angst van Baiba Liepa even goed als haar opstandigheid. En al moest hij nu terug naar Zweden, hij wist ook dat hij haar nog een keer moest zien. Dat was hij haar verschuldigd, zoals hij vond dat hij ook de dode majoor nog iets schuldig was.

'Ja, ik ga nu natuurlijk terug naar huis', zei hij. 'Maar ik blijf nog tot morgen. Ik heb veel te weinig tijd gehad om deze mooie stad te bezichtigen. Dat heb ik me maar al te goed gerealiseerd toen ik gisteren met uw vrouw sprak.'

Hij had het woord tot de beide kolonels gericht, maar bij de laatste woorden wendde hij zich tot Putnis.

'Sergeant Zids is een uitstekende gids', vervolgde hij. 'Ik hoop dat ik de rest van de dag nog van zijn diensten gebruik mag maken, al zit mijn werk hier er op.'

'Maar natuurlijk', zei Murniers. 'Misschien zouden we moeten vieren dat het einde van deze vreemde geschiedenis in zicht is. Het zou onhoffelijk van ons zijn om u naar huis te laten gaan zonder een geschenk van onze kant of zonder samen wat te gaan drinken.'

Wallander dacht aan de komende avond, aan Inese die in de nachtclub op hem zou wachten als zijn vermeende geliefde, aan Baiba Liepa die hij nog moest spreken.

'Laten we het zo ondramatisch mogelijk houden', zei hij. 'We zijn tenslotte politiemensen en geen toneelspelers die een succesvolle première vieren. Bovendien heb ik al een afspraakje voor vanavond. Een jongedame heeft beloofd me gezelschap te houden.'

Murniers glimlachte en haalde een fles wodka tevoorschijn, die in een la van zijn bureau lag.

'Daar willen we natuurlijk niet tussenkomen', zei hij. 'Laten we daarom nu gezamenlijk proosten.'

Ze hebben haast, dacht Wallander. *Ze weten niet hoe snel ze me het land uit moeten werken.*

Ze dronken en brachten een toost uit. Wallander hief zijn glas naar de beide kolonels en vroeg zich af of hij ooit te weten zou komen wie van hen het bevel voor de moord op majoor Liepa had gegeven. Dat was het enige waar hij zijn twijfels over had, het enige wat hij niet kon weten. Putnis of Murniers? Maar hij wist nu dat majoor Liepa gelijk had gehad. Zijn geheime naspeuringen hadden hem naar een waarheid geleid, die hij mee het graf ingenomen had, behalve als hij aantekeningen had nagelaten. En als Baiba Liepa wilde weten wie haar man gedood had, Murniers of Putnis, zou zij die moeten vinden. Dan pas zou ze weten waarom Upitis – die toegegeven had de moordenaar te zijn zonder dat hij het was – een valse bekentenis had afgelegd in een laatste vertwijfelde, misschien zelfs wilde poging, erachter te komen wie van de kolonels schuldig was aan de dood van de majoor.

Ik drink met een van de zwaarste misdadigers die ik ooit van zo dichtbij ontmoet heb, dacht Wallander. Ik weet alleen niet wie van de twee het is.

'We brengen u morgen natuurlijk naar het vliegveld', zei Putnis na de toost.

Wallander verliet het hoofdbureau van politie en voelde zich net een pas vrijgelaten gevangene, zoals hij daar een paar passen achter sergeant Zids liep. Ze reden door de stad en de sergeant wees aan, vertelde en beschreef. Wallander keek en knikte en mompelde 'ja' en 'heel mooi', wanneer hij meende dat dat op zijn plaats was. Maar in gedachten bevond hij zich heel ergens anders. Hij dacht aan Upitis en hij vroeg zich af welke keuze die eigenlijk gehad had.

Wat had Murniers of Putnis hem in het oor gefluisterd?

Wat voor argumenten uit hun dreigementencatalogus hadden ze hem voorgelegd, waarvan Wallander zich nauwelijks een voorstelling durfde te maken?

Misschien had Upitis zijn eigen Baiba, had hij kinderen.

Maar werden er in een land als Letland nog steeds kinderen geëxecuteerd? Of was het dreigement dat iedere toekomst voor hen hermetisch afgegrendeld zou worden, ja dat die al verloren was voordat ze was begonnen, voldoende geweest?

Oefende de totalitaire staat op die manier zijn gezag uit, door levens *af te grendelen*?

Wat had Upitis dus voor keuze gehad?

Had hij zijn eigen leven gered, dat van zijn gezin, van Baiba Liepa, door de rol van de moordenaar en misdadiger op zich te nemen, wat hij uiteraard niet was? Wallander probeerde zich het weinige te herinneren wat hij wist van de zogeheten schijnprocessen, dat onvoorstelbare onrecht dat als een afschuwelijke rode draad door de geschiedenis van de communistische landen liep.

Upitis paste ergens in dat geheel en Wallander bedacht dat hij zich nooit zou kunnen voorstellen hoe mensen ertoe gebracht werden uitgerekend die misdaden te bekennen die ze nooit gepleegd zouden kunnen hebben. Bekennen dat je in koelen bloede en weloverwogen je beste vriend hebt vermoord, degene die de toekomstdroom koesterde waar je zelf ook voor leefde.

Ik zal het nooit weten, dacht hij.

Ik zal nooit weten wat er gebeurd is en dat is maar goed ook, omdat ik het toch nooit zal begrijpen. Maar Baiba Liepa zou het wel begrijpen en zij moet weten wat er gebeurd is. Iemand moet het testament van de majoor in zijn bezit hebben. Zijn onderzoek is niet dood, het leeft voort. Maar het is vogelvrij en het verstopt zich daar waar niet alleen de geest van de majoor erover waakt.

Wat ik zoek is *de Bewaker*, dat moet ik Baiba Liepa vertellen. Ergens moet een geheim liggen, dat niet verloren mag gaan. Dat zo slim verborgen is dat alleen zij het kan vinden en duiden, want haar vertrouwde hij. Zij was majoor Liepa's engel, in een wereld waarin alle andere engelen gevallen engelen waren.

Sergeant Zids stopte bij een poort in de oude stadsmuur van Riga en Wallander stapte uit de auto, omdat hij begreep dat dit de Zweedse Poort was, waar de vrouw van Putnis het over gehad had. Hij rilde en merkte dat het opnieuw kouder was geworden. Afwezig keek hij naar de gebarsten stenen muur en probeerde een paar oude tekens die in het steen uitgehouwen waren te duiden. Maar hij gaf het meteen weer op en liep naar de auto terug.

'Gaan we nog verder?' vroeg de sergeant.

'Ja', zei Wallander. 'Ik wil alles zien wat de moeite waard is.'

Hij had doorgekregen dat Zids graag autoreed. En in de eenzaamheid van de achterbank gaf hij ondanks de kou, ondanks de onrustige blik van de sergeant in het achteruitkijkspiegeltje, toch de voorkeur aan de auto boven zijn hotelkamer. Hij dacht aan de avond die voor hem lag. Het was absoluut noodzakelijk dat er niets plaatsvond dat een ontmoeting met Baiba Liepa verhinderde. Heel even meende hij dat het misschien beter was als hij probeerde haar nu te bereiken, haar op de universiteit, waar die dan ook mocht zijn, op te zoeken en haar in een verlaten gang te vertellen wat hem nu bekend was. Maar hij wist niet welk vak ze doceerde en hij wist zelfs niet of Riga meer dan één universiteit had.

Er was nog iets anders dat langzaam tot hem was doorgedrongen. Zijn schaarse en korte ontmoetingen met Baiba Liepa, vluchtig en getekend door hun wrange uitgangspunt, hadden van meer getuigd dan van gesprekken rond een plotselinge dood. Hadden getuigd van een gevoel dat veel verderging, van meer diepgang getuigde dan hij gewend was. Het verontrustte hem. Diep vanbinnen hoorde hij zijn woedende vader, zijn stem die tekeerging over de verloren zoon die niet alleen bij de politie was gegaan, maar ook nog zo dom was om verliefd te worden op de weduwe van een Letse politieofficier.

Was dat zo? Was hij inderdaad verliefd op Baiba Liepa geworden?

Alsof sergeant Zids het benijdenswaardige vermogen bezat gedachten te kunnen lezen, sloeg deze zijn arm uit, wees naar een langgerekt en lelijk stenen gebouw en zei dat er een deel van de universiteit van Riga in gehuisvest was. Wallander keek door de beslagen autoruit naar een somber bouwwerk. Misschien zat Baiba Liepa wel in dat, op een gevangenis lijkende gebouw. Alle officiële gebouwen in dit land straalden 'gevangenis' uit en de mensen die zich daarin bevonden waren gevangenen, dacht hij.

Maar de majoor niet, en Upitis niet, al was die in werkelijkheid nu een gevangene en niet alleen maar in een boze droom waaraan misschien wel nooit een einde zou komen. Opeens had hij er genoeg van om zo met de sergeant rond te rijden en hij vroeg hem hem naar zijn hotel te brengen. Zonder dat hij wist waarom verzocht hij Zids om tegen twee uur terug te komen.

In de receptie zag hij meteen een van de in het grijs geklede mannen die daar rondhingen om hem in de gaten te houden. De kolonels hoefden niet langer te doen alsof, dacht hij. Hij ging naar de eetzaal en zette zich demonstratief aan een ander tafeltje dan het gebruikelijke, ook al keek de kelner die hem bediende nog zo ongelukkig. Ik kan een ongelooflijke verwarring veroorzaken door me tegen de overheidsdienst te verzetten, die verantwoordelijk is voor het toewijzen van tafeltjes in eetzalen, dacht hij woedend. Hij plofte neer in zijn stoel, bestelde een borrel en een glas bier en merkte dat hij weer last had van een van de terugkerende puisten op zijn ene bil. Dat wakkerde zijn woede nog meer aan. Meer dan twee uur bleef hij in de eetzaal zitten en als zijn glas leeg was, wenkte hij de kelner en liet zich nog eens inschenken. Terwijl hij hoe langer hoe dronkener werd, flitste er van alles en nog wat door hem heen en in een sentimentele aanval van zwakte stelde hij zich voor dat Baiba Liepa met hem meeging naar Zweden. Toen hij de eetzaal verliet, kon hij niet nalaten naar de grijsgeklede man te zwaaien, die op een bank de wacht had betrokken. Hij ging naar zijn kamer, liet zich op het bed vallen en viel in slaap. Veel later bonsde er iemand op een deur in zijn hoofd. Maar dat vond plaats buiten hem. De sergeant klopte in de gang op zijn deur. Wallander schrok op, sprong uit bed en riep tegen hem dat hij moest wachten. Hij plensde koud water over zijn gezicht.

Hij vroeg de sergeant hem de stad uit te rijden, naar een bos waar hij een wandeling kon maken en waar hij zijn ontmoeting met zijn geliefde kon voorbereiden die hem naar Baiba Liepa zou brengen.

Hij had het koud in het bos, de grond onder zijn voeten was hard en hij vond de hele situatie onzinnig.

We leven in een tijd waarin muizen op katten jagen, dacht hij. Maar ook dat klopt niet meer, want niemand weet nog wie de muis en wie de kat is. En dat is dus de tijd waar ik in leef. Hoe kan iemand politieman zijn als alles anders is dan het lijkt, als er niets meer klopt. Zelfs Zweden, het land dat ik eens dacht te kennen, vormt geen uitzondering meer op die regel. Een jaar geleden zat ik behoorlijk dronken achter het stuur, maar het had geen consequenties omdat mijn collega's een kring om me vormden en me beschermden. Dus ook daar schudt de misdadiger de hand van zijn jagers.

Toen hij in het naaldbos liep, met ergens achter zich Zids die in de auto zat te wachten, besloot hij ineens te solliciteren bij de rubberfabriek in Trelleborg. Hij had nu het punt bereikt waarop de beslissing zichzelf nam. Zonder zelfoverwinning, zonder aarzeling zag hij in dat het tijd was om iets anders te gaan doen.

Die gedachte vrolijkte hem op en hij liep weer naar de auto. Ze reden naar Riga terug. Hij nam afscheid van de sergeant en ging naar de receptie om zijn sleutel te halen. Daar lag een brief van kolonel Putnis op hem te wachten, waarin stond dat zijn vliegtuig de volgende dag om halftien vertrok. Hij ging naar zijn kamer, nam een bad in het lauwe water en kroop in bed. Nog drie uur voordat hij zijn geliefde zou ontmoeten. Opnieuw ging hij alles wat er gebeurd was na. In gedachten volgde hij de majoor en hij meende de volle omvang van de haat te bespeuren, die Karlis Liepa gevoeld moest hebben. De haat en onmacht die ontstaan wanneer je een hele reeks bewijzen hebt waar je niets mee kunt doen. Hij had een blik in het donkere hart van de corruptie geworpen, waar Putnis of Murniers of beiden misschien met misdadigers verkeerden en waar ze door onderhandelingen dingen voor elkaar kregen die zelfs de maffia niet lukte: een door de staat gecontroleerde, criminele activiteit. De majoor had dat gezien, hij had te veel gezien en hij was vermoord. Wat er overbleef was zijn testament, zijn onderzoek en de bewijzen die hij verzameld had.

Wallander ging plotseling recht overeind in bed zitten.

Hij zag nu in dat hij de belangrijkste consequentie van dat testament over het hoofd had gezien. De conclusie die hij getrokken had, moest Putnis of Murniers ook getrokken hebben. Ze waren natuurlijk tot dezelfde slotsom gekomen en ze hadden er uiteraard hetzelfde belang bij om de door majoor Liepa verstopte bewijzen op te sporen.

Opeens dook de angst weer op. Niets was in dit land eenvoudiger dan een Zweedse politieman te laten verdwijnen. Ze konden een ongeluk in scène zetten, een onderzoek naar een misdrijf construeren alsof het een spel met woorden was. En vervolgens een loden kist naar Zweden sturen met een spijtbetuiging.

Misschien verdachten ze hem er nu reeds van dat hij te veel wist?

Of was het haastig genomen besluit dat hij naar huis terug moest keren, een teken dat ze zeker waren dat hij niets wist?

Ik kan niemand in vertrouwen nemen, dacht Wallander. Ik sta er helemaal alleen voor en ik moet doen wat Baiba Liepa deed, besluiten wie ik kan vertrouwen, ik moet het risico nemen van een beslissing die misschien verkeerd uitpakt. Alleen, ik sta in mijn eentje en om me heen word ik in de gaten gehouden door ogen en oren die niet zullen aarzelen mij dezelfde weg op te sturen als de majoor.

Misschien moest hij inzien dat een tweede gesprek met Baiba Liepa te riskant was.

Hij stond op en ging bij het raam staan om over de daken van de huizen uit te kijken. Het was inmiddels donker geworden, het liep tegen zevenen en hij wist dat hij een besluit moest nemen.

Ik ben zeker geen moedig man, dacht hij. En ik ben al helemaal niet een de dood verachtende politieman die voor geen enkel risico terugdeinst. Het liefst van alles zou ik 'onbloedige' inbraken en fraudegevallen in een rustig deel van Zweden oplossen.

Daarna dacht hij aan Baiba Liepa, aan haar angst en haar opstandigheid en hij wist dat hij nooit met zichzelf in het reine zou komen, als hij zich nu afzijdig hield.

Hij trok zijn nette pak aan en ging even na achten naar de nachtclub.

Een nieuwe, grijsgeklede man zat met een nieuwe krant in de foyer. Maar Wallander gaf zich dit keer niet de moeite te zwaaien. Hoewel het nog vroeg in de avond was, was het al druk in de nachtclub. Hij zocht zich een weg tussen de tafeltjes, ving een glimp op van vrouwen die uitnodigend glimlachten en vond ten slotte een vrij tafeltje. Hij besloot niet te drinken, hij moest helder blijven, maar toen een kelner naar zijn tafeltje kwam bestelde hij toch een whisky. Het podium was leeg, de schallende muziek kwam uit luidsprekers die aan het zwartgeschilderde plafond hingen. Hij probeerde in het rokerige schemerland mensen te onderscheiden, maar alles was een en al schaduw en stemmen die zich met die vreselijke muziek mengden.

Inese verscheen uit het niets en ze speelde haar rol met een zekerheid die hem verbaasde. Er was niets over van de verlegen vrouw die hij een paar dagen eerder had ontmoet. Ze was zwaar opgemaakt, uitdagend gekleed in een kort rokje en hij besefte dat hij zich geen moment had voorbereid op de rol die hij in dit spel te spelen had. Hij stak zijn hand uit om haar te begroeten, maar ze negeerde die en boog zich over hem heen om hem te kussen.

'We wachten nog even', zei ze. 'Bestel een drankje voor me. Lach, wees blij me te zien.'

Ze dronk whisky, rookte nerveus en Wallander probeerde zijn rol van gevleide man van middelbare leeftijd te spelen, die de aandacht van een jonge vrouw getrokken had. Hij probeerde door het lawaai van de onzichtbare luidsprekers heen te dringen en vertelde van zijn lange rit door de stad met de sergeant als gids. Hij zag dat ze op een stoel was gaan zitten, vanwaar ze de deur naar de nachtclub kon zien. Toen Wallander zei dat hij de volgende dag naar huis zou gaan, schrok ze. Hij vroeg zich af hoe diep ze erbij betrokken was en of ze ook een van de *vrienden* was over wie Baiba Liepa gesproken had. De vrienden wier dromen ervoor garant stonden dat de toekomst van het land niet voor de zwijnen geworpen werd.

Maar ook haar kan ik niet vertrouwen, dacht Wallander. Ook zij kan met dubbele opdrachtgevers leven, onder dwang en uit nood of als een laatste stuiptrekking van machteloze wanhoop.

'Betaal', zei ze. 'We moeten zo weg.'

Wallander zag dat de verlichting op het podium aangestoken werd en dat de muzikanten in hun roze zijden jasjes hun instrumenten begonnen te stemmen. Hij betaalde de kelner en ze glimlachte, deed alsof ze liefdeswoordjes in zijn oor fluisterde.

'Naast de toiletten is een achterdeur', zei ze. 'Die is op slot, maar als je klopt doet er iemand open. Je komt dan in een garage. Daar staat een witte Moskvitch met een geel spatbord over het rechtervoorwiel. De auto is niet afgesloten. Ga op de achterbank zitten. Ik kom meteen achter je aan. Glimlach, fluister in mijn oor, kus me. En ga.'

Hij deed wat ze gezegd had en stond toen op. Bij de toiletten klopte hij op de stalen deur en meteen klikte het slot open. De mensen liepen de toiletten in en uit, maar niemand scheen te zien dat hij snel door de deur naar de garage glipte.

Ik bevind me in een land dat bestaat uit geheime in- en uitgangen, dacht hij. Niets schijnt openlijk te gebeuren.

De garage was smal, rook naar smeerolie en benzine en was slecht verlicht. Wallander zag een vrachtwagen die een wiel miste, een paar fietsen en de witte Moskvitch. De man die de deur voor hem open gedaan had, was onmiddellijk verdwenen. Wallander voelde aan het portier. Het was niet op slot. Hij ging op de achterbank zitten wachten. Meteen daarna verscheen Inese, ze had haast. Ze startte de auto, de deuren van de garage gleden open, ze reed het hotel uit en sloeg linksaf, weg van de brede straten die het blok omsloten, waarvan hotel Latvija het centrum vormde. Hij zag hoe ze opmerkzaam in het achteruitkijkspiegeltje naar eventuele auto's keek. Ze sloeg een paar keer af en volgde een onzichtbare plattegrond. Hij kon zich al snel niet meer oriënteren. Na ongeveer twintig minuten van voortdurend andere straten in- en uitrijden, scheen ze ervan overtuigd dat ze niet gevolgd werden. Ze vroeg Wallander om een sigaret en hij stak die voor haar aan. Ze staken de lange ijzeren brug over en gingen op in het ratjetoe van smerige fabrieksgebouwen en eindeloze buurten met kazerneachtige huurhuizen. Toen ze stopte en de motor afzette, twijfelde Wallander of hij het huis wel herkende.

'Schiet op', zei ze. 'We hebben weinig tijd.'

Baiba Liepa liet hen binnen. Haastig wisselde ze een paar woorden met Inese. Wallander vroeg zich af of ze gehoord had dat hij Riga morgen al zou verlaten. Maar ze liet niets merken, ze pakte zijn jack aan en legde dat over de zitting van een stoel. Inese was verdwenen en ze waren opnieuw alleen in de stille kamer met de zware gordijnen. Wallander had geen idee hoe hij moest beginnen of wat hij eigenlijk moest zeggen. Daarom deed hij iets wat Rydberg vaak tegen hem gezegd had: zeg zoals het is, de pijn wordt er niet erger door, zeg zoals het is!

Toen hij vertelde dat Upitis bekend had dat hij haar man had vermoord, kromp ze plotseling op de bank ineen alsof ze pijn had.

'Dat is niet waar', fluisterde ze.

'Ze hebben zijn bekentenis voor me vertaald', zei Wallander. 'Hij zou twee medeplichtigen gehad hebben.'

'Het is niet waar!' schreeuwde ze en het was als een rivier die eindelijk door een dam heen brak. Inese dook op uit de schaduwen bij de deur die waarschijnlijk naar een keuken leidde. Ze keek naar Wallander en plotseling wist hij wat hij moest doen. Hij ging op de bank zitten en sloeg zijn armen om Baiba Liepa heen, die schokte van het huilen. Hij kon nog net denken dat ze misschien huilde omdat Upitis een verraad had gepleegd, dat zo barbaars was dat het ieder voorstellingsvermogen te boven ging. Maar ze kon ook huilen omdat de waarheid door een valse, afgedwongen bekentenis de nek om werd gedraaid. Ze huilde uitzinnig en klampte zich aan hem vast alsof een langdurige kramp bezit van haar had genomen.

Naderhand zou hij denken dat hij op dat moment definitief de onzichtbare grens overschreed en zijn liefde voor Baiba Liepa begon te erkennen. Hij besefte opeens dat de oorsprong van zijn liefde geworteld was in het feit dat een ander hem nodig had. Hij vroeg zich af of hij ooit eerder iets dergelijks had beleefd.

Inese verscheen met twee koppen thee. Vluchtig streek ze Baiba Liepa over het hoofd en meteen hield Baiba Liepa op met huilen. Haar gezicht was asgrauw.

Wallander vertelde wat er gebeurd was en dat hij naar Zweden terug zou keren. Hij vertelde haar het hele verhaal zoals hij dacht dat het in elkaar stak en hij was zelf verbaasd dat hij het zo overtuigend wist te brengen. Ten slotte sprak hij over de geheime stukken die zich ergens moesten bevinden. Ze begreep het en knikte.

'Ja', zei ze. 'Hij moet iets verstopt hebben. Hij moet aantekeningen hebben gemaakt. Een testament kan niet alleen maar uit niet-opgeschreven gedachten bestaan.'

'Maar u weet niet waar het is?'

'Hij heeft nooit iets gezegd.'

'Is er soms iemand anders die iets kan weten?'

'Niemand. Hij vertrouwde alleen mij.'

'Woont zijn vader niet in Ventspils?'

Ze keek hem verbaasd aan.

'Dat heb ik uitgezocht', zei hij. 'Misschien is dat een mogelijkheid.'

'Hij hield veel van zijn vader,' zei ze, 'maar hij zou hem nooit geheime documenten toevertrouwen.'

'Waar kan hij ze dan verstopt of gedeponeerd hebben?'

'Niet bij ons thuis. Dat zou te gevaarlijk zijn. De politie zou het hele huis afgebroken hebben, als ze dacht dat er iets lag.'

'Denk na', zei Wallander. 'Ga terug in de tijd, denk na. Waar kan hij ze verstopt hebben?'

Ze schudde haar hoofd. 'Ik weet het niet', zei ze.

'Hij moet zich gerealiseerd hebben dat er kon gebeuren wat nu gebeurd is. Hij moet ervan uitgegaan zijn dat u zou veronderstellen dat er ergens bewijzen lagen. En dat die op een plaats zouden liggen waar alleen u op zou komen.'

Plotseling greep ze zijn hand.

'U moet me helpen', zei ze. 'Ga niet weg.'

'Ik kan onmogelijk blijven', antwoordde hij. 'De kolonels zullen niet begrijpen waarom ik niet naar Zweden terug ben gegaan. En hoe zou ik hier kunnen blijven zonder dat ze daar achter komen?'

'U kunt terugkomen', zei ze en liet zijn hand niet los. 'U hebt hier een vriendin. U kunt als toerist komen.'

Maar ik hou van jou, dacht hij. Niet van Inese die mijn zogenaamde geliefde is.

'U hebt hier een vriendin', herhaalde ze.

Hij knikte. Natuurlijk had hij iemand in Riga. Maar Inese was dat niet.

Hij zei niets en ze eiste niet dat hij zou antwoorden. Ze leek er zeker van te zijn dat hij terug zou keren. Inese kwam de kamer binnen. Baiba Liepa was ineens over de schok heen, dat Upitis een valse bekentenis had afgelegd.

'In ons land kun je sterven als je praat', zei ze. 'En je kunt sterven als je zwijgt. Of iets fouts zegt. Of met de verkeerde mensen praat. Maar Upitis is sterk. Hij weet dat we hem niet in de steek laten. Hij weet dat wij weten dat zijn bekentenis vals is. Daarom zullen we uiteindelijk overwinnen.'

'Overwinnen?'

'We willen alleen het ware. We willen alleen het fatsoenlijke, het eenvoudige. De vrijheid om te leven in de vrijheid die we zelf kiezen.'

'Dit zijn te grote woorden voor mij', zei Wallander. 'Ik wil weten wie majoor Liepa vermoord heeft. Ik wil weten waarom twee dode mannen op de Zweedse kust aan land gedreven zijn.'

'Als u terugkomt, zal ik u mijn land leren kennen', zei Baiba Liepa. 'En niet alleen ik, maar ook Inese.'

'Ik weet het niet', antwoordde Wallander.

Baiba Liepa keek hem aan.

'U bent geen man die zich ergens onderuit draait', zei ze. 'Dan zou Karlis zich vergist hebben en dat deed hij nooit.'

'Het is onmogelijk', zei Wallander. 'Als ik terug zou komen zouden de kolonels dat onmiddellijk weten. Ik zou een andere identiteit nodig hebben, een ander paspoort.'

'Dat valt te regelen', antwoordde Baiba Liepa gretig. 'Als ik maar weet dat u komt.'

'Ik ben politieman', zei Wallander. 'Ik zou mijn hele loopbaan op het spel zetten door met valse identiteitspapieren de wereld rond te reizen.'

Op hetzelfde moment had hij spijt van zijn woorden. Hij keek Baiba Liepa recht in de ogen en zag het gezicht van de dode majoor.

'Goed', zei hij langzaam. 'Ik kom terug.'

De nacht passeerde het punt van middernacht. Wallander probeerde haar te helpen met het vinden van een aanwijzing op welke plek de majoor zijn bewijsstukken verborgen kon hebben.

Ze was een en al concentratie, maar nergens vonden ze zo'n aanwijzing. Ten slotte doofde het gesprek uit. Ergens in het donker wachtten de honden op me, dacht Wallander. De honden van de kolonels, wier waakzaamheid nooit aflaat. Een groeiend gevoel van onwerkelijkheid nam bezit van hem en het drong tot hem door dat hij een samenzwering werd ingezogen, die tot doel had hem terug te brengen naar Riga en naar het onderzoek van een misdaad, dat in het geheim moest plaatsvinden. Hij zou een niet-politieman zijn in een hem volstrekt onbekend land en hij zou als die niet-politieman op zoek zijn naar de waarheid achter een misdrijf dat door al te veel mensen als een gepasseerd station werd beschouwd. Hij realiseerde zich het waanzinnige van de onderneming, maar zijn ogen konden het gezicht van Baiba Liepa niet loslaten. Bovendien had in haar stem een overtuiging doorgeklonken, die zo sterk was dat hij er geen weerstand aan kon bieden.

Het was bijna twee uur toen Inese zei dat ze op moesten breken. Ze liet hem met Baiba Liepa alleen en zwijgend namen ze afscheid van elkaar.

'We hebben vrienden in Zweden', zei ze. 'Die zullen contact met u opnemen. Via hen kan uw reis hierheen georganiseerd worden.'

Toen boog ze zich haastig voorover en kuste hem op zijn wang.

Inese reed hem terug naar zijn hotel. Toen ze bij de brug gekomen waren, knikte ze naar het achteruitkijkspiegeltje.

'Nu worden we gevolgd. We moeten er verliefd uitzien en doen of het ons moeite kost voor het hotel afscheid te nemen.'

'Ik zal mijn best doen', antwoordde Wallander. 'Misschien moet ik proberen je mee naar mijn kamer te lokken.'

Ze lachte.

'Ik ben een fatsoenlijk meisje,' zei ze, 'maar als u terugkomt, zou het zover kunnen komen.'

Ze ging weg. Hij bleef nog even in de kou staan en probeerde eruit te zien alsof hij opging in zijn verlies van haar.

De volgende dag ging hij met Aeroflot naar huis, via Helsinki.

De beide kolonels loodsten hem door het incheckpunt en namen hartelijk afscheid van hem.

Een van hen heeft de majoor vermoord, dacht Wallander.

Of alletwee misschien? Hoe kan een politieman uit Ystad erachter komen wat er precies gebeurd is?

Laat in de avond kwam hij thuis en deed de deur van zijn flat in Mariagatan open.

Alles was toen al als een droom beginnen te vervagen en hij bedacht dat hij Baiba Liepa nooit meer terug zou zien. Ze zou tranen over haar dode man blijven storten zonder ooit te weten wat er gebeurd was.

Hij schonk zich wat van de whisky in die hij aan boord van het vliegtuig gekocht had.

Voor hij naar bed ging, luisterde hij lang naar Maria Callas.

Hij voelde zich moe en was onrustig.

Hij vroeg zich af wat er zou gebeuren.

14

Zes dagen na zijn thuiskomst lag er een brief op hem te wachten.

Hij vond hem in het halletje na een lange, moeizame dag op het politiebureau. De hele middag was er dikke, natte sneeuw gevallen en hij had lang in het portaal staan stampen voor hij de deur van het slot deed.

Naderhand had hij gedacht dat het had geleken of hij zich tot het laatst tegen de mogelijkheid had willen afschermen dat ze contact met hem zouden opnemen. Diep in zijn hart had hij de hele tijd geweten dat ze het zouden doen, maar hij wilde het nog even uitstellen, omdat hij er nog niet klaar voor was.

Er lag een gewone bruine envelop op de deurmat. Eerst dacht hij dat het een reclamefolder was, omdat er een firmanaam op stond. Hij legde de envelop op het kastje in de hal en vergat haar. Pas toen hij gegeten had, een vergeten, gegratineerde visschotel die te lang in het vriesvak van de koelkast had gelegen, herinnerde hij zich de brief en ging hem halen. 'Lippmans Blommor' stond er op de envelop en hij vond het een vreemde tijd voor een tuincentrum om nu reclamefolders te verzenden. Even dacht hij erover hem ongeopend in de vuilnisbak te gooien, maar hij kon zelfs de meest onbenullige reclame niet wegdoen zonder eerst gekeken te hebben. Hij wist dat het een beroepsdeformatie was. Er kon tussen de kleurrijke brochures iets verborgen zitten. Vaak had hij gedacht dat hij leefde als een man die iedere steen op zijn weg om moest keren. Hij moest altijd weten wat eronder lag.

Toen hij de envelop openscheurde en zag dat er een met de hand geschreven brief in zat, besefte hij dat ze contact met hem hadden opgenomen.

Hij liet de brief op de keukentafel liggen en ging koffie zetten. Hij voelde dat hij zichzelf enige tijd moest gunnen voordat hij las wat ze schreven en hij wist dat dat vanwege Baiba Liepa was.

Toen hij de vorige week op Arlanda uit het vliegtuig was gestapt, had hij een onduidelijk, misschien wat verdrietig gevoel gehad. Maar de opluchting dat hij niet langer in een land was, waar hij voortdurend bewaakt werd, had hem er ook toe verleid in een uitbarsting van onverwachte spontaniteit iets tegen de vrouwelijk pascontroleur te zeggen toen hij zijn paspoort onder het glazen ruitje schoof. 'Het is goed weer thuis te zijn', had hij gezegd, maar ze had alleen een vluchtige en afwijzende blik op hem geworpen en zijn pas teruggeschoven zonder die zelfs open te slaan.

Dit is Zweden, had hij gedacht. Uiterlijk ziet alles er hier licht en fris uit en we hebben onze vliegvelden zo gebouwd dat vuil of schaduwen geen kans hebben zich ergens te nestelen. Bij ons is alles zichtbaar, is alles precies wat het pretendeert te zijn. Onze religie en onze armzalige, nationale hoop bestaan uit de geborgenheid die in onze grondwet verankerd ligt en die de wereld verkondigt dat het bij ons een misdaad is om te verhongeren. Maar onnodig praten met vreemden is er niet bij, want iets wat vreemd is, kan pijn doen, kan onze hoeken en gaten vuil en onze neonbuizen zwart maken. Wij hebben nooit een imperium opgebouwd en we hebben het daarom ook nooit ineen hoeven zien storten. Maar we hebben onszelf wel wijsgemaakt dat we de beste van alle werelden hebben, al was ze dan klein. Wij zijn de betrouwbare bewakers van het paradijs geweest en nu het feest voorbij is, nemen we wraak door de strengste pascontroleurs van de wereld te hebben, die de toegang tot ons land moeten verhinderen.

Zijn opluchting maakte bijna onmiddellijk plaats voor neerslachtigheid. Er was in de wereld van Kurt Wallander, in dat gedeeltelijk onttakelde, met pensioen gestuurde paradijs, geen plaats voor Baiba Liepa. Hij kon zich haar in al dit licht, in die goed functionerende, dus daarom juist zo bedrieglijke neonverlichting, niet daadwerkelijk voorstellen. Toch verlangde hij al naar haar en nadat hij zijn koffer door de lange, op een gevangenis lijkende gang naar de pas gebouwde binnenlandse vertrekhal had gezeuld, waar hij op zijn vliegtuig naar Malmö moest wachten, droomde hij zich terug in Riga, de stad waar de onzichtbare honden hem in de gaten gehouden hadden. Het vliegtuig naar

Malmö was te laat geweest, hij had een bonnetje gekregen dat hem recht op een broodje gaf en hij was lang blijven zitten om te kijken naar de luchthaven waar de vliegtuigen in een dwarreling van fijnkorrelige sneeuw opstegen en landden. Om hem heen praatten mannen in maatkostuums onafgebroken in mobiele telefoons en tot zijn verwondering hoorde hij een te zware handelsreiziger in centrifugaalpompen in zijn onwerkelijke telefoonapparaat het sprookje van Hans en Grietje aan een kind voorlezen. Daarna had hij zelf in een telefooncel naar zijn dochter gebeld en tot zijn verbazing had hij haar nog aan de lijn gekregen ook. Op slag was er de blijdschap geweest haar stem te horen. Even had hij erover gedacht een paar dagen in Stockholm te blijven, maar hij begreep dat ze het druk had en hij liet het voorstel niet over zijn lippen komen. Hij dacht aan Baiba Liepa, aan haar angst en haar opstandigheid. Hij vroeg zich af of ze durfde te geloven dat de Zweedse politieman haar niet in de steek zou laten. Maar wat kon hij eigenlijk doen?

Als hij terugging, zouden de honden onmiddellijk lucht van hem krijgen en zou hij er nooit in slagen hen van zich af te schudden.

Toen hij laat in de avond op Sturup arriveerde, was er niemand om hem af te halen. Hij nam een taxi naar Ystad en zat op de achterbank te praten met de chauffeur die veel te hard reed. Toen ze uitgepraat waren over de mist en de fijnkorrelige sneeuw die in het licht van de koplampen neerdwarrelde, meende hij plotseling de geur van Baiba Liepa in de auto te ruiken en er overviel hem een grote angst dat hij haar nooit meer terug zou zien.

De dag na zijn thuiskomst reed hij naar zijn vader in Löderup. De thuishulp had zijn haar geknipt en Wallander vond dat zijn vader er beter uitzag dan in jaren het geval geweest was. Hij had een fles cognac voor hem gekocht en zijn vader knikte tevreden toen hij het merk had bestudeerd.

Tot zijn verbazing had hij zijn vader over Baiba Liepa verteld.

Ze hadden in de oude stal gezeten, die zijn vader als atelier gebruikte. Op de ezel stond een nog onafgemaakt doek. Het landschap was eeuwig hetzelfde. Maar Wallander zag dat het een van de exemplaren zou worden met een auerhaan in de linkerbenedenhoek. Toen hij met zijn cognac kwam, was zijn vader juist bezig geweest de snavel van de auerhaan te schilderen. Maar hij had zijn kwast neergelegd en zijn handen aan een naar terpentine ruikende lap afgeveegd. Wallander vertelde van zijn reis naar Riga en plotseling, zonder dat hij zelf begreep waarom, hield hij op de stad te beschrijven en vertelde van zijn ontmoeting met Baiba Liepa. Hij vertelde niet dat ze de weduwe van een vermoorde politieman was. Hij noemde alleen haar naam, dat hij haar ontmoet had, dat hij haar miste.

'Heeft ze kinderen?' vroeg zijn vader.

Wallander schudde zijn hoofd.

'Kan ze kinderen krijgen?'

'Dat neem ik aan. Maar hoe zou ik dat moeten weten?'

'Je weet toch wel hoe oud ze is?'

'Jonger dan ik. Drieëndertig misschien.'

'Dan kan ze dus kinderen krijgen.'

'Waarom vraagt u of ze kinderen kan krijgen?'

'Omdat ik geloof dat dat goed voor je zou zijn.'

'Ik heb een kind. Ik heb Linda.'

'Eentje is te weinig. Een mens moet minstens twee kinderen hebben om te begrijpen wat het eigenlijk inhoudt. Haal haar naar Zweden. Trouw met haar!'

'Zo gemakkelijk gaat dat niet.'

'Moet je alles dan altijd zo verdomd moeilijk maken, alleen omdat je bij de politie bent?'

Daar gaan we weer, dacht Wallander. Nu zijn we er weer. Ik kan geen gesprek met hem voeren of hij zoekt onmiddellijk een aanleiding om me te verwijten dat ik bij de politie ben gegaan.

'Kunt u een geheim bewaren?' vroeg hij.

Zijn vader keek hem wantrouwend aan.

'Hoe zou ik dat niet kunnen?' antwoordde hij. 'Aan wie zou ik iets moeten vertellen?'

'Misschien ga ik weg bij de politie', zei Wallander. 'Misschien zoek ik ander werk. Als veiligheidsbeambte bij de rubberfabriek in Trelleborg. Maar alleen misschien.'

Zijn vader keek lang naar hem zonder te antwoorden.

'Het is nooit te laat om verstandig te worden', zei hij ten slotte. 'Het enige waar je spijt van zult krijgen, is dat je zo lang gewacht hebt.'

'Ik zei misschien. Ik zei niet dat het vaststond.'

Maar zijn vader hoorde hem niet. Hij had zich weer naar zijn schilderij en de snavel van de auerhaan omgekeerd. Wallander ging op een oude stepslee zitten en nam hem een tijdje zwijgend op. Daarna reed hij naar huis in het besef dat hij niemand had om mee te praten. Op drieënveertigjarige leeftijd miste hij een vertrouwd iemand naast zich. Toen Rydberg gestorven was, was hij eenzamer geworden dan hij zich voor had kunnen stellen. Hij had alleen Linda. Met Mona, haar moeder die zich van hem had laten scheiden, had hij geen contact meer. Ze was een vreemde voor hem geworden, hij wist niets over haar leven in Malmö.

Hij passeerde de afslag naar Kåseberga en speelde met de gedachte om naar Göran Boman van de politie in Kristianstad te gaan. Met hem zou hij misschien kunnen praten over wat er gebeurd was.

Maar hij reed niet naar Kristianstad. Hij ging weer aan het werk, nadat hij aan Björk verslag had uitgebracht. Martinson en zijn andere collega's stelden onder het koffiedrinken in de kantine wat vragen, maar het was hem al gauw duidelijk dat niemand eigenlijk geïnteresseerd was in wat hij te vertellen had. Hij deed zijn sollicitatiebrief naar de fabriek in Trelleborg op de post en richtte zijn kamer anders in in een poging zijn werklust die hij verloren had, terug te krijgen.

Björk, die het opgevallen was dat hij afwezig was, probeerde hem met misplaatste welwillendheid op te vrolijken door te vragen een voordracht van hem over te nemen, die hij voor de plaatselijke Rotaryclub moest houden. Hij nam de taak op zich en hield tijdens een lunch in hotel Continental een mislukte voordracht over moderne technische hulpmiddelen bij het politiewerk. Wat hij gezegd had, herinnerde hij zich seconden later al niet meer.

Op een ochtend, toen hij wakker werd, beeldde hij zich in dat hij ziek was.

Hij ging naar de politiearts die hem grondig onderzocht. De arts verklaarde hem gezond, maar zei dat hij zijn gewicht in de gaten moest blijven houden.

Hij was op woensdag uit Riga teruggekeerd en op zaterdagavond ging hij naar een restaurant in Åhus om er te dansen. Na een paar dansen werd hij aan een tafeltje genodigd waar een fysiotherapeute uit Kristianstad zat, die Ellen heette. Maar de hele tijd speelde het gezicht van Baiba Liepa hem parten, het volgde hem als een schaduw en hij ging vroeg naar huis. Hij nam de kustweg en stopte bij het verlaten veld waarop iedere zomer de markten van Kivik gehouden werden. Daar had hij vorig jaar als een idioot met een pistool in de hand achter een moordenaar aangerend. Nu lag er een dik pak sneeuw op het veld, de volle maan liet haar licht over de zee schijnen en hij zag Baiba Liepa voor zich, niet in staat haar uit zijn gedachten te bannen. Hij vervolgde zijn weg en in zijn flat gekomen, zette hij het op een drinken. Hij draaide de muziek zo hard dat de buren op de muren begonnen te bonzen.

Toen hij op zondagochtend wakker werd, had hij hartkloppingen en de dag werd een langgerekt wachten op iets waarvan hij niet wist wat het was.

's Maandags kwam de brief. Hij zat aan de keukentafel en las het mooie handschrift. De brief was ondertekend door iemand die zich Joseph Lippman noemde.

U bent een vriend van ons land, schreef Joseph Lippman. *We hebben bericht uit Riga ontvangen dat u zich voor ons hebt ingezet. Binnenkort nemen we contact op met nadere bijzonderheden over uw terugkeer. Joseph Lippman.*

Wallander vroeg zich af waaruit zijn inzet had bestaan. En wie waren de 'wij' die iets zouden laten horen?

Hij ergerde zich aan de afgemeten tekst, aan de bijna op een bevel lijkende mededeling. Had hij zelf soms niets meer in te brengen? Hij had helemaal niet besloten om in de geheime dienst van onzichtbare mensen te treden, zijn angst en aarzeling waren groter dan zijn besluitvaardigheid en wil. Hij wilde Baiba Liepa terugzien, dat was waar, maar hij wantrouwde zijn eigen motieven en vond dat hij zich nog het meest gedroeg als een ongelukkig verliefde tiener.

Maar toen hij op dinsdagochtend wakker werd, had zich toch een besluit in hem gevormd. Hij reed naar het politiebureau, nam deel aan een troosteloze vakbondsvergadering en ging vervolgens naar Björk.

'Ik wilde vragen of ik nog wat openstaande vakantiedagen op kan nemen', begon hij.

Björk keek naar hem met een mengeling van jaloezie en veel begrip.

'Ik wou dat ik hetzelfde kon zeggen', antwoordde hij somber. 'Ik heb juist een lang stuk van de rijkspolitie zitten lezen. Ik zag in gedachten hoe al mijn collega's in het land hetzelfde deden, gebogen over hun bureau. Na het lezen had ik het gevoel dat de bedoeling van het bericht me absoluut ontging. Ze verwachten dat we ons uitspreken over een aantal eerdere stukken met betrekking tot de geplande, omvangrijke reorganisatie. Maar ik heb geen idee op welk van al die stukken dit schrijven doelt.'

'Neem vrij', stelde Wallander voor.

Björk schoof een papier dat voor hem lag, geërgerd opzij.

'Uitgesloten', antwoordde hij. 'Ik krijg vakantie als ik met pensioen ga. Als ik tot zo lang leef tenminste. Maar het zou ongelooflijk dom zijn als ik op mijn post zou sneuvelen. Je wilt vakantie opnemen, zei je?'

'Ik had gedacht om een weekje in de Alpen te gaan skiën. Dat maakt bovendien de personeelsbezetting op midzomer gemakkelijker. Ik kan dan dienst doen en niet met vakantie gaan voor eind juli.'

Björk knikte.

'Kon je werkelijk nog met een charterreis mee? Ik dacht dat in deze tijd van het jaar alles volgeboekt was.'

'Nee.'

Björk trok vragend zijn wenkbrauwen op.

'Dat klinkt nogal geïmproviseerd.'

'Ik neem de auto. Ik hou niet van geheel verzorgde reizen.'

'Wie wel?'

Björk keek plotseling naar hem met het formele gezicht dat hij trok als hij zich herinnerde wie de chef was.

'Waar ben je op dit moment mee bezig?'

'Ik heb niet veel liggen. Dat geval van mishandeling in Svarte is nog het meest dringende. Maar dat kan iemand anders overnemen.'

'Wanneer wil je weg? Vandaag?'

'Donderdag is goed.'

'Hoelang denk je weg te blijven?'

'Ik heb uitgerekend dat ik nog tien dagen tegoed heb.'

Björk knikte en maakte een aantekening.

'Ik vind het verstandig dat je vakantie neemt', zei hij. 'Je ziet er een beetje belabberd uit.'

'Dat is wel het minste wat je kunt zeggen', antwoordde Wallander en ging de kamer uit.

De rest van de dag besteedde hij aan de mishandelingszaak.

Hij werkte een groot aantal telefoontjes af en had bovendien nog tijd om een schrijven van de spaarbank over een onduidelijkheid op een overschrijving te beantwoorden. Terwijl hij aan het werk was, wachtte hij op wat er komen zou. Hij keek in het telefoonboek van Stockholm en vond verscheidene personen met de naam Lippman. Maar in de Gouden Gids stond geen 'Lippmans Blommor'.

Direct na vijven ruimde hij zijn bureau op en reed naar huis. Hij maakte een omweg en stopte bij het pas gebouwde meubelwarenhuis waar hij naar een leren fauteuil ging kijken, die hij graag wilde hebben. Maar de prijs schrikte hem af. In een levensmiddelenzaak in Hamngatan kocht hij aardappelen en een stuk doorregen spek. Toen hij afrekende knikte het jonge winkelmeisje vriendelijk naar hem, herkennend, en hij herinnerde zich dat hij een paar jaar geleden een dagje bezig was geweest om een man op te sporen die de winkel overvallen had. Hij reed naar huis, maakte zijn eten klaar en posteerde zich voor de tv.

Meteen na negenen namen ze contact met hem op.

De telefoon ging en een man die gebroken Zweeds sprak, vroeg hem naar de pizzeria te komen, die schuin tegenover hotel Continental lag. Wallander, die ineens genoeg had gekregen van al dat geheimzinnige gedoe, vroeg de man naar zijn naam.

'Ik heb alle reden om wantrouwend te zijn', legde hij uit. 'Ik wil weten wat me te wachten staat.'

'Mijn naam is Joseph Lippman. Ik heb u geschreven.'

'Wie bent u?'

'Ik heb een kleine firma.'

'Een tuincentrum?'

'Zo zou je het misschien kunnen noemen.'

'Wat wilt u van mij?'

'Ik geloof dat ik me duidelijk heb uitgedrukt in mijn brief.'

Wallander besloot het gesprek te beëindigen, omdat hij meende dat hij toch geen antwoord zou krijgen. Hij merkte dat hij kwaad was.

Hij was het zat om constant door een aantal onzichtbare gezichten omringd te worden, die stug doorgingen met tegen hem te praten en te eisen dat hij geïnteresseerd was en bereid mee te werken. Hoe wist hij dat deze Lippman geen boodschappenjongen van de Letse kolonels was?

Hij liet zijn auto staan en liep via Regementsgatan naar het centrum. Het was halftien toen hij bij de pizzeria was. Er was een tiental tafeltjes bezet, maar nergens zag hij een man alleen die Lippman kon zijn. Hij herinnerde zich iets wat Rydberg hem een keer geleerd had. *Je moet altijd bedenken of het goed is om als eerste of als laatste op een afgesproken plaats te arriveren.* Daar had hij niet aan gedacht, maar hij wist ook niet of het dit keer zo belangrijk was. Hij ging aan een hoektafeltje zitten, bestelde een pilsje en wachtte.

Joseph Lippman arriveerde om drie minuten voor tien. Wallander had toen al zitten denken of het soms de bedoeling was geweest hem uit zijn flat weg te lokken. Maar toen de deur openging en de man binnenstapte, wist hij onmiddellijk dat het Joseph Lippman was. De man was in de zestig en had een jas aan, die veel te groot voor hem was. Hij bewoog zich voorzichtig tussen de tafeltjes door, alsof hij bang was te vallen of op een mijn te trappen. Hij glimlachte tegen Wallander, trok zijn jas uit en nam tegenover hem plaats. Hij was op zijn hoede en wierp verstolen blikken om zich heen. Aan een van de tafeltjes zaten twee mannen woedend te praten over een afwezige derde wiens voornaamste eigenschap een grenzeloze onbekwaamheid was.

Joseph Lippman moest een jood zijn. Hij had in ieder geval een uiterlijk waarvan Wallander dacht dat het joods was.

Zijn wangen waren grauw vanwege een krachtige baardgroei, zijn ogen donker achter een montuur zonder randen. Maar wat wist hij eigenlijk van een joods uiterlijk? Niets.

De serveerster kwam naar hun tafeltje en Lippman bestelde een kopje thee. Zijn beleefdheid was zo opvallend dat Wallander vermoedde dat er een mens achter schuilging die in zijn leven heel wat vernederingen had ondergaan.

'Ik ben u dankbaar dat u gekomen bent', zei Lippman. Hij sprak zo zacht dat Wallander zich over het tafeltje heen moest buigen om hem te verstaan.

'U hebt me niet veel keus gelaten', antwoordde Wallander. 'Eerst een brief, dan een telefoontje. Misschien zou u eerst kunnen zeggen wie u bent.'

Lippman schudde afwerend zijn hoofd.

'Wie ik ben doet er niet toe. U bent van belang, meneer Wallander.'

'Nee', antwoordde Wallander en merkte dat hij zich weer begon te ergeren. 'U moet goed begrijpen dat ik niet van plan ben te luisteren naar wat u te zeggen hebt, als u niet eens bereid bent mij zozeer te vertrouwen dat u zegt wie u bent.'

De serveerster kwam met Lippmans thee en het antwoord bleef in de lucht hangen tot ze weer alleen waren.

'Mijn rol is die van organisator en boodschapper', zei Lippman. 'Wie vraagt naar de naam van de boodschapper? Die is niet belangrijk. We ontmoeten elkaar hier vanavond en daarna verdwijn ik. Waarschijnlijk zien we elkaar nooit meer. Het is dus niet in de eerste plaats een kwestie van vertrouwen, het is eerder een praktische kwestie. Veiligheid is altijd een praktisch probleem. Volgens mij is ook vertrouwen een probleem van praktische aard.'

'Dan kunnen we het gesprek net zo goed meteen beëindigen', zei Wallander.

'Ik heb een boodschap van Baiba Liepa', antwoordde Lippman haastig. 'Wilt u die niet horen?'

Wallander ontspande zich op zijn stoel. Hij keek naar de man die tegenover hem zat, vreemd ineengedoken alsof zijn gezondheid zo slecht was dat hij elk moment in elkaar kon zakken.

'Ik wil niets horen voordat ik weet wie u bent', herhaalde hij ten slotte. 'Zo simpel ligt het.'

Lippman zette zijn bril af en deed voorzichtig melk in zijn thee.

'Het is uit bezorgdheid', zei Lippman. 'Uit bezorgdheid om u, meneer Wallander. In deze tijd is het vaak beter dat men zo min mogelijk weet.'

'Ik ben in Letland geweest', zei Wallander. 'Ik ben er zelf geweest en ik denk dat ik begrijp wat het is om constant in de gaten gehouden te worden, constant gecontroleerd. Maar we zijn hier in Zweden, niet in Riga.'

Lippman knikte nadenkend.

'Misschien hebt u gelijk', zei hij. 'Misschien ben ik een oude man die niet meer in staat is te zien hoe de wereld aan het veranderen is.'

'Een tuincentrum', zei Wallander om hem verder te helpen. 'Daar is in de loop der tijd toch ook wel het een en ander veranderd?'

'Ik ben in de herfst van 1941 naar Zweden gekomen', zei Lippman, langzaam in zijn thee roerend. 'Ik was toen een jongeman, die de onvolwassen droom had kunstenaar te willen worden, een groot kunstenaar. Bij een koude dageraad vingen we een glimp op van de kust van Götland en begrepen we dat we het gered hadden ondanks een lekkende boot en het feit dat enkelen die met mij vluchtten, erg ziek waren. We waren ondervoed, hadden tb. Maar ik herinner me die koude dageraad nog heel goed en ik nam me voor dat ik eens een schilderij zou maken dat de Zweedse kust voorstelde, die op haar beurt de vrijheid voorstelde. Zo kon ze eruitzien, de poort van het paradijs, bevroren en koud, een paar zwarte rotsen die opdoemden in de mist. Maar ik heb dat motief nooit geschilderd. Ik ben tuinman geworden. Nu verdien ik mijn brood met het doen van voorstellen voor siergewassen aan Zweedse bedrijven. Ik heb gemerkt dat vooral mensen die bij die nieuwe computerfirma's werken, een niet te stillen behoefte hebben hun apparaten tussen de planten te verbergen. Het beeld van het paradijs heb ik nooit geschilderd. Ik moet me erbij neerleggen dat ik het gezien heb. Ik weet dat het paradijs veel poorten heeft. Net als de hel. Een mens moet het verschil tussen deze poorten leren. Anders is hij verloren.'

'En majoor Liepa was daartoe in staat?'

Lippman reageerde niet op het feit dat Wallander de majoor ter sprake bracht.

'Majoor Liepa wist hoe de poorten eruitzagen', zei Lippman langzaam. 'Maar het was niet om die reden dat hij moest sterven. Hij stierf omdat hij gezien had wie die poorten in- en uitgingen. Mensen die bang zijn voor het licht, omdat mensen als majoor Liepa hen dan kunnen zien.'

Wallander kreeg de indruk dat Lippman een diep religieus mens was. Hij drukte zich uit alsof hij een geestelijke was, die voor een onzichtbare gemeente stond.

'Ik heb mijn hele leven in ballingschap doorgebracht', vervolgde Lippman. 'De eerste tien jaar, tot aan het midden van de jaren vijftig, geloofde ik nog altijd dat ik eens naar mijn land terug zou kunnen keren. Toen kwamen die lange jaren zestig en zeventig, waarin ik alle hoop opgegeven had. Alleen de heel oude Letten die in ballingschap leefden, alleen de heel oude en de heel jonge en de heel gekke geloofden dat de wereld zou veranderen, zodat we op een dag naar het verloren land terug konden keren. Zij geloofden in een dramatische omslag, terwijl ik een langgerekt einde aan een drama dat in feite al afgelopen was, verwachtte. Maar plotseling gebeurde er iets. We ontvingen eigenaardige berichten uit ons oude vaderland, berichten die sidderden van optimisme. We zagen hoe de reusachtige Sovjet-Unie begon te wankelen, alsof de sluimerende koorts eindelijk uitgebroken was. Was het mogelijk dat datgene waarin we niet durfden te geloven, toch nog zou gebeuren? We weten het nog altijd niet. We beseffen dat onze vrijheid ons opnieuw ontfutseld kan worden. De Sovjet-Unie is verzwakt, maar dat kan van tijdelijke aard zijn. Onze tijd dringt. Dat wist majoor Liepa en dat was wat hem dreef.'

'Wij', zei Wallander. 'Welke wij?'

'Alle Letten in Zweden zijn lid van de een of andere organisatie', zei Lippman. 'We hebben ons voortdurend aaneengesloten in organisaties die het verloren vaderland voor ons vervangen. We hebben geprobeerd de mensen te helpen hun cultuur te bewaren, we hebben gezorgd voor reddingslijnen, we hebben fondsen gesticht. We hebben noodkreten opgevangen en geprobeerd die te beantwoorden. We hebben een constante strijd geleverd om niet vergeten te worden. Onze exil-organisaties zijn onze manier geweest om de verloren steden en dorpen te vervangen.'

De glazen deur van de pizzeria ging open en er kwam een man binnen. Lippman reageerde onmiddellijk. Wallander kende de man. Hij heette Elmberg en had een benzinestation.

'Niets aan de hand', zei hij. 'Die man heeft zijn hele leven nog nooit een vlieg kwaad gedaan. Ik twijfel er bovendien aan of hij zich ooit druk heeft gemaakt over het bestaan van de Letse natie. Hij heeft een benzinestation.'

'Baiba Liepa heeft een noodsignaal uitgezonden', zei Lippman. 'Ze vraagt u te komen. Ze heeft hulp nodig.'

Hij haalde een envelop uit zijn binnenzak.

'Van Baiba Liepa', zei hij. 'Voor u.'

Wallander nam de envelop aan. Hij was niet dichtgeplakt en hij haalde voorzichtig het dunne briefpapier eruit.

Haar boodschap was kort, geschreven met potlood. Hij kreeg de indruk dat ze gehaast was geweest, toen ze schreef.

Er is een testament en een bewaker, schreef ze. *Maar ik ben bang dat ik de juiste plek zelf niet kan vinden. Vertrouw de boodschapper zoals u eens mijn man vertrouwde. Baiba.*

'We kunnen u helpen met alles wat u nodig hebt om naar Riga te gaan', zei Lippman toen Wallander de brief weggelegd had.

'U kunt me niet onzichtbaar maken!'

'Onzichtbaar?'

'Als ik naar Riga ga, moet ik een ander zijn, niet de persoon die ik ben. Hoe speelt u dat klaar? Kunt u mijn veiligheid garanderen?'

'U moet ons vertrouwen, meneer Wallander. Maar we hebben niet veel tijd.'

Wallander besefte dat ook Joseph Lippman zich ongerust maakte. Hij probeerde zichzelf wijs te maken dat niets van alles wat er om hem heen plaatsvond, werkelijkheid was, maar hij wist heel goed dat hij zichzelf voor de gek hield. Hij wist ook dat de wereld zo in elkaar zat. Baiba Liepa had een van de duizenden noodsignalen uitgezonden, die aan één stuk door de continenten doorkruisten. Dit signaal was voor hem bestemd en hij moest het beantwoorden.

'Ik neem donderdag een paar vakantiedagen op', zei hij. 'Officieel ga ik skiën in de Alpen. Ik kan ruim een week wegblijven.'

Lippman schoof zijn kopje opzij. De weke, zwaarmoedige trek op zijn gezicht werd plotseling vervangen door gedecideerdheid.

'Dat is een uitstekend idee', zei hij. 'Natuurlijk gaat een Zweedse politieman ieder jaar naar de Alpen om zijn geluk op de pistes te beproeven. Hoe gaat u ernaartoe?'

'Via Sassnitz. Met de auto door het voormalige Oost-Duitsland.'

'Hoe heet uw hotel?'

'Geen idee. Ik ben nog nooit in de Alpen geweest.'

'Maar u kunt wel skiën?'

'Ja.'

Lippman verzonk in gedachten. Wallander wenkte de serveerster en vroeg om een kop koffie. Lippman schudde afwezig zijn hoofd toen Wallander vroeg of hij nog thee wilde.

Ten slotte deed hij zijn bril af en wreef hem zorgvuldig schoon op de mouw van zijn jas.

'Het is een uitstekend idee om naar de Alpen te gaan', herhaalde hij. 'Maar ik heb even tijd nodig om alles te organiseren. Morgenavond wordt u gebeld met de mededeling welke veerboot u 's ochtends vroeg vanuit Trelleborg moet nemen. En vergeet u in hemelsnaam niet uw ski's op het dak van de auto te binden. Pak uw bagage alsof u echt op weg naar de Alpen bent.'

'Hoe denkt u eigenlijk dat ik Letland binnen kan komen?'

'Iemand zal u op de veerboot vertellen wat u moet weten. Iemand zal contact met u opnemen. U moet ons vertrouwen.'

'Ik kan niet garanderen dat ik uw voorstellen accepteer.'

'In onze wereld bestaan geen garanties, meneer Wallander. Ik kan alleen beloven dat we zullen proberen onszelf te overtreffen. Misschien kunnen we nu beter afrekenen en weggaan.'

Buiten gingen ze uit elkaar. Er stond opnieuw een harde, buiige wind. Joseph Lippman nam haastig afscheid en verdween in de richting van het station. Wallander liep door de verlaten stad naar huis. Hij dacht aan wat Baiba Liepa geschreven had.

De honden zitten al achter haar aan, dacht hij. Ze is bang en wordt opgejaagd. Ook de kolonels moeten door hebben gekregen dat de majoor een testament heeft nagelaten.

Plotseling besefte hij dat er haast geboden was.

Er was geen plaats meer voor angst hebben of nadenken.

Hij moest haar noodsignaal beantwoorden.

De volgende dag maakte hij zich gereed voor de reis.

Om zeven uur 's avonds belde een vrouw die zei dat er een plaats voor hem gereserveerd was op de veerboot die om halfzes de volgende ochtend uit Trelleborg vertrok. Tot zijn verbazing stelde ze zich voor als een vertegenwoordigster van Lippmans Reisbureau.

Om twaalf uur ging hij naar bed.

Voor hij insliep, dacht hij nog dat de hele onderneming eigenlijk pure waanzin was.

Hij was bereid om zich vrijwillig in iets te storten dat gedoemd was te mislukken. Maar tegelijk wist hij dat Baiba Liepa's noodsignaal echt was, niet alleen maar een boze droom en dat hij verplicht was erop te reageren.

De volgende ochtend reed hij zijn auto al vroeg de veerboot in de haven van Trelleborg op. Een van de agenten van de pascontrole, die juist aan zijn dienst begon, zwaaide naar hem en vroeg waar hij naartoe ging.

'Naar de Alpen', antwoordde Wallander.

'Klinkt goed.'

'Soms moet een mens er even tussenuit.'

'Dat hebben we allemaal nodig.'

'Ik had het geen dag langer uitgehouden.'

'Nu kun je een paar dagen vergeten dat je politieman bent.'

'Ja.'

Maar dat was niet waar, wist Wallander heel zeker. Hij was onderweg naar de moeilijkste opdracht die hij ooit gehad had. Een opdracht die niet eens bestond.

De dageraad was grauw. Hij ging naar het dek toen de veerboot van de kade vertrok. Rillend van de kou zag hij hoe de zee zich voor hem uitstrekte toen de boot haar steven van het land afwendde.

Langzaam verdween de Zweedse kust achter de horizon.

Hij zat in de cafetaria te eten toen een man die Preuss heette, contact met hem opnam. Uit zijn zakken haalde deze Preuss zowel schriftelijke instructies van Joseph Lippman als ook een heel nieuwe identiteit waarvan Wallander zich van nu af aan moest bedienen. Preuss was een man van in de vijftig. Hij had een rood aangelopen gezicht en een onrustige blik.

'Laten we een wandelingetje aan dek gaan maken', zei Preuss.

De mist lag dicht over de Oostzee op de dag dat Wallander terugging naar Riga.

15

De grens was onzichtbaar.

Toch was die er wel, binnen in hem, als een opgerolde knoedel prikkeldraad, vlak onder zijn borstbeen.

Kurt Wallander was bang. Naderhand zou hij zich de laatste stappen op Litouwse bodem naar de Letse grens herinneren als een verlammende tocht naar een land waaruit hij met Dante zou kunnen roepen: Laat alle hoop varen! Hieruit keert niemand terug en zeker niet, levend en wel, een Zweedse politieman. Het was nacht en er stond een heldere sterrenhemel. Preuss, die hem vergezeld had vanaf het moment dat hij aan boord van de veerboot uit Trelleborg contact had gelegd, scheen evenmin onberoerd te zijn voor wat hen wachtte. Wallander kon in het donker horen dat zijn ademhaling snel en onregelmatig ging.

'We moeten wachten', fluisterde Preuss in zijn moeilijk verstaanbare Duits. *Warten, warten.*

De eerste dagen was Wallander razend geweest, omdat ze hem een gids gegeven hadden, die geen woord Engels sprak. Hij vroeg zich af wat Joseph Lippman gedacht had toen hij aannam dat een Zweedse politieman, die nauwelijks Engels sprak, de Duitse taal volledig beheerste. Wallander was er zeer na aan toe geweest de hele onderneming, die steeds meer ging lijken op de triomf van een paar dolgedraaide fantasten over zijn eigen gezonde verstand, af te blazen. Hij vond dat de Letten die te lang in ballingschap hadden geleefd, het contact met de werkelijkheid verloren hadden. Verbitterd, overoptimistisch of ronduit gek geworden, probeerden ze nu hun landgenoten in het verloren gegane vaderland te bevrijden. Landgenoten die onverwachts de mogelijkheid van een eervolle wederopstanding hadden zien opdoemen. Hoe zou deze man, die Preuss heette, deze kleine magere man met zijn pokdalige gezicht, hem voldoende moed en niet te vergeten veiligheid kunnen bieden om zijn opdracht, als een onzichtbaar, nietbestaand persoon naar Letland terug te gaan, tot een goed einde te brengen? Wat wist hij eigenlijk van Preuss die in de cafetaria van de veerboot opgedoken was? Dat hij misschien een Lets burger in ballingschap was, dat hij zijn brood mogelijk verdiende als handelaar in munten in de Duitse stad Kiel? Maar wat nog meer? Helemaal niets!

Maar iets had hem toch voortgedreven. Preuss had naast hem op de voorbank gezeten, voortdurend slapend, terwijl Wallander oostwaarts jakkerde en de aanwijzingen opvolgde, die Preuss met regelmatige tussenpozen had gespuid door met zijn vinger op een autokaart te wijzen. Ze waren via de voormalige DDR naar het oosten gereden en hadden de Poolse grens laat in de middag van de eerste dag bereikt. Bij een vervallen boerderij op ongeveer vijf kilometer van de Poolse grensovergang, had Wallander zijn auto een half ingestorte schuur ingereden. De man die hen ontving, had Engels gesproken. Ook hij was een Let in den vreemde. Hij had beloofd dat de auto daar volkomen veilig zou zijn tot Wallander terug was. Daarna hadden ze gewacht tot de avond viel. In het donker was hij met Preuss door een moeilijk doordringbaar sparrenbos gestrompeld tot ze bij de grens waren en ze de eerste onzichtbare lijn op hun weg naar Riga overschreden hadden. In een onbeduidend, doods uitziend stadje, waarvan Wallander zich de naam niet meer herinnerde, had een verkouden man, die Janick heette, met een roestige vrachtwagen op hen staan wachten en ze waren begonnen aan een hobbelige, schokkerige tocht over de Poolse poesta. De snotterige chauffeur had hem aangestoken. Wallander had naar een behoorlijke maaltijd en een bad verlangd, maar het enige wat hem overal wachtte, waren koude karbonades en ongemakkelijke veldbedden in onverwarmde huizen op het Poolse platteland. De reis ging ongehoord langzaam, meestal werd er alleen in de nachtelijke uren gereden en vlak voor zonsopgang. De rest van de tijd bestond uit een zwijgend en langgerekt wachten. Hij probeerde de voorzichtigheid die Preuss aan de dag legde, te begrijpen. Wat liepen ze eigenlijk voor risico zolang ze in Polen waren? Maar hij kreeg geen verklaring. De eerste nacht zag hij in de verte de lichten van Warschau, de nacht daarop reed Janick een edelhert dood. Wallander probeerde erachter te komen hoe de delen van deze Letse reddingslijn in elkaar grepen, waar die nog meer voor gebruikt werd dan alleen voor het begeleiden van verwarde Zweedse politiemensen die van plan waren illegaal Lets grondgebied te betreden. Maar Preuss verstond hem niet en Janick neuriede een Engelse oorlogsschlager wanneer hij niet nieste en Wallander besmette met zijn gesel. Toen ze ten slotte de Litouwse grens naderden, was Wallander *We'll meet again* gaan haten. Bovendien kon hij zich net zo goed diep in Rusland bevinden als ergens in Polen. Of waarom niet in Tsjechoslowakije of in Bulgarije? Hij had geen idee waar ze waren en wist nauwelijks in welke richting Zweden kon liggen. De waanzin van de onderneming drong zich met elke kilometer die de vrachtwagen hem dichter naar het onbekende voerde, dwingender op. Door Litouwen reisden ze met bussen die geen van alle nog over een vering beschikten en ten slotte, vier dagen en nachten nadat Preuss op de veerboot contact met hem had opgenomen, bevonden ze zich vlak bij de Letse grens, diep in een bos dat sterk naar hars rook.

'*Warten*', zei Preuss weer. En Wallander ging gehoorzaam op een boomstronk zitten wachten. Hij had het koud en voelde zich niet goed.

Ik arriveer in Riga als een snotterende zieke, dacht hij wanhopig. Van alle stommiteiten die ik in mijn leven begaan heb, is dit de grootste en ze verdient geen enkel respect, alleen een schaterende hoonlach. Hier, op een boomstronk in een Litouws bos, zit een Zweedse politieman van begin middelbare leeftijd die zijn vermogen tot oordelen en zijn gezonde verstand totaal verloren heeft.

Maar teruggaan was uitgesloten. Hij realiseerde zich dat hij op eigen houtje nooit de weg terug zou kunnen vinden. Hij was volstrekt afhankelijk van die verdomde Preuss, die die idioot van een Lippman hem als gids meegegeven had, en de weg leidde onherroepelijk naar Riga, wég van ieder gezond verstand.

Op de veerboot, ongeveer tegelijk met het symbolisch uit het zicht verdwijnen van de Zweedse kust, had Preuss zich gemeld en waren ze in de ijskoude wind naar het dek gegaan. Preuss had een brief van Lippman bij zich gehad en tot zijn verbazing had Wallander weer een andere identiteit gekregen. Hij zou niet langer meer *meneer Eckers* zijn, hij werd nu verondersteld *meneer Hegel, meneer Gottfried Hegel* te zijn, een Duitse handelsreiziger in bladmuziek en kunstboeken. Tot zijn verbijstering overhandigde Preuss hem, als was het de normaalste zaak van de wereld, een Duits paspoort met daarin zijn gelijmde en gestempelde foto. Hij herinnerde zich dat Linda die foto een paar jaar geleden van hem genomen had. Hoe Joseph Lippman eraan was gekomen, was een bijna ondraaglijk raadsel. Maar nu was hij dus meneer Hegel en uiteindelijk maakte hij uit Preuss' koppige gepraat en gegesticuleer op dat hij zijn Zweedse paspoort voorlopig aan hem moest afgeven. Wallander gaf Preuss zijn paspoort en meende oprecht dat wie zoiets deed, gek moest zijn.

Er waren nu vier dagen verstreken sinds hij met zijn nieuwe identiteit geconfronteerd was. Preuss was op de kluit van een ontwortelde boom geklommen en Wallander ving in het donker een glimp van zijn gezicht op. Hij maakte eruit op dat Preuss stug in oostelijke richting staarde. Het was een paar minuten na middernacht en Wallander was bang dat hij een longontsteking op zou lopen als hij nog lang op de bevroren boomstronk moest blijven zitten.

Plotseling hief Preuss zijn hand op en wees enthousiast naar het oosten; ze hadden een petroleumlamp aan een tak gehangen. Wallander stond op, kneep zijn ogen een beetje dicht en keek in de richting die Preuss aanduidde. Na een paar seconden ontdekte hij een zwak, knipperend licht alsof een fietser met een onregelmatig functionerende dynamo hun kant uit reed. Preuss sprong van zijn omgevallen boom en draaide de petroleumlamp uit.

'Gehen', siste hij. *'Schnell, nun. Gehen!'*

De takken schuurden en zwiepten in Wallanders gezicht. Nu overschrijd ik de uiterste grens, dacht hij. Maar het prikkeldraad zit in mijn maag.

Ze kwamen op een pad dat als een weg in het bos uitgehakt was. Preuss hield Wallander even tegen, terwijl hij ingespannen luisterde. Toen trok hij hem mee het pad over tot ze weer weg konden duiken in de bescherming van het dichte bos. Na ongeveer tien minuten bereikten ze een smerig karrenspoor waar een auto op hen stond te wachten. In de auto zag Wallander het zwakke gloeien van een sigaret. Er stapte iemand uit die hem met een afgeschermde zaklantaarn tegemoetkwam. Toen zag hij dat het Inese was die voor hem stond.

Nog lang zou hij zich de bevrijdende vreugde herinneren toen hij haar zag, toen hij iets aantrof dat niet vreemd was. In het zwakke licht van de zaklantaarn glimlachte ze tegen hem en het kwam niet in hem op iets te zeggen. Preuss stak zijn magere hand uit ten afscheid en werd alweer door de schaduwen opgeslokt voordat Wallander zelfs maar gedag had kunnen zeggen.

'Het is een heel eind naar Riga', zei Inese. 'We moeten gaan.'

Ze bereikten Riga bij dageraad. Zo nu en dan reden ze van de weg af zodat Inese wat kon uitrusten. Bovendien hadden ze een lekke achterband gekregen. Wallander was er met veel moeite in geslaagd het wiel te wisselen. Hij had voorgesteld het stuur over te nemen, maar ze had haar hoofd geschud zonder een verklaring te geven.

Hij had onmiddellijk doorgehad dat er wat gebeurd was. Er was iets hards en verbetens aan Inese, wat niet alleen voortvloeide uit het feit dat ze doodmoe was en heel geconcentreerd om de auto op de bochtige wegen te houden. Omdat hij niet wist of ze eigenlijk wel vragen mocht beantwoorden, zweeg hij. Ze had hem wel verteld dat Baiba Liepa op hem wachtte en dat Upitis nog gevangen zat. Zijn bekentenis, dat hij een van de drie mannen was die majoor Liepa hadden doodgeslagen, had in de krant gestaan. Inese zei niet waarom ze bang was.

'Dit keer heet ik Gottfried Hegel', zei hij, toen ze na twee uur stopten om uit een reserveblik dat hij uit de kofferbak haalde, benzine bij te vullen.

'Dat weet ik', antwoordde Inese. 'Het is bepaald geen mooie naam.'

'Vertel me liever waarom ik hier ben, Inese. Waarmee denken jullie dat ik jullie kan helpen?'

Hij kreeg geen antwoord. Maar ze vroeg of hij honger had en gaf hem een flesje bier en twee boterhammen met worst in een papieren zakje. Daarna reden ze verder. Een keer dommelde hij in, maar omdat hij bang was dat zij in slaap zou vallen, werd hij meteen weer met een schok wakker.

Tegen de vroege ochtend bereikten ze de buitenwijken van Riga. Wallander herinnerde zich dat het de 21ste maart was, de verjaardag van zijn zuster. In een poging zijn nieuwe identiteit te bezweren, besloot hij dat Gottfried Hegel een heleboel broers en zusters had, van wie de jongste Kristina heette. Hij stelde zich zijn Hegelse echtgenote voor als een manwijf met een beginnende snor en zijn huis in Schwabingen als een rood stenen huis met aan de achterzijde een keurig aangelegde, fantasieloze tuin. De geschiedenis waarmee Joseph Lippman hem als achtergrond van het paspoort had voorzien, was uiterst summier geweest. Een ervaren verhoorleider zou hoogstens een minuut nodig hebben om Gottfried Hegel klein te krijgen, zijn paspoort als vals aan de kaak te stellen en zijn ware identiteit te eisen.

'Waar gaan we heen?' vroeg hij.

'We zijn er zo', antwoordde ze ontwijkend.

'Hoe kan ik met iets helpen als ik niets mag weten', zei hij. 'Wat wil je me niet vertellen? Wat is er gebeurd?'

'Ik ben moe', antwoordde ze. 'Maar we zijn blij dat je terug bent. Baiba is gelukkig. Ze zal in tranen uitbarsten als ze je ziet.'

'Waarom geef je geen antwoord op mijn vragen? Wat is er gebeurd? Ik merk dat je bang bent.'

'Alles is de laatste weken een stuk moeilijker geworden, maar dat kan Baiba beter zelf vertellen. Er zijn zoveel dingen die ik niet weet.'

Ze reden door een eindeloze buitenwijk. Fabriekssilhouetten doemden op als roerloze voorwereldlijke dieren tegen de gele straatverlichting. Ze reden door een mist die door verlaten straten dreef en Wallander moest eraan denken dat hij zich de landen in Oost-Europa, die zich socialistisch noemden en triomfantelijk uitriepen dat zij het alternatieve paradijs waren, altijd op deze manier had voorgesteld.

Ze stopte voor een lang, laag pakhuis en zette de motor af. Ze wees naar een ijzeren deur in een muur van het gebouw.

'Ga daar naartoe', zei ze. 'Klop aan, dan word je binnengelaten. Ik moet ervandoor.'

'Zien we elkaar nog terug?'

'Ik weet het niet. Dat is aan Baiba.'

'Je bent toch niet vergeten dat je mijn geliefde bent?'

Toen ze antwoordde, glimlachte ze vluchtig.

'Misschien was ik de geliefde van meneer Eckers', zei ze. 'Maar ik weet niet of ik net zoveel om meneer Hegel geef. Ik ben een keurig meisje en ik wissel niet zo maar van man.'

Wallander stapte uit en ze reed onmiddellijk weg. Even overwoog hij op zoek te gaan naar een bushalte om de bus naar Riga te nemen. Daar zou hij naar een Zweeds consulaat of de ambassade kunnen gaan om met hun hulp naar huis terug te keren. Hoe een ambtenaar van de Zweedse diplomatieke dienst zou reageren op dit volstrekt ware verhaal van een Zweedse politieman, was iets waar hij niet eens aan durfde denken. Hij kon alleen maar hopen dat een acute verstandsverbijstering deel uitmaakte van die problemen waarvoor diplomaten meteen een oplossing achter de hand hadden.

Maar hij besefte dat het al te laat was. Waar hij aan begonnen was, moest hij volbrengen. Hij liep over het knarsende grind en klopte op de ijzeren deur.

De deur werd opengedaan door een man met een baard die Wallander nog niet eerder gezien had. De man, die scheel was, knikte vriendelijk, wierp een blik over Wallanders schouder om te zien of hij niet gevolgd was, trok hem toen snel naar binnen en deed de deur weer dicht.

Wallander zag tot zijn verbazing dat hij zich in een speelgoedpakhuis bevond. Overal stonden hoge houten stellages met poppen. Het was alsof hij een catacombe was binnengegaan waar de poppengezichten hem als boosaardige doodskoppen aangrijnsden. Dit was een onbegrijpelijke droom, dacht hij en eigenlijk bevond hij zich nog in zijn slaapkamer in Mariagatan in Ystad en niets om hem heen was werkelijk. Hij moest alleen rustig ademhalen en wachten op het bevrijdende ontwaken. Maar er was geen wakker worden waar hij naartoe kon vluchten. Uit de schaduwen maakten zich nog drie mannen en een vrouw los. De enige die Wallander kende was de chauffeur die zwijgend en afgewend in de schaduwen had gezeten tijdens zijn gesprek met Upitis in een verscholen jachthut in een onbekend naaldbos.

'Meneer Wallander', zei de man die de deur voor hem had geopend. 'We zijn u heel dankbaar dat u gekomen bent om ons te helpen.'

'Ik ben gekomen omdat Baiba Liepa me dat gevraagd heeft', zei Wallander. 'Niet om enige andere reden. En haar wil ik dan ook zien.'

'Op dit moment is dat niet mogelijk', antwoordde de vrouw, die onberispelijk Engels sprak. 'Baiba wordt vierentwintig uur per dag bewaakt. Maar we denken dat we weten hoe u elkaar kunt ontmoeten.'

De man bracht hem een wankele spijltjesstoel en Wallander ging zitten. Iemand gaf hem een kop thee die hij aanpakte. Het licht in het pakhuis was zwak en Wallander kon de gezichten van de aanwezigen moeilijk onderscheiden. De schele man scheen de leider of woordvoerder van het ontvangstcomité te zijn. Hij ging voor Wallander op zijn hurken zitten en begon te praten.

'Onze situatie is heel moeilijk', zei de man. 'We worden allemaal voortdurend bewaakt, omdat de politie zich bewust is van het risico dat majoor Liepa ergens een document heeft verstopt, dat bedreigend voor haar is.'

'Heeft Baiba Liepa de nagelaten papieren van haar man gevonden?'

'Nog niet.'

'Weet ze waar ze zijn? Heeft ze überhaupt enig idee waar hij ze verborgen kan hebben?'

'Nee, maar ze is ervan overtuigd dat u haar kunt helpen.'

'Hoe dan wel?'

'U bent een vriend van ons, meneer Wallander. U bent politieman, u bent gewend raadsels op te lossen.'

Ze zijn gek, dacht Wallander helemaal van streek. Ze leven in een droomwereld waarin ze alle gevoel voor proporties verloren hebben. Hij was de laatste strohalm waaraan ze zich vastklampten, dacht hij, een strohalm die bijna mythische proporties had aangenomen. Plotseling begreep hij wat onderdrukking en angst met mensen kan doen. Vooral hun hoop dat er onbekende verlossers waren, die hun te hulp zouden schieten, was tot in het absurde doorgeschoten. Majoor Liepa was niet zo geweest. Die had nooit op anderen dan zichzelf en de vrienden en vertrouwelingen met wie hij zich omringde, vertrouwd. Voor hem was alleen de realiteit het begin en het einde van het onrecht dat de Letse natie werd aangedaan, geweest. Hij was religieus, maar had zijn religie niet door een God laten vertroebelen. Nu de majoor gestorven was, misten ze een middelpunt dat houvast gaf. Daarom moest de Zweedse politieman Kurt Wallander nu de arena betreden om de gevallen mantel om zijn schouders te hangen.

'Ik moet Baiba Liepa zo snel mogelijk spreken', herhaalde hij. 'Dat is het enige wat echt belangrijk is.'

'Dat zal vandaag nog gebeuren', antwoordde de schele man.

Wallander voelde hoe moe hij was. Het liefst had hij een bad genomen en was daarna in bed gekropen om te slapen. Als hij doodmoe was, durfde hij niet op zijn beoordelingsvermogen af te gaan. Hij was bang een fout te maken, die onmiddellijk een verwoestende uitwerking zou hebben.

De schele man zat nog steeds op zijn hurken voor hem. Opeens zag Wallander dat er een revolver tussen zijn broeksband stak.

'Wat gaat er gebeuren als de papieren van majoor Liepa gevonden worden?' vroeg hij.

'Dan moeten we wegen vinden om ze te publiceren', antwoordde de man. 'Maar eerst moet u ze het land uitbrengen en zorgen dat ze bij u gepubliceerd worden. Dat zal een revolutionaire gebeurtenis zijn, een historische gebeurtenis. Eindelijk zal de wereld weten wat er in ons geschonden land gebeurd is en nog altijd gebeurt.'

Wallander had een sterke behoefte te protesteren, om deze verwarde mensen terug te brengen op het pad van majoor Liepa. Maar in zijn vermoeide brein kon hij het Engelse woord voor 'verlosser' niet vinden. Het enige wat hij daar vond, was verbazing dat hij in een speelgoedpakhuis in Riga was en geen idee had wat hij moest doen.

Daarna ging alles razendsnel.

De deur van het pakhuis werd opengerukt. Wallander stond op en zag Inese schreeuwend tussen de stellages aan komen hollen. Hij wist niet wat er gebeurd was. Er volgde een explosie en hij wierp zich op de grond achter een stellage met poppenhoofden. Zoeklichten en hevige knallen flitsten en dreunden door het pakhuis, maar pas toen hij zag dat de schele man zijn revolver had getrokken en het op een onbekend doelwit leegschoot, besefte hij dat het pakhuis intensief onder vuur lag. Hij kroop dieper tussen de stellages weg. Ergens in de chaos en rook was een stellage met harlekijns omgevallen. Hij stuitte op een muur en kon niet verder. Het geratel van de wapens was bijzonder angstaanjagend en oorverdovend. Iemand gilde. Toen hij zich omdraaide, zag hij dat Inese over de stoel waarop hij zojuist gezeten had, was gevallen. Haar gezicht was rood van het bloed. Het zag ernaar uit dat ze precies door haar ene oog was geschoten. Ze was dood. Op dat moment schoot de arm van de schele man omhoog tot boven zijn hoofd. Hij was geraakt, maar Wallander kon niet zien of hij dood was of alleen gewond. Hij realiseerde zich dat hij weg moest zien te komen, maar hij zat vast in een hoek en de eerste geüniformeerde mannen met machinegeweren in de hand stormden het gebouw al binnen. Waar de ingeving vandaan kwam, wist hij niet, maar zijn hand trok een stellage met Russische baboesjkapoppen over hem heen. Het regende poppen op zijn hoofd. Hij lag op de grond en liet zich onder de zondvloed van speelgoed begraven. Hij zat in angst dat ze hem zouden ontdekken en doodschieten. Zijn valse pas zou hem niet helpen. Inese was dood, het pakhuis was omsingeld en deze krankzinnige, dromende mensen hadden geen kans gekregen om zich te verzetten.

Plotseling hield de beschieting op, even snel als ze begonnen was. De stilte was oorverdovend. Hij bleef roerloos liggen en probeerde niet te ademen. Hij hoorde stemmen, soldaten of politiemensen die met elkaar praatten en opeens herkende hij een van die stemmen. Geen twijfel mogelijk, het was de stem van sergeant Zids.

Tussen de laag poppen door kon hij de mannen in uniform vaag onderscheiden. Alle vrienden van de majoor schenen dood te zijn en werden op grijze canvas brancards afgevoerd. Toen stapte sergeant Zids uit de schaduwen tevoorschijn en gaf zijn mannen opdracht het pakhuis te doorzoeken. Wallander deed zijn ogen dicht en meende dat het nu gauw voorbij zou zijn. Hij vroeg zich af of zijn dochter te weten zou komen wat er met haar vader was gebeurd, die tijdens zijn wintervakantie in de Alpen was verdwenen en of zijn verdwijning als een berucht raadsel in de annalen van de Zweedse politie zou blijven voortleven.

Maar niemand schopte de poppen van zijn gezicht. De weergalmende hakken van de laarzen stierven langzaam weg en de geïrriteerde stem van de sergeant spoorde de soldaten niet langer aan. Daarna was er alleen nog de stilte en de scherpe lucht van afgevuurde ammunitie. Hoelang Wallander daar roerloos bleef liggen, wist hij niet. De kou die uit de cementen vloer optrok, deed hem ten slotte zo hevig rillen dat de poppen begonnen te rammelen. Voorzichtig stond hij op. Een van zijn voeten sliep of was gevoelloos geworden door de kou, hij kon er niet achter komen wat van de twee. Overal op de vloer lag bloed, overal zaten kogelgaten. Hij dwong zichzelf een aantal malen diep adem te halen om niet over te geven.

Ze weten dat ik hier ben, dacht hij. Sergeant Zids heeft zijn soldaten bevel gegeven naar me te zoeken. Of denken ze misschien dat ik nog niet gearriveerd ben? Dat ze te vroeg toegeslagen hebben?

Hij dwong zich na te denken, al kon hij de in elkaar gezakte, dode Inese niet uit zijn geest bannen. Maar hij moest uit dit dodenhuis weg zien te komen. Hij moest zich realiseren dat hij er nu helemaal alleen voor stond en dat hij maar een ding kon doen, naar de Zweedse ambassade gaan om hulp te vragen. Hij was zó bang dat hij beefde. Zijn hart ging als een razende in zijn borstkas tekeer en hij vreesde een hartaanval te krijgen die hij niet zou overleven. Plotseling had hij tranen in zijn ogen. De hele tijd zag hij de dode Inese voor zich en het enige wat hij wilde was wegkomen. Hij zou nooit weten hoelang het geduurd had voordat hij weer rationeel kon handelen.

De ijzeren deur was dicht. Hij was er zeker van dat het pakhuis bewaakt werd. Zo lang het licht was, zou hij er niet vandoor kunnen gaan. Achter een omgevallen stellage zag hij een raam, bijna helemaal bedekt met aangekoekt vuil. Voorzichtig waadde hij er door het kapotte en stukgeschoten speelgoed naartoe en keek naar buiten. Het eerste wat hij zag waren twee jeeps, die met hun voorkant naar het pakhuis stonden. Vier soldaten hielden het gebouw nauwlettend in de gaten en hadden hun wapens schietklaar. Wallander ging bij het raam weg en keek in het grote pakhuis om zich heen. Hij had dorst en er moest ergens water zijn, omdat hij eerder een kop thee gekregen had. Terwijl hij naar een kraan zocht, dacht hij koortsachtig na wat hij moest doen. Hij was een opgejaagd man en de jagers hadden met onvoorstelbare wreedheid hun visitekaartje afgegeven. Denken dat hijzelf contact met Baiba Liepa zou kunnen leggen, stond gelijk aan het organiseren van zijn eigen terechtstelling. Hij twijfelde er niet meer aan dat de beide kolonels, of althans een van hen, bereid waren alles te doen om te voorkomen dat het onderzoek van de majoor openbaar zou worden. Hetzij in Letland, hetzij in het buitenland. Ze hadden de verlegen, schuwe Inese in koelen bloede doodgeschoten, als een dolle hond. Misschien was het zijn eigen chauffeur wel, de vriendelijke sergeant Zids, die het schot recht door haar oog had afgevuurd?

Zijn angst lag ingebed in intense haat. Als hij een wapen had gehad, zou hij niet geaarzeld hebben het te gebruiken. Voor het eerst in zijn leven besefte hij dat hij bereid was een ander mens te doden zonder dat hij zou proberen een beroep op noodweer te doen.

Leven heeft zijn tijd, dood zijn ook, dacht hij. Die bezwering had hij bedacht toen een dronken man in het Pildammspark in Malmö een mes in zijn borst had gestoken, vlak naast zijn hart. Deze opvatting had nu een ruimere betekenis gekregen.

Hij zocht zijn weg naar een vieze wc waar een kraan drupte. Hij plensde water over zijn gezicht en leste zijn dorst. Daarna ging hij naar een afgelegen hoek van het pakhuis, schroefde een gloeilamp die aan het plafond hing, los en ging in het duister op de avond en het donker zitten wachten, die eens moesten komen.

Om zijn angst in toom te houden, probeerde hij zich te concentreren op het maken van een vluchtplan. Om naar de Zweedse ambassade te gaan, moest hij op de een of andere manier de binnenstad zien te bereiken. Hij moest erop voorbereid zijn dat iedere politieman, iedere Zwarte Baret wist hoe hij eruitzag, dat ze het strikte bevel hadden gekregen naar hem uit te kijken. Zonder hulp van de Zweedse ambassade was hij een verloren man. Het was uitgesloten dat hij voor een langere tijd niet opgemerkt zou worden. En hij moest ook incalculeren dat ze de Zweedse ambassade in de gaten hielden.

De kolonels geloven dat ik het geheim van de majoor al ken, dacht hij. Anders zouden ze niet op deze manier gereageerd hebben. Ik heb het over de kolonels, omdat ik nog altijd niet weet wie er achter deze gebeurtenissen zit.

Hij doezelde een paar uur weg om met een schok wakker te worden, toen hij een auto voor het pakhuis hoorde stilhouden. Zo nu en dan keek hij door het vuile raam. De soldaten waren er nog en nog altijd even waakzaam. Wallander voelde zich de godganse dag ziek. De slechtheid was hem te machtig geworden. Hij dwong zichzelf in het pakhuis naar een vluchtweg te zoeken. De hoofdingang kwam niet in aanmerking omdat de soldaten die permanent bewaakten. Ten slotte vond hij vlak boven de vloer een luik in de muur, dat vroeger als een soort ventilatieschacht dienst had gedaan. Hij drukte zijn oor tegen de koude stenen muur om te horen of zich aan die zijde van het pakhuis ook soldaten bevonden, maar daar kon hij niet achter komen. Hij wist niet wat te doen als hij erin mocht slagen uit het pakhuis te ontsnappen. Hij probeerde zo goed mogelijk uit te rusten, maar de slaap wilde niet komen. Inese's slappe lichaam en haar bebloede gezicht lieten hem niet met rust.

De schemer viel en het werd snel kouder.

Even voor zeven uur vond hij dat hij moest gaan. Voorzichtig begon hij het roestige luik los te wrikken. De hele tijd zag hij voor zich hoe er een schijnwerper ontstoken zou worden, hoorde hoe opgewonden stemmen commando's schreeuwden, terwijl er een kogelregen in de muur zou slaan. Ten slotte lukte het hem het luik los te wrikken en het voorzichtig op te tillen. Van een aangrenzend fabrieksterrein viel een zwak geel licht op het zand voor het pakhuis. Hij liet zijn ogen aan het donker wennen. Nergens zag hij soldaten. Zo'n meter of tien van het gebouw stonden een paar roestige vrachtwagens. Om te beginnen wilde hij proberen die heelhuids te bereiken. Hij haalde diep adem, bukte zich en rende zo hard hij kon naar de beschutting van de schrootauto's. Toen hij vlak bij de voorste vrachtwagen was, struikelde hij over een kapotte band en sloeg met zijn knie tegen een ingedeukte bumper. Er schoot een vlammende pijn door hem heen en hij vreesde dat het lawaai de soldaten aan de andere kant van het gebouw onmiddellijk naar hem toe zou brengen. Maar er gebeurde niets. Hij voelde een hevige pijn in zijn knieschijf en er liep bloed langs zijn been.

Hoe moest hij nu verder? Hij probeerde zich een Zweeds consulaat of wellicht een Zweedse ambassade voor te stellen, hij wist niet welk soort vertegenwoordiging Zweden Letland had waardig gekeurd. Maar plotseling besefte hij dat hij het niet kon noch wilde opgeven. Hij moest Baiba Liepa spreken, hij zou geen privé-noodsignaal uitzenden. Toen hij de vervloeking die op het pakhuis, op het dodenhuis van Inese en de schele man rustte, eenmaal achter zich had gelaten, had hij weer fut om aan andere dingen te denken. Hij was gekomen voor Baiba Liepa, dus moest hij proberen haar te vinden, al was dat het laatste wat hij in zijn leven deed.

Voorzichtig sloop hij in de schaduwen weg. Hij volgde het hek langs een fabriek en kwam na een poosje in een slechtverlichte straat. Hij wist nog altijd niet waar hij was, maar in de verte hoorde hij ergens een gedreun als van een drukke autoweg en hij besloot in de richting van dat geluid te lopen. Zo nu en dan kwam hij mensen tegen en zond hij een dankbare gedachte naar Joseph Lippman uit, die zo vooruitziend was geweest om te eisen dat hij de kleren aantrok die Preuss in een kapotte koffer bij zich had gehad. Meer dan een halfuur liep hij in de richting van het verkeerslawaai. Twee keer verschool hij zich in de schaduw voor politieauto's. Hij probeerde te bedenken wat hij moest doen. Uiteindelijk drong het tot hem door dat hij zich tot maar één persoon kon wenden. Daar was een groot risico aan verbonden, maar hij had geen andere keus. Het betekende ook dat hij zich weer een nacht moest verbergen, al wist hij nog niet waar. Het was een koude avond en hij moest wat te eten zien te vinden voor de nacht.

Maar toen drong het eveneens tot hem door dat hij nooit de kracht zou hebben helemaal naar Riga te lopen. Zijn knie deed pijn en hij was duizelig van vermoeidheid. Er stond hem maar een ding te doen. Hij moest een auto stelen. Die gedachte boezemde hem angst in, maar hij wist dat het zijn enige kans was. Op dat moment herinnerde hij zich dat hij een Lada had zien staan in een straat die hij zojuist gepasseerd was. De auto stond niet voor een huis en maakte de indruk achtergelaten te zijn. Hij liep dezelfde weg terug. Hij probeerde zich te herinneren hoe Zweedse autodieven het slot openden en de motor kortsloten. Maar wat wist hij eigenlijk af van een Lada? Misschien kon je die niet aan de praat krijgen met de methodes uit het wereldje van de Zweedse autoleners?

De auto was grijs en bezat een gedeukte bumper. Wallander hield zich op in de schaduw en nam de auto en de omgeving op. Om hem heen lagen alleen onverlichte fabrieken. Om de restanten van een laad- en losplaats, voor de bouwval van een fabriek, stond een stuk hek. Hij liep ernaartoe. Met zijn verstijfde vingers lukte het hem een stukje afrasteringsdraad van ongeveer dertig centimeter los te peuteren.

Hij boog het ene uiteinde om tot een oogje en liep snel naar de auto.

Het was eenvoudiger dan hij dacht om de draad door het autoraampje naar beneden te wurmen en het deurslot omhoog te trekken. Hij kroop vlug naar binnen en begon naar de ontsteking en de kabels te zoeken. Hij vervloekte het feit dat hij geen lucifers bij zich had. Het koude zweet gutste over zijn rug en hij rilde weldra van de kou. Ten slotte trok hij uit pure wanhoop de hele streng kabels, die achter het ontstekingsmechanisme hing, los, rukte daarna de kabel van het contact los en verbond de losse uiteinden met elkaar. De auto stond niet in zijn vrij en schokte toen de vonk oversloeg. Hij gaf een ruk aan de versnellingspook tot die in zijn vrij klikte en verbond de draden opnieuw met elkaar. Nu startte de auto. Hij zocht tevergeefs naar de handrem, trok aan alle knoppen op het dashboard om de knop voor de lichten te vinden en zette de auto toen in de laagste versnelling.

Dit is een nachtmerrie, dacht hij. Ik ben een Zweedse politieman, geen gek met een Duits paspoort die in de Letse hoofdstad Riga auto's steelt. Hij reed in de richting die hij te voet had afgelegd, probeerde de verschillende versnellingen te vinden en vroeg zich af waarom het in de auto naar vis stonk.

Na enige tijd kwam hij uit bij de snelweg, waarvan hij het geluid al eerder had opgevangen. Bij de oprit sloeg de motor bijna af, maar het lukte hem hem aan de gang te houden. Hij kon nu de lichten van Riga zien. Hij wilde proberen de straten in de buurt van hotel Latvija te bereiken om naar een van de kleine restaurants te gaan, die hij bij zijn eerste bezoek had gezien.

Opnieuw zond hij een gedachte van dank naar Joseph Lippman uit, die ervoor gezorgd had dat Preuss hem een bedrag aan Lets geld had gegeven. Hoeveel hij had wist hij niet, maar hij hoopte dat het voldoende zou zijn voor een maaltijd. Hij passeerde de brug die over de rivier lag en sloeg linksaf naar de kustweg. Het verkeer was niet erg druk, maar hij kwam vast te zitten achter een tram en onmiddellijk klonk het woedende getoeter van een taxi die plotseling achter hem moest afremmen.

Op van de zenuwen kreeg hij de auto niet in de juiste versnelling en hij kon alleen maar de weg vrijmaken door een straat in te slaan, waarvan hij te laat ontdekte dat het een eenrichtingsstraat was. Een bus kwam hem tegemoet, het was een heel smalle straat en hoe hij ook rukte en trok, hij kreeg de auto niet in zijn achteruit. Hij was er na aan toe het bijltje erbij neer te gooien, de auto te laten staan waar hij stond en de benen te nemen, toen het hem eindelijk lukte de wagen in de juiste versnelling te zetten en achteruit te rijden. Daarna sloeg hij een volgende parallelstraat in, die naar hotel Latvija leidde en zette de auto op een parkeerplaats neer. Hij was doornat van het zweet en opnieuw was hij bang dat hij een longontsteking zou oplopen als hij niet gauw een warm bad en droge kleren kreeg.

De torenklok stond op kwart voor negen. Hij stak schuin de straat over en ging een café binnen, dat hij zich van zijn eerste bezoek aan Riga herinnerde. Hij had geluk en vond in het rokerige lokaal een vrij tafeltje. De mannen die gebogen over hun bierglazen zaten te discussiëren, schenen hem niet op te merken en er waren geen mannen in uniform. Hij moest nu zijn rol als *Gottfried Hegel*, reiziger in bladmuziek en kunstboeken, inwijden. Op een keer toen Preuss en hij in Duitsland hadden gegeten, had hij opgemerkt dat een menukaart *Speisekarte* heette en daar vroeg hij dus om. De tekst was echter in onbegrijpelijk Lets en hij wees op goed geluk een regel aan. Hij kreeg een bord hachee voorgezet, hij nam er een biertje bij en even was zijn brein totaal leeg.

Toen hij gegeten had, was hij in een betere stemming. Hij bestelde een kop koffie en merkte dat zijn hersenen weer waren begonnen te functioneren. Plotseling wist hij hoe hij de nacht door zou brengen. Hij zou domweg van zijn kennis van het land gebruikmaken, ervan uitgaande dat alles hier zijn prijs had. Vlak achter hotel Latvija had hij bij zijn eerste bezoek een aantal pensions en vervallen achterafhotelletjes gezien. Daar zou hij naartoe gaan, zijn Duitse paspoort laten zien en een paar Zweedse bankbiljetten van honderd kronen op de balie leggen om zo met rust gelaten te worden en geen onnodige vragen te krijgen. Hij liep natuurlijk het risico dat de kolonels bevel hadden gegeven om extra aandacht aan alle hotels in Riga te schenken. Maar dat risico moest hij nemen en hij was van mening dat zijn Duitse identiteit hem in ieder geval gedurende de nacht bescherming zou bieden, totdat de volgende ochtend de hotelregisters opgehaald zouden worden. Misschien had hij ook nog het geluk een receptionist te treffen die er geen zin in had om als boodschappenjongen voor de politie op te treden.

Hij dronk koffie en dacht aan de beide kolonels. En aan sergeant Zids die misschien eigenhandig Inese had vermoord. Ergens in deze verschrikkelijke duisternis zat Baiba Liepa op hem te wachten. *Baiba zal heel gelukkig zijn.* Dat waren zo ongeveer de laatste woorden die Inese in haar al te korte leven gezegd had.

Hij keek op de klok die boven de tapkast hing. Bijna halfelf. Hij rekende af en realiseerde zich dat hij meer dan voldoende geld voor een hotelkamer had.

Hij verliet het café en bleef een paar straten verderop voor hotel Hermes staan. De buitendeur stond open en hij klom via een krakende houten trap naar de eerste verdieping. Een oude, gebogen vrouw trok een draperie opzij en keek naar hem vanachter een dikke bril met halfdichtgeknepen ogen. Hij glimlachte zo vriendelijk mogelijk, zei *Zimmer* en legde zijn paspoort op de balie. De oude vrouw knikte, antwoordde in het Lets en gaf hem een kaart om in te vullen. Omdat zijn paspoort haar niet interesseerde, besloot hij ter plekke zijn plannen te veranderen en schreef hij zich in onder een verzonnen naam. Inderhaast schoot hem niets anders te binnen dan zich Preuss te noemen. Hij gaf zichzelf de voornaam Martin en vermeldde zevenendertig als zijn leeftijd, Hamburg als zijn woonplaats. De vrouw glimlachte vriendelijk, overhandigde hem een sleutel en wees naar een gang achter zijn rug. Nee, ze veinst niet, dacht hij. Als de kolonels hun klopjacht op mij niet tot in het krankzinnige opvoeren en voor vannacht het bevel geven voor een razzia in alle hotels van Riga, kan ik hier tot morgen blijven. Natuurlijk komen ze er mettertijd achter dat Martin Preuss Kurt Wallander is, maar dan ben ik hier al weg. Hij deed de deur van zijn kamer open, ontdekte tot zijn vreugde een badkuip en geloofde het nauwelijks toen het water langzaam heet begon te worden. Hij kleedde zich uit en liet zich in het bad zakken. De warmte die door zijn lichaam trok, maakte hem soezerig en zo viel hij in slaap.

Toen hij wakker werd, was het water koud. Hij stapte uit de badkuip, droogde zich af en kroop in bed. Op straat reed knarsend een tram voorbij. Hij lag in het donker te staren en voelde hoe zijn angst terugkwam.

Hij moest vasthouden aan wat hij zich had voorgenomen, dacht hij. Als hij de controle over zijn oordeelsvermogen verloor, zouden de jachthonden hem spoedig inhalen. Dan zou hij verloren zijn. Hij wist wat hem te doen stond. De volgende dag zou hij de enige persoon in Riga opzoeken die hem misschien kon helpen om met Baiba Liepa in contact te komen.

Hij wist niet hoe ze heette.

Maar hij herinnerde zich dat haar lippen rood geweest waren.

16

Even voor de dag aanbrak kwam Inese terug.

Ze kwam naar hem toe in een nachtmerrie waarin de kolonels ergens in een donkere achtergrond aanwezig waren zonder dat hij hen te zien kreeg. In zijn droom leefde ze nog; hij probeerde haar te waarschuwen, maar ze hoorde niet wat hij zei en toen hij inzag dat hij haar niet kon helpen, werd hij uit zijn slaap geworpen en sloeg hij zijn ogen op in zijn kamer in hotel Hermes.

Zijn horloge, dat hij op het nachtkastje had gelegd, stond op vier minuten over zes. Op straat rammelde een tram voorbij. Hij rekte zich in bed uit en voelde zich voor het eerst sinds Zweden uitgerust.

Hij bleef liggen en beleefde opnieuw met een verschrikkelijke scherpte de gebeurtenissen van de vorige dag. In zijn uitgeruste geest kwam het gruwelijke bloedbad hem onwezenlijk voor, onmogelijk te vatten. Het willekeurige moorden was onbegrijpelijk. De dood van Inese vervulde hem met vertwijfeling, hij had geen idee hoe hij moest leven met het feit dat hij niets had kunnen doen om haar, de schele man en de anderen te redden: de mensen die op hem gewacht hadden en van wie hij niet eens de namen had leren kennen.

Zijn onrust dreef hem het bed uit. Even voor halfzeven verliet hij zijn kamer en ging naar de receptie om te betalen. De oude vrouw met haar vriendelijke glimlach en haar onbegrijpelijke Letse zinnen nam zijn geld aan en hij realiseerde zich na een snelle berekening dat hij voldoende geld had om nog een paar nachten in een hotel te kunnen slapen, als dat nodig mocht zijn.

De dag begon koud. Hij sloeg de kraag van zijn jack op en besloot te ontbijten voordat hij zijn plan in werking zette. Na een minuut of twintig op straat rondgedwaald te hebben vond hij een café dat open was. Hij ging het halflege lokaal binnen, bestelde koffie en een paar broodjes en ging aan een hoektafeltje zitten, dat vanuit de deur onzichtbaar was. Toen het halfacht geworden was, hield hij het niet langer uit. Nu was het buigen of barsten en opnieuw vond hij dat hij een idioot was geweest om naar Letland terug te keren.

Een halfuur later stond hij voor hotel Latvija, op dezelfde plek waar sergeant Zids altijd met zijn auto op hem had staan wachten. Heel even aarzelde hij. Misschien was hij te vroeg op pad? Misschien was de vrouw met de rode lippen er nog niet? Daarna ging hij naar binnen, wierp een blik in de richting van de receptie waar een paar vroege gasten hun rekening betaalden, liep langs het bankstel waar zijn schaduwen verscholen achter hun krant hadden gezeten en zag dat de vrouw al op haar plaats achter de tafel zat. Ze was juist bezig haar nering te openen. Met zorg legde ze de verschillende soorten kranten voor zich neer. Wat gebeurt er als ze me niet herkent, dacht hij. Misschien is ze alleen maar een tussenpersoon die geen weet heeft van de inhoud van de boodschappen die ze overbrengt.

Op dat moment zag ze hem staan, naast een van de hoge pilaren in de foyer. Hij zag dat ze hem meteen herkend had, dat ze wist wie hij was en dat ze niet bang was hem te zien. Hij liep naar haar tafel, stak zijn hand uit en zei luid in het Engels dat hij graag verschillende soorten ansichtkaarten wilde kopen. Om haar tijd te gunnen aan zijn onverwachte komst te wennen, bleef hij doorpraten. Had ze misschien ook ansichtkaarten van het *oude Riga? Hij zag dat er geen andere mensen in de buurt waren en toen hij vond dat hij genoeg gepraat had, boog hij zich naar haar toe alsof hij gevraagd had hem een detail op een ansichtkaart nader uit te leggen.*

'U kent me', begon hij. 'U hebt me een keer een kaartje voor een concert gegeven om Baiba Liepa te ontmoeten. Nu moet u me helpen om weer met haar in contact te komen. Ik ken hier niemand die ik om hulp kan vragen. Het is belangrijk dat ik Baiba zie. Maar u moet wel weten dat dit heel gevaarlijk is, omdat ze bewaakt wordt. Ik weet niet of u weet wat er gisteren gebeurd is. Laat me iets zien in een folder, doe of u me iets uitlegt en geef dan direct antwoord.'

Haar onderlip begon te trillen en hij zag dat haar ogen zich met tranen vulden. Omdat hij niet het risico kon nemen dat ze zou gaan huilen en daardoor ongewenste blikken zou trekken, begon hij meteen zelf weer te praten, zei dat zijn interesse uitging naar ansichtkaarten uit heel Letland en niet alleen van Riga. Hij had van een goede vriend gehoord dat hotel Latvija altijd zo'n goede keuze had.

Ze kreeg haar zelfbeheersing terug en hij zei dat hij begreep dat ze wist wat er gebeurd was. Maar had ze ook geweten dat hij naar Letland teruggekeerd was? Ze schudde haar hoofd.

'Ik kan nergens heen', vervolgde hij. 'Ik moet een plek hebben waar ik me schuil kan houden tot ik Baiba Liepa spreek.'

Hij kende haar naam niet eens, wist alleen dat haar lippen veel te rood waren. Had hij eigenlijk wel het recht om haar om wille van hemzelf bloot te stellen aan gevaar? Kon hij niet beter alles opgeven en naar de Zweedse ambassade gaan? Waar lag de grens van wat redelijk en fatsoenlijk was in een land waar onschuldige mensen zomaar doodgeschoten werden?

'Ik weet niet of ik ervoor kan zorgen dat u Baiba Liepa te spreken krijgt', zei ze zachtjes. 'Ik weet niet of dat nog wel mogelijk is, maar ik kan u bij mij thuis verbergen. Ik ben zo onbeduidend dat de politie zich niet voor mij interesseert. Kom over een uur terug. Wacht bij de bushalte aan de overkant van de straat. Ga nu.'

Hij richtte zich op, bedankte haar als de tevreden klant die hij speelde, stopte een folder in zijn zak en verliet het hotel. Het volgende uur liet hij zich door de mensenmenigte in een van de grote warenhuizen opslokken. Hij kocht een nieuwe muts in een twijfelachtige poging zijn uiterlijk nog meer te veranderen. Toen het uur om was, ging hij bij de bushalte staan. Hij zag haar uit het hotel komen. Toen ze naast hem aanschoof, deed ze alsof hij een vreemde was. Ze stapten in de bus die er al na enige minuten aankwam en hij ging een paar rijen achter haar zitten. Meer dan een halfuur reed de bus in de binnenstad rond voordat hij koers zette naar een van de buitenwijken van Riga. Hij probeerde zijn aandacht op de weg te richten, maar het enige wat hij herkende was het reusachtige Kirovpark. Ze reden door een eindeloze, sombere woonwijk. Toen ze op de bel drukte, was hij er niet op voorbereid geweest en bijna had hij de bus niet op tijd kunnen verlaten. Ze staken een bevroren speelplaats met een roestige stellage waarin een paar kinderen rondklauterden, over. Wallander trapte op een dode, opgezwollen kat die op de grond lag. Daarna volgde hij haar een donkere, echoënde poort door. Ze kwamen uit op een open galerij waar de koude wind hen in het gezicht sloeg. Nu pas richtte ze het woord tot hem.

'Ik woon heel klein', zei ze. 'Mijn oude vader woont bij me in. Ik zeg alleen dat u een dakloze vriend bent. Er zijn veel mensen in ons land, die geen huis hebben en het is normaal dat we elkaar helpen. Later op de dag komen mijn twee kinderen thuis uit school. Ik zal een briefje neerleggen dat u een vriend bent en waarin ik ze vraag thee voor u te zetten. Het huis is erg klein, maar het is alles wat ik te bieden heb. Ik moet meteen naar het hotel terug.'

De woning bestond uit twee kleine kamers, een keuken die eerder een kookhoek in een uitgebroken garderobekast was en een piepkleine badkamer. Op een bed lag een oude man.

'Ik weet niet eens hoe u heet', zei Wallander toen hij de klerenhanger die ze hem gaf, aannam.

'Vera', zei ze. 'U heet Wallander.'

Ze sprak zijn achternaam uit alsof het zijn voornaam was en het ging door hem heen dat hij binnenkort zelf niet meer wist welke naam hij moest gebruiken. De oude man in het bed ging rechtop zitten, maar toen hij op wilde staan, leunend op zijn stok om de dakloze vreemde te verwelkomen, protesteerde Wallander. Dat was niet nodig, hij wilde geen last veroorzaken. Vera zette brood en beleg in het kleine keukentje klaar en hij protesteerde opnieuw. Hij zocht een schuilplaats en geen gedekte tafel. Hij schaamde zich dat hij haar vroeg hem te helpen, hij schaamde zich dat zijn woning in Mariagatan drie keer zo groot was als de levensruimte waar zij over beschikte. Ze liet hem de andere kamer zien, waar een groot bed de meeste plaats innam.

'Doe de deur dicht als u met rust gelaten wilt worden', zei ze. 'Hier kunt u uitrusten. Ik zal proberen zo gauw mogelijk terug te zijn.'

'Ik wil niet dat u voor mij gevaar loopt', zei hij.

'Wat nodig is moet gedaan worden', antwoordde ze. 'Ik ben blij dat u zich tot mij gewend hebt.'

Toen ging ze weg. Wallander liet zich met zijn volle gewicht op de rand van het bed zakken.

Tot zover was hij gekomen.

Nu restte hem niets anders, dan op Baiba Liepa te wachten.

Vera kwam even voor vijven thuis. Inmiddels had Wallander al met haar beide kinderen, Sabine van twaalf en haar twee jaar oudere zusje Ieva, theegedronken. Hij had een paar Letse woorden geleerd, ze hadden gegiecheld om zijn onhandige opzeggen van 'iene, miene, mutte' en Vera's vader had met gebarsten stem een oude soldatenballade gezongen. Gedurende korte periodes was het Wallander gelukt zijn opdracht en de herinnering aan het kapotgeschoten oog van Inese en het wrede bloedbad te vergeten.

Hij had ontdekt dat er achter de wereld van de kolonels een normaal leven bestond en dat het juist die wereld was die majoor Liepa met zijn zelfopgelegde taak had verdedigd. Het was ter wille van Sabine en Ieva en Vera's oude vader dat mensen elkaar in verborgen jachthutten of in pakhuizen ontmoetten.

Toen Vera haar dochters had omhelsd, deed ze de deur achter hen beiden dicht. Ze zaten op haar bed en ze scheen plotseling met de situatie verlegen te zijn. Hij raakte haar arm aan in een poging haar zijn dankbaarheid te tonen, maar ze vatte zijn gebaar verkeerd op en trok zich terug. Hij besefte dat het zinloos was te proberen een verklaring te geven, dus vroeg hij of het haar gelukt was met Baiba Liepa in contact te komen.

'Baiba huilt', antwoordde ze. 'Ze treurt om haar vrienden. Vooral om Inese. Ze had hen gewaarschuwd dat de politie extra waakzaam was, ze had hen gesmeekt voorzichtig te zijn. Toch is er gebeurd wat ze gevreesd had. Baiba huilt, maar ze is ook vervuld van woede, net als ik. Ze wil u vanavond ontmoeten, Wallander en we hebben daarvoor een plannetje opgesteld. Maar voordat ik verder uitleg geef, moeten we eerst eten. Als we niet meer eten, hebben we alle hoop opgegeven.'

Ze verdrongen zich om een tafel die ze uit de muur in de kamer waar ook het bed van haar vader stond, had neergeklapt. Het was alsof Vera en haar gezin in een caravan woonden, dacht Wallander. Opdat er voor iedereen plaats zou zijn, was een minutieuze organisatie vereist en hij was stom verbaasd te constateren dat het mogelijk was altijd zo dicht op elkaar te leven. Hij moest denken aan de avond dat hij een bezoek aan de villa van kolonel Putnis, een eind buiten Riga, had gebracht. Om zijn privileges veilig te stellen, had een van de kolonels zijn ondergeschikten opdracht gegeven een wrede klopjacht op mensen als de majoor en Inese te houden. Nu zag hij hoe groot het verschil tussen zulke levens was. Ieder contact tussen deze mensen leidde tot bebloede handen.

Er was groentesoep die Vera klaarmaakte op het piepkleine fornuis. De twee meisjes hadden grof brood en bier op tafel gezet. Hoewel voor Wallander de hevige spanning waarin Vera verkeerde, duidelijk voelbaar was, bleef ze tegenover haar gezin onverstoorbaar. Opnieuw vond hij dat hij het recht niet had haar zulke grote risico's te laten lopen, louter door haar om hulp te vragen. Hoe zou hij ooit met zichzelf in het reine kunnen komen als haar iets overkwam?

Na het eten ruimden de meisjes af en gingen afwassen, terwijl Vera's vader weer naar bed ging om wat te rusten.

'Hoe heet uw vader?' vroeg Wallander.

'Hij heeft een eigenaardige naam', antwoordde Vera. 'Hij heet Antons. Hij is zesenzeventig en heeft moeite met plassen. Heel zijn leven heeft hij als voorman op een drukkerij gewerkt. Ze zeggen dat oude typografen aan een soort loodvergiftiging kunnen lijden waardoor ze verstrooid en afwezig worden. Soms is hij weg van de wereld. Misschien heeft ook hij die ziekte opgelopen.'

Ze zaten weer op haar bed in de slaapkamer en ze had het gordijn voor de deur dichtgetrokken. De meisjes stonden in de keukenhoek te fluisteren en te giechelen en hij wist dat het ogenblik nu aangebroken was.

'Herinnert u zich de kerk waar u Baiba tijdens een orgelconcert ontmoet hebt?' vroeg ze. 'De Gertrūdeskerk?'

Hij knikte, hij herinnerde zich die.
'Denkt u dat u hem kunt vinden?'
'Niet van hieruit.'
'Maar wel vanaf hotel Latvija, vanuit het centrum?'
'Dat wel.'
'Ik kan niet met u meegaan naar de stad. Dat is te gevaarlijk, maar ik denk niet dat iemand vermoedt dat u bij mij bent. U moet zelf de bus naar het centrum nemen. U moet niet uitstappen bij de bushalte voor het hotel, maar een halte eerder of later. Zoek de kerk op en wacht tot het tien uur is. Herinnert u zich de achteringang bij het kerkhof nog, die jullie gebruikt hebben toen jullie de eerste keer de kerk verlieten?'
Wallander knikte. Hij dacht dat hij die wist, ook al was hij er niet helemaal zeker van.
'Die neemt u als u er zeker van bent dat niemand u ziet. Wacht daar. Als Baiba kan, komt ze.'
'Hoe hebt u haar kunnen bereiken?'
'Ik heb haar gebeld.'
Wallander keek haar ongelovig aan.
'De telefoon zal toch wel afgeluisterd worden!'
'Natuurlijk wordt die afgeluisterd. Ik heb gebeld en gezegd dat het boek dat ze besteld had, aangekomen is. Toen wist ze dat ze naar de boekwinkel moest gaan om naar een bepaald boek te vragen. Daar heb ik een brief in gestopt, waarin stond dat u gearriveerd was en dat u bij mij was. Een paar uur later ben ik naar de winkel gegaan, waar een van Baiba's buren boodschappen doet. Er lag een brief van Baiba, waarin ze schreef dat ze zou proberen vanavond in de kerk te zijn.'
'En als haar dat niet lukt?'
'Dan kan ik u verder niet helpen. U kunt hier ook niet terugkomen.'
Wallander wist dat ze gelijk had. Dit was zijn enige kans om Baiba Liepa te zien. Als dit zou mislukken, zat er niets anders op dan naar de Zweedse ambassade te gaan om te vragen hem te helpen het land uit te komen.
'Weet u waar de Zweedse ambassade gevestigd is?'

Ze dacht na voordat ze antwoord gaf.

'Ik weet niet of Zweden hier een ambassade heeft', antwoordde ze.

'Maar er zal toch wel een consulaat zijn.'

'Ik zou niet weten waar.'

'Het moet in het telefoonboek staan. Schrijf het Letse woord voor Zweedse ambassade en Zweeds consulaat op. Er zal wel ergens een restaurant zijn, waar ze een telefoonboek hebben. Schrijf ook het Letse woord voor telefoonboek op.'

Ze schreef de woorden op een velletje papier, dat ze uit een schrift van een van de meisjes scheurde en hij leerde de woorden correct uitspreken.

Twee uur later nam hij afscheid van Vera en haar gezin en vertrok. Ze had hem een van haar vaders oude overhemden gegeven en een sjaal, zodat hij er weer anders uitzag. Hij wist niet of hij hen ooit terug zou zien en hij had het gevoel dat hij hen nu al miste.

Toen hij naar de bushalte liep, vond hij de dode kat als een slecht voorteken op zijn weg. Vera had hem wat kleingeld gegeven om zijn kaartje te betalen.

Toen hij in de bus stapte, had hij plotseling weer het gevoel dat hij al bewaakt werd. 's Avonds gingen er niet veel passagiers naar de stad en hij was helemaal achterin gaan zitten, zodat hij alle ruggen voor zich had. Zo nu en dan wierp hij een blik door de vuile achterruit van de bus, maar hij zag geen auto die hen volgde.

Toch maakte zijn instinct hem onrustig. Het gevoel dat ze hem gevonden hadden en hem volgden, liet hem niet met rust. Hij moest beslissen wat hij ging doen. Daar had hij ongeveer vijftien minuten de tijd voor. Waar zou hij uitstappen, hoe moest hij eventuele achtervolgers afschudden? Het leek een onmogelijke taak, maar plotseling kreeg hij een idee dat driest genoeg was om kans van slagen te hebben. Hij nam aan dat hij niet alleen maar in de gaten werd gehouden. Het moest voor hen minstens zo belangrijk zijn om hem naar zijn afspraak met Baiba Liepa te volgen en het moment af te wachten waarop ze er zeker van waren het testament van de majoor in handen te krijgen.

Hij lapte Vera's instructies aan zijn laars en stapte voor hotel Latvija uit. Zonder om zich heen te kijken ging hij naar binnen, liep naar de receptie en vroeg of ze voor een of twee nachten een kamer voor hem hadden. Hij sprak luid en duidelijk Engels en toen de receptionist zei dat er een kamer vrij was, haalde hij zijn Duitse paspoort tevoorschijn en schreef zich in als Gottfried Hegel. Hij zei dat zijn bagage na zou komen en voegde er zo luid als hij durfde, zonder dat het de indruk zou wekken dat hij doelbewust een vals spoor uitzette, aan toe dat hij om even voor middernacht gewekt wilde worden, omdat hij een belangrijk telefoongesprek verwachtte en dan wakker wilde zijn. In het gunstigste geval gaf het hem een voorsprong van vier uur. Omdat hij geen bagage bij zich had, nam hij zelf zijn sleutel en liep naar de lift. Hij had een kamer op de vierde verdieping gekregen en hij mocht niet langer aarzelen, maar moest meteen handelen. Hij probeerde zich van zijn eerdere bezoek te herinneren hoe de achtertrappen van het hotel ten opzichte van de lange gangen lagen en toen hij op de vierde verdieping uit de lift stapte, wist hij meteen hoe hij moest lopen. Hij nam de donkere achtertrap en hoopte dat ze nog niet het hele hotel onder surveillance hielden. Hij liep door tot aan de kelder en vond de deur aan de achterzijde van het hotel, die toegang tot de straat gaf. Even was hij bang dat hij die niet zonder sleutel open kon krijgen, maar hij had geluk, de sleutel zat in het slot. Hij kwam in het donkere achterafstraatje en bleef een moment doodstil staan. Hij keek om zich heen, maar de straat lag er verlaten bij en nergens hoorde hij voortsnellende voetstappen. Hij rende langs de huizen, sloeg diverse zijstraten in en bleef niet staan voordat hij minstens drie straten van het hotel verwijderd was. Hij hijgde toen al zwaar en hij verstopte zich in een portiek om op adem te komen en te zien of iemand hem volgde. Hij probeerde zich voor te stellen hoe Baiba Liepa ergens in de stad op hetzelfde moment de kwaadaardige schaduwen van de kolonels van zich af probeerde te schudden. Het zou haar ongetwijfeld lukken. Ze had de best mogelijke leermeester gehad, de majoor.

Even voor halftien bereikte hij de Gertrūdeskerk. De geweldige kerkramen waren donker. Hij vond een achterplaatsje waar hij kon wachten. Ergens hoorde hij ruzie maken, een lang aangehouden, troosteloze stroom opgewonden woorden, die eindigde met een dreun, een gil en een oorverdovende stilte.

Hij bewoog zijn voeten om het niet koud te krijgen en probeerde zich te herinneren welke dag het was. Zo nu en dan reed er een auto voorbij en ergens vanbinnen was hij er de hele tijd op voorbereid dat een van die auto's af zou remmen. Dan zouden ze op de vuilnisbakken afkomen, waartussen hij zich verborgen hield.

Het gevoel dat ze hem al gevonden hadden, keerde terug en zijn poging hen af te schudden door te doen alsof hij in hotel Latvija was, was tevergeefs geweest, meende hij. Had hij een fout begaan door aan te nemen dat de vrouw met de rode lippen geen handlangster van de kolonels was? Stonden ze misschien in de schaduwen van het kerkhof te wachten op het moment dat het testament van de majoor tevoorschijn zou komen? Hij duwde die gedachten van zich af. Zijn enige alternatief was om naar de Zweedse ambassade te vluchten en dat, wist hij, kon hij niet doen.

De torenklok sloeg tien uur. Hij verliet het achterplaatsje, speurde nauwlettend de straat af en haastte zich toen naar het ijzeren hekje. Hoewel hij het heel voorzichtig opendeed, was er een zwak knarsend geluid te horen. Hier en daar wierpen straatlantaarns zwakke lichtbundels over de muur van het kerkhof. Hij bleef roerloos staan luisteren. Alles was stil. Behoedzaam volgde hij het platgetrapte pad naar de zijbeuk waar hij de vorige keer samen met Baiba Liepa de kerk had verlaten. Opnieuw kreeg hij het gevoel dat hij geobserveerd werd, dat zijn schaduwen zich ergens vóór hem bevonden, maar omdat hij verder niets kon doen, liep hij door naar de muur van de kerk en bleef daar staan wachten.

Baiba Liepa schoof geluidloos naast hem, alsof ze zich uit het donker zelf had losgemaakt. Hij schrok toen hij haar ontdekte. Ze fluisterde iets wat hij niet verstond. Toen trok ze hem snel mee door een deur in de zijbeuk die op een kier stond en hij maakte eruit op dat ze in de kerk op hem had gewacht. Ze draaide de deur met de grote sleutel op slot en liep naar het hekwerk om het altaar. Het donker in de hoge ruimte was compact. Ze leidde hem bij de hand alsof hij blind was en hij begreep niet hoe ze zich in het donker kon oriënteren. Achter de sacristie lag een voorraadkamer zonder ramen. Er stond een tafel met een petroleumlamp. Daar had ze op hem gewacht, haar bontmuts lag op een stoel en tot zijn verbazing en ontroering had ze een foto van de majoor naast de lamp gezet. Hij zag ook een thermoskan, een paar appelen en een stuk brood. Het was alsof ze hem voor een laatste avondmaal uitnodigde en hij vroeg zich af hoelang het nog zou duren voordat de kolonels hen ingehaald zouden hebben, vroeg zich af hoe haar relatie met de kerk was, of ze in tegenstelling tot haar overleden man in een God geloofde. Hij bedacht dat hij even weinig van haar wist als destijds van haar man.

Eenmaal in het vertrek achter de sacristie, pakte ze hem beet en omarmde hem heftig. Hij merkte dat ze huilde en haar verdriet en woede waren zo groot dat hij haar handen als ijzeren klauwen op zijn rug voelde.

'Ze hebben Inese gedood', fluisterde ze. 'Ze hebben ze allemaal dood gemaakt. Ik dacht dat jij ook dood was. Ik dacht dat alles voorbij was toen Vera me belde.'

'Het was verschrikkelijk', zei Wallander. 'Maar daar mogen we nu niet aan denken.'

Ze keek hem verbaasd aan.

'We moeten juist altijd aan hen blijven denken', zei ze. 'Als we vergeten, vergeten we dat we mensen zijn.'

'Ik bedoel niet dat we moeten vergeten,' legde hij uit, 'ik bedoel alleen dat we verder moeten. Verdriet verlamt ons handelen.'

Ze zonk op een stoel neer. Hij zag hoe uitgeteerd ze was, van vermoeidheid en verdriet. Hoelang zou ze het nog volhouden?

De nacht die ze in de kerk doorbrachten, werd een ijkpunt in het bestaan van Kurt Wallander, waarin hij meende een regelrechte overstap te maken naar het centrum van de tijd waarin hij leefde. Tot dan toe had hij zelden nagedacht over zijn leven vanuit een existentieel perspectief. Misschien was hij in sombere momenten, bij het zien van vermoorde mensen, van verkeersslachtoffertjes of vertwijfelde zelfmoordenaars, opgeschrokken en had ingezien dat het leven, zodra de dood zich liet zien, zeer kort was. Zo kort als men leefde, zo oneindig lang was men dood. Maar hij kon zulke gedachten ook weer van zich af te zetten. In de dagelijkse praktijk was het leven voor hem voornamelijk een grote janboel. Hij twijfelde of hij wel in staat was zijn bestaan meer inhoud te geven door zijn leven volgens filosofische receptuur in te richten. Hij had zich evenmin ooit druk gemaakt over het tijdperk dat hem toevallig was toebedeeld. Men werd geboren als men geboren werd en stierf als men stierf en verder dan zo had hij de grenzen van het bestaan nauwelijks beschouwd. Maar de nacht die hij met Baiba Liepa in de koude kerk doorbracht, dwong hem dieper in zichzelf te kijken dan ooit tevoren. Hij besefte dat de wereld bijna nooit op Zweden leek en dat zijn eigen problemen maar onbeduidend waren in vergelijking met de meedogenloosheid die een stempel op het leven van Baiba Liepa drukte. Het was alsof hij zich nu pas, tijdens deze nacht, werkelijk in kon leven in het bloedbad waarin Inese gedood was. Het irreële werd reëel. De kolonels waren echt, sergeant Zids vuurde dodelijke kogels uit echte wapens af, kogels die het hart uiteen konden rijten en die in een fractie van een seconde een doods universum schiepen. Hij dacht aan de allesverzengende pijn die het gevolg is van altijd maar bang te moeten zijn. Het tijdperk van de angst, dacht hij. Dat is mijn tijdperk en dat heb ik nu pas begrepen, nu ik al door de middelbare leeftijd ben ingehaald.

Ze zei dat ze in de kerk veilig waren, zo veilig als maar mogelijk was. De pastoor was een goede vriend van Karlis Liepa geweest. Hij had niet geaarzeld een schuilplaats ter beschikking te stellen, toen Baiba zijn hulp had ingeroepen. Wallander vertelde haar dat zijn instinct hem influisterde dat ze hem al gevonden hadden en nu ergens in de schaduwen wachtten.

'Waarom zouden ze wachten?' protesteerde Baiba. 'Voor dit soort mensen bestaat er niet zoiets als wachten, wanneer ze van plan zijn om mensen die hun bestaan bedreigen, te arresteren en af te straffen.'

Wallander zag in dat ze waarschijnlijk gelijk had. Maar hij vond dat het testament voor hen toch belangrijker was, dat ze bang waren voor de nagelaten documenten van de majoor en niet voor een weduwe en een, in hun ogen, ongevaarlijke Zweedse politieman die zijn eigen geheime vendetta voerde.

Als door een mokerslag werd hij getroffen door nog een idee. Een gedachte, zo verbijsterend dat hij besloot voorlopig niets tegen Baiba Liepa te zeggen. Plotseling was het tot hem doorgedrongen dat er nog een derde mogelijkheid was waarom de schaduwen zich niet kenbaar maakten, hen inrekenden en naar het versterkte hoofdbureau van politie overbrachten. Toen hij deze mogelijkheid tijdens de lange nacht in de kerk overdacht, werd ze steeds waarschijnlijker. Maar hij zei niets, misschien in de eerste plaats omdat hij het Baiba Liepa niet moeilijker wilde maken dan absoluut onvermijdelijk was.

Hij besefte dat haar vertwijfeling evenzogoed voortvloeide uit het feit dat ze niet wist waar Karlis zijn testament verborgen had, als uit haar verdriet om de dood van Inese en haar andere vrienden. Ze was alle denkbare mogelijkheden nagegaan, had geprobeerd zich in de manier van denken van haar man in te leven en toch had ze de oplossing niet gevonden. Ze had tegels uit de badkamer gerukt en vullingen in de meubels kapotgesneden, maar nergens had ze iets anders dan stof en de botjes van dode muizen aangetroffen.

Wallander probeerde haar te helpen. Ze zaten tegenover elkaar aan de tafel. Ze schonk thee in en het licht van de petroleumlamp veranderde het sombere kerkgewelf in een vertrek waar beslotenheid en warmte heersten. Het liefst had Wallander zijn armen om haar heengeslagen en haar verdriet gedeeld. Opnieuw dacht hij erover haar mee naar Zweden te nemen. Maar hij wist dat ze zich zoiets onmogelijk in kon denken, in ieder geval nu niet, nu Inese en haar andere vrienden vermoord waren. Ze zou liever sterven dan de gedachte op te geven naar het testament van haar man te zoeken.

Tegelijkertijd dacht hij dus na over de derde mogelijkheid, die verklaarde waarom de schaduwen niet ingrepen. Als wat hij begon te vermoeden klopte, hadden ze niet alleen een vijand die in de schaduwen afwachtte, maar ook een *vijand van de vijand* die over hen waakte. *De condor* en *de kieviet*, dacht hij. Ik weet nog altijd niet wie van de kolonels welke verentooi bezit. Maar misschien wil *de kieviet* het gekozen slachtoffer van *de condor* beschermen.

De nacht in de kerk was als een reis naar een onbekend continent. Ze moesten zoeken naar iets waarvan ze niet wisten wat het was. Een pakje in pakpapier? Een tas? Wallander was ervan overtuigd dat de majoor een verstandig man was, die wist dat een te goed gekozen bergplaats waardeloos is. Baiba Liepa moest daarom blijven vertellen, wilde hij zijn weg in de onverschrokken wereld van de majoor vinden. Hij stelde vragen die hij niet wou stellen, maar ze dwong hem, eiste dat hij geen consideratie met haar had.

Met haar hulp omcirkelde hij een steeds kleiner segment van haar leven tot in de meest intieme details. Zo nu en dan bereikten ze een punt waarvan ze meenden dat ze de oplossing op het spoor waren. Maar steeds weer bleek dat Baiba Liepa die mogelijkheid al onderzocht had en had ontdekt dat het een dood spoor was.

Om halfvier in de ochtend stond hij op het punt het op te geven. Met vermoeide ogen keek hij naar haar afgematte gezicht.

'Wat is er nog over?' vroeg hij, een vraag die hij evengoed aan zichzelf als aan haar stelde. Waar konden ze verder nog zoeken? Een bergplaats moest *ergens* zijn, ondergebracht in een soort ruimte. Een vaste ruimte, waterdicht, brandveilig, beveiligd tegen diefstal. Wat kon er nog meer zijn?

Hij dwong zich verder te gaan.

'Is er een kelder onder jullie huis?' vroeg hij.

Ze schudde haar hoofd.

'We hebben het al over de zolder gehad. We hebben je appartement ondersteboven gekeerd. Het zomerhuis van je zuster. Het huis van zijn vader in Ventspils. Denk na, Baiba. Er moet nog iets zijn.'

Hij zag dat ze haar grens bereikt had.

'Nee', zei ze. 'Meer is er niet.'

'Het hoeft niet binnenshuis te zijn. Je hebt verteld dat jullie soms naar het strand gingen. Lag daar een steen waarop jullie dan zaten? Waar zetten jullie je tent op?'

'Dat heb ik al verteld. Ik weet dat Karlis daar nooit iets zou verstoppen.'

'Hebben jullie de tent altijd op dezelfde plek opgezet? Acht zomers achter elkaar? Hebben jullie niet een keer een andere plaats gekozen?'

'We vonden het allebei leuk om oude, vertrouwde dingen terug te zien.'

Ze wilde nieuwe wegen inslaan, maar hij dwong haar terug te gaan in de tijd. De majoor zou nooit zomaar een toevallige bergplaats gekozen hebben. De plaats die hij gekozen had, moest zich ergens in hun gemeenschappelijke achtergrond bevinden.

Hij begon weer van voren af aan. De petroleum in de lamp was op, maar Baiba Liepa vond een grote kaars en druppelde kaarsvet op een papieren manchet. Daarna legden ze opnieuw het levenspad dat de majoor en zij gedeeld hadden, af. Wallander dacht dat Baiba van uitputting flauw zou vallen. Hij vroeg zich af wanneer ze voor het laatst geslapen had en hij probeerde haar op te monteren door te proberen zelf optimisme uit te stralen, al voelde hij daar niets van. Hij begon opnieuw met het appartement van haar en de majoor. Kon ze toch niet iets over het hoofd gezien hebben? Een huis bezit een oneindig aantal *holten.*

Hij trok haar mee door kamer na kamer. Ten slotte was ze zo moe dat ze haar antwoorden uitschreeuwde.

'Het testament bestaat domweg niet!' riep ze. 'We hadden een huis en daar woonden we, behalve met de vakantie. Overdag was ik op de universiteit en ging Karlis naar het hoofdbureau van politie. Er zijn helemaal geen bewijsstukken. Karlis moet gemeend hebben dat hij onsterfelijk was.'

Wallander besefte dat haar woede ook tegen de dode man gericht was. Het was een klaagroep die hem deed denken aan het jaar ervoor, toen een Somalische vluchteling in Zweden was vermoord en Martinson geprobeerd had de vertwijfelde weduwe te kalmeren.

We leven in het Tijdperk der Weduwen, dacht hij. We wonen

in de Woningen der Weduwen en der Angsten...

Plotseling onderbrak hij zijn eigen gedachtegang. Baiba had meteen door dat hij aan iets heel anders zat te denken.

'Wat is er?' fluisterde ze.

'Sst', zei hij. 'Ik moet nadenken.'

Zou dat een mogelijkheid kunnen zijn? Hij probeerde de gedachte van verschillende kanten uit, probeerde haar te verwerpen als een zinloos schot voor de boeg, maar ze liet hem niet los.

'Ik wil je een vraag stellen', zei hij langzaam. 'En ik wil dat je antwoord geeft zonder na te denken. Ik wil dat je meteen antwoordt. Als je begint na te denken, geef je misschien een fout antwoord.'

Ze keek hem in het flakkerende kaarslicht gespannen aan.

'Is het mogelijk dat Karlis de meest ongeloofwaardige van alle bergplaatsen gekozen heeft?' vroeg hij. 'In het hoofdbureau van politie?'

Hij zag dat haar ogen begonnen te glimmen.

'Ja', zei ze snel. 'Dat is mogelijk.'

'Waarom?'

'Zo iemand was Karlis. Het zou kloppen met zijn karakter.'

'Maar waar?'

'Dat weet ik niet.'

'Zijn eigen kamer kunnen we vergeten. Praatte hij ooit over het politiebureau?'

'Hij vond het een afschuwelijk gebouw. Net een gevangenis. Het *was* ook een gevangenis.'

'Denk na, Baiba. Had hij het vaak over een bepaald vertrek? Een dat een speciale betekenis voor hem had? Dat hij meer haatte dan andere vertrekken? Of een waar hij het juist prettig vond?'

'De verhoorkamers maakten hem vaak ziek.'

'Daar kun je niets in verbergen.'

'Hij haatte de kamers van de kolonels.'

'Ook daar kan hij niets verborgen hebben.'

Ze dacht zo ingespannen na dat ze haar ogen dichtdeed.

Toen ze weer uit haar gedachtewereld opdook en haar ogen opende, had ze het antwoord gevonden.

'Karlis sprak vaak over een ruimte die hij de Kamer van het Kwaad noemde', zei ze. 'Hij zei dat in dat vertrek alle documenten weggestopt werden met het onrecht dat ons land werd aangedaan. Ja, daar moet hij zijn testament verstopt hebben. Tussen de herinneringen aan al die mensen die zo lang en zo verschrikkelijk geleden hebben. Hij heeft zijn papieren ergens in het archief van het hoofdbureau van politie ondergebracht.'

Wallander keek naar haar gezicht. Plotseling was al zijn vermoeidheid verdwenen.

'Ja', zei hij. 'Ik geloof dat je gelijk hebt. Hij heeft voor een bergplaats in een andere bergplaats gekozen. Als bij die Russische poppen die in elkaar passen. Maar hoe heeft hij zijn testament een stempel gegeven, zodat alleen jij het zou kunnen vinden?'

Onverwachts begon ze te lachen en te huilen tegelijk.

'Ik weet het', snikte ze. 'Nu begrijp ik hoe hij gedacht heeft. Toen we elkaar pas kenden, deed hij kunstjes met kaarten voor me. Toen hij jong was droomde hij er niet alleen van om ornitholoog te worden, hij had ook de mogelijkheid van goochelaar overwogen. Ik vroeg hem of hij me zijn kunstjes wilde leren, maar dat weigerde hij. Het werd een soort spelletje tussen ons. Hij heeft me maar een van zijn kaartkunstjes geleerd, het eenvoudigste. Je deelt een spel op in twee delen, alle zwarte kaarten en alle rode doe je bij elkaar. Daarna vraag je iemand om een kaart te trekken, die te onthouden en weer terug te stoppen. Door iemand maar de helft van het spel kaarten voor te houden, komt er een rode kaart tussen de zwarte of een zwarte kaart tussen de rode terecht. Hij zei vaak dat ik in een grauwe wereld vol troosteloosheid zijn leven kleur gaf. We zochten ook altijd naar een rode bloem tussen de blauwe of gele en naar een groen huis tussen de witte. Het was een spelletje, maar ook een geheim. Toen hij zijn testament verstopte, moet hij langs die lijnen gedacht hebben. Ik neem aan dat het archief volstaat met mappen van diverse kleuren. Ergens bevindt zich een map die afwijkt, of in kleur of in grootte. Dat is hem.'

'De politie moet een zeer uitgebreid archief hebben', zei Wallander.

'Soms, als hij op reis moest, legde hij een kaartspel op mijn kussen met de rode kaart tussen de zwarte', vervolgde ze. 'Natuurlijk staat er in het archief ook een dossier over mij. Daar moet hij ergens onopvallend zijn afwijkende kaart tussen gestopt hebben.'

Het was halfzes. Ze hadden hun einddoel niet bereikt, maar meenden nu te weten waar het testament lag.

Wallander stak zijn hand uit en raakte haar arm aan.

'Ik zou willen dat je met me meeging naar Zweden', zei hij in het Zweeds.

Ze keek hem niet-begrijpend aan.

'Ik zei dat we eerst moeten rusten', legde hij uit. 'Voordat de dag aanbreekt, moeten we hier weg zijn. We weten niet waar we heen kunnen. We weten evenmin hoe we de grootste goocheltruc aller tijden uit moeten voeren, hoe het archief van de politie binnen te dringen. Daarom moeten we eerst uitrusten.'

Er lag een deken in een kast, opgerold onder een oude mijter. Baiba rolde haar uit op de grond. Alsof het de natuurlijkste zaak van de wereld was, kropen ze dicht tegen elkaar aan om warm te blijven.

'Slaap', zei hij. 'Ik hoef alleen maar wat uit te rusten. Ik blijf wakker. Ik wek je als we weg moeten.'

Hij wachtte even.

Maar er kwam geen antwoord.

Ze sliep al.

17

Even voor zevenen verlieten ze de kerk.

Wallander moest Baiba Liepa, die van vermoeidheid half bewusteloos was, steunen. Het was nog donker toen ze weggingen. Terwijl ze naast hem op de grond had liggen slapen, had hij wakker gelegen en gedacht aan wat ze nu verder moesten doen. Hij wist dat hij een plan gereed moest hebben. Baiba kon hem vanaf nu nauwelijks meer helpen. Ze had haar schepen achter zich verbrand en was nu even vogelvrij als hij. Van nu af aan was hij tevens haar beschermer. Maar, had hij in het donker geconcludeerd, ook hij had al zijn inventiviteit opgebruikt, plannen had hij niet meer.

Alleen de gedachte dat er *een derde mogelijkheid* was, had hem op de been gehouden. Hij wist heel goed dat het zeer gevaarlijk was zich op die mogelijkheid te verlaten, hij kon het ook bij het verkeerde eind hebben en in dat geval zouden ze niet aan de moordenaar van de majoor kunnen ontsnappen. Maar toen het zeven uur was geworden en ze weg moesten, realiseerde hij zich dat ze geen alternatief hadden.

De ochtend was koud. In het donker stonden ze doodstil voor de deur. Baiba hing aan zijn arm. Wallander hoorde een bijna onhoorbaar geluid vanuit het donker, alsof iemand haastig van houding veranderde en onwillekeurig met een voet over het harde, bevroren grind schraapte. Nu komen ze, dacht hij. Nu worden de honden weldra losgelaten. Maar er gebeurde niets, alles werd opnieuw stil en hij trok Baiba mee naar het hek in de kerkhofmuur. Ze kwamen uit op de straat en Wallander was er nu van overtuigd dat de achtervolgers ergens in de buurt moesten zijn. Hij vermoedde een schaduwachtige beweging in een trapportaal, hij hoorde het knarsen toen achter hem het hek weer openging. Het zijn niet bepaald hoog gekwalificeerde honden die een van de kolonels in zijn koppel heeft zitten, dacht hij ironisch. Of ze willen dat wij weten dat ze ons de hele tijd op het spoor zijn.

Baiba was door de kou weer tot leven gekomen. Ze bleven op de hoek van een straat staan.

'Ken je iemand van wie we een auto kunnen lenen?' vroeg hij.

Ze dacht na voordat ze haar hoofd schudde.

De angst maakte dat hij zich plotseling ergerde. Waarom moest alles altijd zo moeizaam gaan in dit land? Hoe kon hij haar helpen als niets normaal was, niets was zoals hij dat gewend was?

Ineens herinnerde hij zich de auto die hij de vorige dag gestolen had. Groot was de kans niet, maar hij had niets te verliezen als hij ging kijken of hij er nog stond. Hij duwde Baiba een café in, dat al open was en nam aan dat dit de troep honden, die achter hen aanzat, in verwarring zou brengen. Nu was de groep bewakers genoodzaakt zich op te splitsen. En voortdurend zouden ze bang zijn dat hij en Baiba ieder moment in het bezit van de bewijsstukken konden komen. Die gedachte vrolijkte hem enigszins op. Het gaf hem een kans waaraan hij nog niet eerder had gedacht, hij kon een fout lokaas neerleggen. Hij haastte zich door de straten. Hij moest nu eerst kijken of de auto er nog stond.

Die stond waar hij hem achtergelaten had. Zonder zich te bedenken kroop hij achter het stuur, rook de eigenaardige vislucht, verbond de elektrische kabels en vergat dit keer niet de pook van de versnellingsbak in zijn vrij te zetten. Hij stopte voor het café en liet de motor draaien terwijl hij Baiba ging halen. Ze zat aan een tafeltje thee te drinken en hij merkte dat hij honger had. Maar dat moest maar wachten.

Ze had al afgerekend en ze liepen naar de auto.

'Hoe kom je daaraan?' vroeg ze.

'Dat leg ik je een andere keer wel uit', antwoordde hij. 'Nu moet je zeggen hoe ik Riga uitkom.'

'Waar gaan we naartoe?'

'Dat weet ik nog niet. Om te beginnen de stad uit.'

Het was drukker geworden op de weg en Wallander steunde luid vanwege de krakkemikkige motor. Ten slotte bereikten ze dan toch de buitenste woonwijken van de stad en weldra reden ze door een vlakte met wat verspreid liggende boerderijen.

'Waar leidt deze weg naartoe?' vroeg Wallander.

'Naar Estland. Hij eindigt in Tallinn.'

'Zo ver gaan we niet.'

De trillende wijzer van de benzinemeter stond op leeg en Wallander reed een benzinestation op. Een oude man met een blind oog vulde de tank, maar toen Wallander wou betalen bleek hij niet genoeg geld te hebben. Baiba vulde het ontbrekende bedrag aan, waarna ze hun weg vervolgden. Tijdens het oponthoud had Wallander de weg in de gaten gehouden. Eerst was een zwarte auto van een hem onbekend merk gepasseerd, meteen daarop nog een. Toen hij het benzinestation uit reed, zag hij in het achteruitkijkspiegeltje een auto achter hen aan de kant van de weg staan. Drie dus, dacht hij. Minstens drie wagens, misschien meer.

Ze kwamen bij een stad waarvan Wallander nooit de naam zou weten. Hij stopte op een plein waar een groepje mensen om een visstalletje stond.

Hij was erg moe. Als hij niet gauw wat kon slapen, zouden zijn hersenen verstek laten gaan. Aan de overkant van het plein zag hij het bord van een hotel en zijn besluit stond vast.

'Ik moet slapen', zei hij tegen Baiba. 'Hoeveel geld heb je nog? Is dat voldoende voor een kamer?'

Ze knikte. Ze stapten uit de auto, staken het plein over en schreven zich in in het hotelletje. Baiba legde iets in het Lets uit waar de receptioniste van moest blozen, die vervolgens niet vroeg of ze een ook kaart wilden invullen.

'Wat heb je tegen haar gezegd?' vroeg Wallander toen ze op hun kamer met uitzicht op een achterplaatsje waren.

'De waarheid', zei ze. 'Dat we niet getrouwd zijn en maar een paar uur blijven.'

'Ze bloosde. Zag ik dat goed?'

'Dat zou ik ook gedaan hebben.'

Even was de spanning verbroken. Wallander barstte in lachen uit en Baiba liep rood aan. Toen werd hij weer serieus.

'Ik weet niet of je doorhebt dat dit de krankzinnigste onderneming is waar ik ooit aan deelgenomen heb', zei hij. 'Ik weet ook niet of je doorhebt dat ik minstens zo bang ben als jij. In tegenstelling tot je man heb ik als politieman mijn hele leven gewerkt in een stad die niet veel groter is dan deze. Ik heb geen ervaring met ingewikkeld in elkaar grijpende criminele organisaties en wrede bloedbaden. Natuurlijk moet ik ook wel eens een moord oplossen, maar de meeste tijd zit ik achter dronken inbrekers en weggelopen stierkalveren aan.'

Ze ging naast hem op de rand van het bed zitten.

'Karlis zei dat je een bekwame politieman bent', zei ze. 'Hij zei dat je een grote slordigheid had begaan, maar hij vond je toch een goed rechercheur.'

Wallander herinnerde zich met tegenzin het reddingsvlot.

'Onze landen verschillen zoveel van elkaar', vervolgde hij. 'Karlis en ik hadden totaal afwijkende meningen over ons werk. Hij zou ook in Zweden hebben kunnen functioneren, maar ik zou nooit politieman in Letland kunnen zijn.'

'Je bent het nu', zei ze.

'Nee', wierp hij tegen. 'Ik ben hier omdat je me dat gevraagd hebt. Misschien ben ik hier omdat Karlis was die hij was. Eigenlijk weet ik niet wat ik in Letland doe. Er is maar één ding dat ik zeker weet. Ik zou willen dat je met me meegaat naar Zweden. Als dit alles voorbij is.'

Ze keek hem verbaasd aan.

'Waarom?' vroeg ze.

Hij wist dat hij haar dat niet uit kon leggen, omdat zijn eigen gevoelens zo tegenstrijdig en onaf waren.

'Weet ik niet', antwoordde hij. 'Vergeet wat ik gezegd heb. En nu moet ik slapen, wil ik nog helder kunnen denken. Jij moet ook uitrusten. Het is misschien het beste dat je de receptie vraagt om over drie uur op de deur te kloppen.'

'Het meisje zal weer gaan blozen', zei Baiba toen ze van het bed opstond.

Wallander rolde zich op onder de sprei. Hij was al half-en-half weggedommeld toen Baiba terugkwam van de receptie.

Toen hij drie uur later wakker werd, had hij het gevoel dat hij maar een paar minuten geslapen had. Het kloppen op de deur had

Baiba niet wakker gemaakt, ze sliep gewoon door.

Wallander dwong zich een koude douche te nemen om de vermoeidheid uit zijn lichaam te verdrijven. Toen hij aangekleed was, besloot hij Baiba te laten slapen tot hij wist wat ze verder zouden gaan doen. Op een stukje wc-papier schreef hij dat ze moest wachten tot hij terug was. Hij zou niet lang wegblijven.

Het meisje in de receptie glimlachte onzeker tegen hem en Wallander had het gevoel dat er iets wellustigs in haar blik lag. Toen hij haar aansprak, bleek ze een beetje Engels te kennen. Wallander vroeg haar waar hij wat kon eten. Ze wees naar de deur van de kleine eetzaal van het hotel. Hij ging aan een tafeltje zitten dat uitzicht bood op het plein. Om het visstalletje stonden nog steeds mensen inkopen te doen, warm ingepakt tegen de kille ochtendlucht. De auto stond nog waar Wallander hem had neergezet.

Aan de overzijde van het plein stond een van de zwarte auto's die hij langs het benzinestation had zien rijden. Hij hoopte dat de honden het koud hadden in hun auto's.

Het meisje van de receptie speelde ook de rol van serveerster en kwam aanlopen met een schaal boterhammen en een kan koffie. Terwijl hij zat te eten, wierp hij zo nu en dan een blik op het plein. Tegelijkertijd begon hij een plan te ontwerpen. Hij vond het zo onvoorstelbaar dat het een zekere kans van slagen had.

Toen hij gegeten had, voelde hij zich wat zekerder van zichzelf. Hij ging terug naar de kamer. Baiba was wakker geworden en keek naar hem toen hij binnenkwam.

Hij ging op de rand van het bed zitten en begon uit te leggen wat hij bedacht had.

'Karlis moet onder zijn collega's iemand gehad hebben, die hij vertrouwde', zei hij.

'We gingen niet met politiemensen om', antwoordde ze. 'We hadden andere vrienden.'

'Denk na', smeekte hij. 'Er moet iemand zijn met wie hij zo nu en dan een kop koffie dronk. Het hoeft geen vriend van hem geweest te zijn. Het is voldoende als je iemand weet, die geen vijand van hem was.'

Ze dacht na en hij gaf haar de tijd. Heel zijn plan hing ervan af of de majoor iemand had gehad, die hij dan misschien niet vertrouwde, maar toch ook niet wantrouwde.

'Hij had het soms over Mikelis', zei ze peinzend. 'Een jonge sergeant die niet als de anderen was, maar ik weet verder niets van hem.'

'Je weet vast wel iets? Waarom had Karlis het over hem?'

Ze had de kussens tegen de muur geduwd en hij zag dat ze in haar geheugen zocht.

'Karlis zei altijd dat hij schrok van de onverschilligheid van zijn collega's', begon ze. 'Hun koelbloedige reactie op al dat lijden. Mikelis was een uitzondering. Ik meen me te herinneren dat hij op een dag samen met Karlis een arme man met een groot gezin gearresteerd had. Naderhand had hij onverwachts tegen Karlis gezegd dat hij het afschuwelijk had gevonden. Het is mogelijk dat Karlis ook in een andere samenhang over Mikelis heeft gesproken, maar dat herinner ik me niet meer.'

'Wanneer was dat?'

'Nog niet zo lang geleden.'

'Probeer wat exacter te zijn. Een jaar geleden? Langer dan een jaar?'

'Korter. Minder dan een jaar.'

'Als hij samen met Karlis opdrachten uitvoerde, moet hij bij Ernstige Delicten werken.'

'Ik zou het niet weten.'

'Dat kan haast niet anders. Je moet Mikelis bellen en zeggen dat je met hem wilt praten.'

Ze keek hem verschrikt aan.

'Hij zal me laten arresteren.'

'Je moet niet zeggen dat je Baiba Liepa bent. Je moet alleen zeggen dat je hem iets wilt vertellen, iets wat hij moet weten omdat het goed voor zijn carrière kan zijn. Maar je moet eisen anoniem te mogen blijven.'

'In dit land zijn politiemensen niet gemakkelijk voor de gek te houden.'

'Je moet overtuigend klinken. Je moet het niet opgeven.'

'Wat moet ik dan zeggen?'

'Ik weet het niet. Je moet me helpen iets te bedenken. Wat is de grootste verleiding voor een Letse politieman?'

'Geld.'

'Buitenlandse valuta?'

'Heel wat mensen in ons land zijn bereid hun eigen moeder voor Amerikaanse dollars te verkopen.'

'Je moet zeggen dat je een paar mensen kent, die over veel Amerikaanse dollars beschikken.'

'Hij zal vragen hoe ze eraan komen.'

Wallander dacht koortsachtig na. Hij herinnerde zich ineens iets wat onlangs in Zweden was gebeurd.

'Je moet Mikelis bellen en zeggen dat je een paar Letten kent die een bankoverval in Stockholm hebben gepleegd en die nu in het bezit zijn van een groot bedrag aan buitenlandse valuta, voor het grootste deel in Amerikaanse dollars. Ze hebben een wisselkantoor op het centraal station van Stockholm overvallen en de Zweedse politie heeft de zaak nooit opgelost. Ze zijn nu in Letland en hebben al dat buitenlandse geld bij zich. Zo moet je het brengen.

'Hij zal vragen wie ik ben en hoe ik dat weet.'

'Je moet de indruk wekken dat je de vriendin van een van die overvallers bent geweest, maar dat je aan de kant bent gezet. Je wil je wreken, maar bent bang voor ze en durft je naam niet te noemen.'

'Ik kan zo slecht liegen.'

Plotseling werd hij kwaad.

'Dat moet je dan maar leren. Deze Mikelis is onze enige kan om bij het archief te komen. Ik heb een plan dat misschien werkt. Zolang jij niet met een voorstel komt, moet ik het wel doen.'

Hij stond op.

'We gaan terug naar Riga. Ik zal je in de auto uitleggen hoe ik het me voorgesteld heb.'

'Moet Mikelis naar de papieren van Karlis zoeken?'

'Niet Mikelis', antwoordde hij ernstig. 'Dat doe ik, maar Mikelis moet me het hoofdbureau van politie binnenloodsen.'

Ze keerden naar Riga terug. Baiba had vanuit een postkantoor gebeld en succes gehad met haar leugentje.

Vervolgens waren ze naar de overdekte markt van de stad gereden. Baiba had gezegd dat Wallander in de hangarachtige vishal moest wachten. Daar zag hij haar in het gewemel verdwijnen en hij meende haar nooit terug te zullen zien.

Maar ze had Mikelis inderdaad getroffen. Ze hadden in de vleeshal tussen de stalletjes gelopen, naar het vlees gekeken en gepraat. Ze had verteld dat het verhaal van die overvallers niet waar was, ook niet van die Amerikaanse dollars. Tijdens de rit terug naar Riga had Wallander haar geïnstrueerd niet te aarzelen, maar recht op haar doel af te gaan en alles te vertellen. Ze hadden geen andere mogelijkheid. Nu was het een kwestie van buigen of barsten.

'Of hij arresteert je', had hij gezegd, 'of hij doet wat we willen. Als je aarzelt kan hij denken aan een soort van samenzwering tegen hem, bijvoorbeeld dat een van zijn superieuren aan zijn loyaliteit twijfelt. Als hij je niet van gezicht kent, moet je kunnen bewijzen dat je de weduwe van Karlis bent. Doe en zeg precies wat ik je verteld heb.'

Na ruim een uur verscheen Baiba weer in de hal waar Wallander wachtte. Hij zag meteen dat het gelukt was.

Haar gezicht drukte zowel vreugde als opluchting uit. Opnieuw drong het tot hem door hoe knap ze was.

Ze vertelde met zachte stem dat Mikelis erg bang was geweest. Hij had goed door dat hij zijn toekomst als politieman op het spel zette. Misschien riskeerde hij zijn leven wel, maar ze had ook gemeend dat hij zich enigszins opgelucht had gevoeld.

'Hij is een van ons', zei ze. 'Karlis heeft zich niet vergist.'

Het zou nog uren duren voordat Wallander zijn plan ten uitvoer kon brengen. Om de tijd te verdrijven liepen ze door de stad, spraken twee alternatieve ontmoetingsplaatsen voor later af en liepen toen door naar de universiteit waar Baiba doceerde. In een verlaten biologielokaal waar het naar ether rook, viel Wallander in slaap met zijn hoofd tegen een vitrine waar het skelet van een meeuw in stond. Baiba nestelde zich op een brede vensterbank en keek peinzend door het raam naar het park. Het enige wat hem nog restte, was een dodelijk vermoeid, woordeloos wachten.

Even voor acht uur gingen ze voor de deur van het biologielokaal uit elkaar. Baiba haalde een conciërge, die zijn ronde deed om te controleren of de lampen uit waren en de deuren op slot zaten, over om heel even de verlichting bij een van de achterdeuren van het universiteitsgebouw uit te doen.

Toen het licht uitging, glipte Wallander snel naar buiten. Hij rende door het donkere park in de richting die Baiba aangewezen had en toen hij bleef staan om op adem te komen, was hij er zeker van dat de troep honden nog bij het gebouw was.

Precies op het moment dat de klok van de kerktoren achter het hoofdbureau van politie negen sloeg, stapte Wallander door de verlichte deur het voor het publiek toegankelijke deel van de burcht binnen. Baiba had hem een nauwkeurige beschrijving van Mikelis gegeven en het enige wat Wallander verbaasde toen hij hem zag, was dat hij zo jong was. Mikelis stond achter een balie. God mag weten hoe hij zijn aanwezigheid daar gemotiveerd heeft, dacht Wallander. Hij stapte op hem af en begon zijn toneelstukje op te voeren. Met een harde, schrille stem protesteerde hij in het Engels dat hij als onschuldige toerist op straat in Riga was bestolen. Niet alleen hadden deze bijzonder ongure bandieten zijn geld gestolen, ze hadden hem ook het heiligste van alles, zijn pas afhandig gemaakt.

In een moment van vertwijfeling besefte hij dat hij een noodlottige fout had begaan. Hij had totaal vergeten Baiba te vragen na te gaan of Mikelis Engels sprak. Stel dat hij alleen Lets verstaat? dacht hij wanhopig. Dan zal hij er iemand bij moeten halen die Engels verstaat en dan is alles verloren.

Maar tot zijn opluchting sprak Mikelis een beetje Engels, beter dan de majoor zelfs, en toen een van de andere dienstdoende agenten naar de balie kwam om die lastige Engelsman eventueel van Mikelis over te nemen, werd hij bruusk weggestuurd. Mikelis nam Wallander mee naar een aangrenzend vertrek. De andere agenten waren nieuwsgierig, maar nauwelijks voldoende om bante hoeven zijn dat iemand wantrouwend was geworden en alarm zou slaan.

Het vertrek was niet verwarmd. Wallander ging op een stoel zitten en Mikelis keek hem ernstig aan.

'Om tien uur begint de nachtdienst van de nieuwe ploeg', zei Mikelis. 'Het zou een geloofwaardige indruk maken als ik tegen die tijd een aangifte van straatroof had opgemaakt. Wat ik ook nog kan doen, is een auto de stad in sturen om naar een paar mannen te zoeken voor wie we een signalement kunnen verzinnen. We hebben alles bij elkaar precies een uur de tijd.'

Mikelis bevestigde Wallanders vermoeden dat het om een eindeloos archief ging. Hij zou zelfs niet in staat zijn om ook maar een fractie van de kasten te doorzoeken, laat staan de dossiers die in de ruimtes in de rotsgrond onder het politiebureau opgetast lagen. Als Baiba's idee niet klopte, namelijk dat Karlis zijn testament in de buurt van de verklikkersmap met haar naam erop verstopt had, was een mislukking onherroepelijk.

Mikelis tekende een plattegrondje. Wallander moest op weg naar het archief drie afgesloten deuren passeren. Mikelis zou hem de sleutels geven. Helemaal achterin in het keldergewelf, voor de laatste deur, zou een wacht staan. Om precies halfelf zou Mikelis hem met een telefoontje weglokken. Een uur later, om halftwaalf, zou Mikelis naar beneden gaan en de wacht met een verzonnen boodschap ophalen. Dan moest Wallander het archief verlaten. Daarna was hij op zichzelf aangewezen. Mocht hij in de gangen een dienstdoende agent tegenkomen, die argwaan kreeg, dan zou hij op eigen houtje de zaak aan moeten pakken.

Kon hij Mikelis vertrouwen?

Wallander stelde zichzelf die vraag, maar wist dat het antwoord er niet toe deed. Hij moest hem wel vertrouwen. Er zat niets anders op. Hij wist welke instructies hij Baiba had gegeven, toen ze zogenaamd schoenen zaten te passen, wat ze tegen de jonge sergeant moest zeggen. Maar hij had geen idee wat ze verder nog gezegd had, alleen dat Mikelis toen ongetwijfeld had begrepen dat hij Wallander moest helpen het archief binnen te dringen. Hoe Wallander zich ook wendde of keerde, hij was een vreemde in het spel dat zich om hem heen afspeelde.

Na een halfuur ging Mikelis de kamer uit om opdracht te geven een surveillancewagen uit te sturen teneinde een paar mannen op te sporen die iets met de beroving van de Engelse toerist Stevens te maken konden hebben. De naam was een voorstel van Wallander, hoe hij eraan kwam wist hij niet. Mikelis had een signalement opgesteld dat op een groot deel van de bevolking van Riga kon slaan. Een van de verzonnen signalementen deed aan Mikelis zelf denken, had Wallander gedacht. De beroving zou in de buurt van de Esplanāde plaatsgevonden hebben, maar de heer Stevens was voorlopig te zeer van streek om zelf met een politieauto mee te kunnen om de plaats aan te wijzen. Toen Mikelis weer terug was, namen ze het plattegrondje met de weg naar het archief opnieuw door. Wallander zag dat hij door de gang van de kolonels moest, waar hij zelf ook zijn werkkamer had gehad. Onwillekeurig rilde hij bij die gedachte. Er kan iemand op zijn kamer zitten en ik weet niet of hij het misschien is, die sergeant Zids opdracht heeft gegeven Inese en haar vrienden te vermoorden.

Putnis of Murniers? Wie stuurt zijn honden op pad om te jagen op degenen die op zoek zijn naar het testament van de majoor?

Toen de tijd voor de wisseling van de wacht aangebroken was, merkte Wallander dat hij zo zenuwachtig en gespannen was dat hij pijn in zijn buik had. Eigenlijk moest hij naar de wc, maar hij realiseerde zich dat daar geen tijd meer voor was. Mikelis opende de deur naar de gang op een kier en zei tegen hem dat hij moest gaan. Hij had het plattegrondje in zijn geheugen geprent en wist dat hij niet fout mocht lopen, omdat dan het tijdstip voor het telefoontje van Mikelis om de wacht weg te lokken, verstreken zou zijn.

Het hoofdbureau van politie lag er verlaten bij. Hij haastte zich zo snel hij kon door de lange gangen, er de hele tijd op gespitst dat er een deur open kon vliegen en er een wapen op hem gericht zou worden. Hij telde de trappen, hoorde hoe in een afgelegen gang voetstappen weerklonken. Hij moest zich diep in een labyrint bevinden, waarin hij gemakkelijk totaal kon verdwijnen. Daarna daalde hij af en hij vroeg zich af hoe diep onder de grond het archief eigenlijk lag. Ten slotte was hij vlak bij de plaats van de wacht gekomen. Hij zag op zijn horloge dat het telefoontje van Mikelis over een paar minuten zou komen. Doodstil bleef hij staan luisteren. De stilte maakte hem onrustig. Was hij toch verkeerd gelopen?

Plotseling verscheurde het doordringende signaal de stilte en Wallander ademde uit. Hij hoorde voetstappen in de aangrenzende gang en toen die weggestorven waren, haastte hij zich verder. Hij kwam bij de deur van het archief en opende die met de twee sleutels die Mikelis hem gegeven had.

Hij wist waar de lichtschakelaars zaten. In het donker tastte hij met zijn vingers langs de muur tot hij ze gevonden had. Mikelis had gezegd dat de deur heel goed afsloot, dat die geen licht zou doorlaten, dat de wacht zou kunnen alarmeren.

Wallander had de indruk dat hij zich in een reusachtige ondergrondse hangar bevond. Hij had niet gedacht dat het archief zo groot zou zijn. Niet goed wetend hoe te beginnen, bleef hij even staan voor de ontelbare rijen archiefkasten en planken met dicht opeengeplaatste mappen. De Kamer van het Kwaad, dacht hij. Wat had de majoor gedacht toen hij hier binnenstapte en de bom plaatste die, naar hij hoopte, eens zou ontploffen?

Hij keek weer op zijn horloge en ergerde zich dat hij gedachten toeliet, die hem tijd kostten. Tegelijk wist hij dat het niet lang meer zou duren of hij zou zich moeten ontlasten. Ergens in de archiefruimte moest een wc zijn, dacht hij koortsachtig. De vraag is maar of ik die op tijd vind.

Hij begon in de richting te lopen die Mikelis aangegeven had. Mikelis had hem gewaarschuwd dat je gemakkelijk verkeerd kon lopen tussen al die rijen planken en archiefkasten, die niet van elkaar verschilden. Wallander vervloekte het feit dat zo'n groot deel van zijn geest zich bezighield met zijn opspelende ingewanden. Hij was nu al bang voor wat er zou gebeuren als hij niet gauw de gelegenheid kreeg om naar de wc te gaan.

Abrupt bleef hij staan en keek om zich heen. Hij merkte dat hij fout gelopen was. Maar was hij te ver gegaan of was hij ergens een richting ingeslagen die niet op Mikelis' plattegrondje stond? Hij liep terug. Opeens had hij geen idee meer waar hij was en onmiddellijk sloeg de paniek toe. Hij zag op zijn horloge dat hij nog tweeënveertig minuten had. Hij had de juiste afdeling inmiddels moeten vinden. Hij vloekte in zichzelf. Had Mikelis het fout uitgetekend? Waarom vond hij de plek niet? Hij zag in dat hij weer bij het begin moest beginnen en rende tussen de kasten terug naar zijn uitgangspunt. In zijn haast trapte hij tegen een metalen papierbak die met een oorverdovend lawaai tegen een archiefkast botste. De wacht, dacht hij. Dit moet door de deur heengedrongen zijn. Hij bleef roerloos staan luisteren, maar er knarsten geen sleutels in het slot. Tegelijk wist hij dat hij het niet langer op kon houden. Hij trok zijn broek naar beneden, hurkte boven de papierbak en ledigde zijn darmen. Met afschuwelijke tegenzin, maar het kon niet anders, trok hij een map van een plank, scheurde er een paar velletjes papier uit met daarop vermoedelijk verhoorverslagen en veegde zijn achterwerk af. Toen begon hij weer bij het begin. Hij wist dat hij nu de juiste ruimte moest vinden, anders was het te laat. In zijn geest bezwoer hij Rydberg zijn stappen te leiden. Hij telde zijvertrekken en secties met kasten af en ten slotte was hij ervan overtuigd dat hij de juiste plek had bereikt.

Maar het had allemaal veel te veel tijd genomen. Hij had nog maar een klein halfuur om het testament te vinden en hij betwijfelde of dat lang genoeg was. Hij begon te zoeken. Mikelis had niet tot in detail kunnen uitleggen hoe het archief in elkaar zat. Wallander moest dat zelf uitvinden. Hij zag meteen dat het archief niet alfabetisch was opgezet. Er was sprake van secties en subsecties en subsubsecties. Hier vind je de niet-loyalen, dacht hij. Hier vind je iedereen die in de gaten gehouden en geterroriseerd wordt, iedereen die door een verklikker is aangegeven en die de aandacht op zich heeft gevestigd als kandidaat voor de post van erkend staatsvijand. Het zijn er zoveel dat ik nooit Baiba's map vind!

Hij probeerde in het zenuwstelsel van het archief binnen te dringen, de plek te begrenzen, waar volgens de logica het testament als een zwartepiet verstopt moest zijn. Maar de tijd verstreek zonder dat hij een stap verder kwam. Koortsachtig begon hij weer 'an voren af aan, trok dossiers met afwijkende kleuren van de ›lanken. Hij maande zichzelf aan één stuk door kalm te blijven.

Toen hij nog maar negen minuten de tijd had voordat hij het ›rchief moest verlaten, had hij Baiba's dossier nog altijd niet ;evonden.

Hij had überhaupt niets gevonden. Zijn vertwijfeling steeg, ›mdat hij zo ver gekomen was en nu toch zijn onmacht moest rkennen. Er was geen tijd meer om systematisch te zoeken. Het nige wat hij nog kon doen, was nog één keer langs de planken ›pen en hopen dat zijn instinct hem op het juiste spoor zou etten. Maar nergens ter wereld wordt een archief opgezet volgens en op intuïtie gebouwd systeem en hij wist dat zijn zoektocht nislukt was. De majoor was een verstandig man, veel te verstandig oor Kurt Wallander van de Ystadse politie.

Waar?, dacht hij. Waar? Als dit archief nou eens een kaartspel 'as? Waar ligt dan de afwijkende kaart? Aan de kant of in het nidden?

Hij koos voor het midden, streek met zijn hand over een rij nappen die allemaal een bruine rug hadden en plotseling stond er en blauwe. Hij rukte de mappen naast de blauwe van de plank.)p de ene stond Leonard Blooms, op de andere Baiba Kalns. Eén noment stond de wereld stil. Toen realiseerde hij zich dat Kalns aiba's meisjesnaam moest zijn. Hij pakte de blauwe map. Er ond geen naam of nummer op. Hij had geen tijd om erin te ijken, zijn tijd was om. Hij haastte zich naar de uitgang terug, eed het licht uit en de deur van het slot. De wacht was weg, maar ij kon volgens Mikelis' tijdsschema ieder moment terugkomen. Vallander haastte zich door de gang, maar plotseling hoorde hij e echoënde voetstappen van de terugkerende wacht. Wallanders 'eg was afgesneden; hij moest van het plattegrondje afwijken en elf een uitgang zoeken. Hij bleef roerloos staan terwijl de wacht in e aangrenzende gang passeerde. Toen de voetstappen wegge-orven waren, was het eerste dat hem te doen stond een weg aar boven te zoeken, wég uit dit onderaardse. Hij ging op zoek aar een trap en herinnerde zich nog hoeveel halve trappen naar eneden hij had afgelegd. Toen hij eenmaal op de begane grond

was, kwam alles hem onbekend voor. Op goed geluk begon hij
door een verlaten gang te lopen.

De man die hem overrompelde had een sigaret staan roken. Hij
moest de voetstappen van Wallander gehoord hebben, zijn sigaret
uitgedrukt hebben en zich hebben afgevraagd wie er zo laat in de
nacht dienst had. Toen Wallander de hoek om kwam, had de man
op slechts een paar meter afstand van hem gestaan. Het was een
veertiger, zijn uniformjasje hing open en toen hij Wallander met
de blauwe map onder zijn arm zag, had hij onmiddellijk door dat
deze man niets op het politiebureau te zoeken had. Hij had zijn
pistool getrokken en iets in het Lets geroepen. Wallander had de
woorden niet verstaan, maar had zijn armen boven zijn hoofd
geheven. De man was tegen hem blijven schreeuwen terwijl hij op
hem toeliep, en al die tijd hield hij zijn pistool op Wallanders borst
gericht. Wallander begreep dat hij van de politieofficier op zijn
hurken moest gaan zitten. Hij gehoorzaamde, nog steeds met zijn
handen in een pathetisch gebaar boven zijn hoofd. Ontsnappen
was uitgesloten. Hij zou gearresteerd worden en weldra zou een
van de kolonels arriveren en beslag leggen op de blauwe map met
het testament van de majoor.

De man die zijn pistool op hem gericht hield, bleef maar vragen
op hem afvuren. Er viel Wallander, die merkte hoe ontzettend
bang hij was dat hij hier in de gang doodgeschoten zou worden,
niets anders in dan in het Engels te antwoorden.

'It's a mistake', herhaalde hij met schrille stem. *'It's a mistake.
I'm a policeman, too.'*

Maar het was natuurlijk geen vergissing. De officier gaf hem
bevel op te staan en zijn handen boven zijn hoofd te houden.
Daarna beval hij Wallander te gaan lopen. Van tijd tot tijd pordde
hij met de loop van zijn pistool in Wallanders rug.

Bij de lift deed de gelegenheid zich voor. Wallander had alle
hoop al opgegeven, hij besefte dat hij hopeloos in de val zat.
Tegenstand was zinloos. De officier zou niet aarzelen hem neer
te schieten. Maar toen ze op de lift stonden te wachten en de man
zich half omdraaide om een sigaret op te steken, zag Wallander in
een fractie van een seconde dat hier zijn enige kans lag. Hij gooide

e blauwe archiefmap tegen de schenen van de officier en sloeg
egelijk zo hard hij kon op het achterhoofd van de man. Hij voelde
ijn knokkels kraken. De pijn was zeer hevig, maar de officier sloeg
net een dreun tegen de grond en het pistool viel kletterend op de
tenen vloer. Wallander wist niet of de man dood was of alleen
ewusteloos. Zijn eigen hand was verkrampt van de pijn. Hij
aapte de map op en stopte het pistool in zijn zak. Het domste wat
ij kon doen was de lift nemen, dacht hij. Hij probeerde zich te
riënteren door uit een raam te kijken dat uitzag op de donkere
innenplaats van de burcht, en hij zag al gauw dat hij zich aan de
verzijde van de gang van de kolonels bevond.

De man op de grond begon te kreunen en Wallander wist maar
l te goed dat hij niet in staat was hem opnieuw bewusteloos te
aan. Hij liep de gang door die van de lift weg leidde, naar links,
n hoopte nu snel een uitgang te vinden.

Weer had hij geluk. Hij kwam terecht in een van de kantines
an het hoofdbureau en slaagde erin een deur van de keuken te
penen, een slordig afgesloten dienstingang. Hij bevond zich nu
p straat. Zijn hand deed pijn en begon op te zwellen.

Zijn afspraak met Baiba was om half een. Hij bleef in de
chaduw van het tot planetarium omgebouwde kerkgebouw in
et Esplanādepark staan wachten. De hoge, koude lindebomen
onden roerloos om hem heen. Ze kwam niet. De pijn in zijn
and was bijna ondraaglijk. Toen het kwart over een was, conclu-
eerde hij dat er wat gebeurd moest zijn. Ze zou niet meer komen.
)nmiddellijk maakte zich een hevige onrust van hem meester.
Het kapotgeschoten gezicht van Inese dook voor zijn geestesoog
p en hij probeerde te bedenken wat er gebeurd kon zijn. Hadden
e honden en hun leiders begrepen dat het Wallander ondanks
lles toch gelukt was ongezien de universiteit te verlaten? Wat
adden ze met Baiba gedaan? Hij durfde niet verder te denken.
Hij verliet het park zonder te weten waar hij naartoe zou gaan.
eitelijk was het de pijn in zijn hand die hem door de nachtelijke,
ge straten voortdreef. Een lawaaiige militaire jeep dwong hem
ich pardoes in een portiek te werpen. Even later gleed een politie-
uto door de straat en moest hij opnieuw in de schaduwen be-

scherming zoeken. Hij had de map met het testament van d majoor onder zijn overhemd gestopt. De randen schaafden tege zijn ribben en hij vroeg zich af waar hij de nacht door moes brengen. De temperatuur was gedaald en hij had het zo koud da hij rilde. De alternatieve ontmoetingsplek die hij en Baiba hadde afgesproken lag op de vierde verdieping van het Centrale Waren huis. Omdat ze elkaar daar niet voor de volgende morgen tien uu konden ontmoeten, moest hij nog zeven uur zoekbrengen, die hi onmogelijk op straat door kon brengen. Ook realiseerde hij zic dat hij met zijn hand naar een ziekenhuis moest. Hij was erva overtuigd dat er een beentje gebroken was, maar waagde het e niet op. Niet nu hij het testament bij zich had. Even speelde hi met de gedachte bescherming te zoeken op de Zweedse ambas sade, als er al zo'n ambassade was, maar ook dit was niet iets wa hem zijn kalmte kon teruggeven. Misschien werd een Zweeds politieman die illegaal in een vreemd land verbleef, wel onmid dellijk onder bewaking naar huis gebracht. Hij wist het niet en h durfde het risico niet te lopen.

Hij was rusteloos en besloot naar de auto te gaan die hem twe etmalen had gediend, maar toen hij op de plaats kwam waar h hem had neergezet was de auto verdwenen. Even dacht hij dat h door de pijn in zijn hand zo versuft was dat hij zich vergist hac Had hij de auto werkelijk hier neergezet? Toen twijfelde hij nie langer. De auto was inmiddels gesloopt en in stukken opgedeel als een slachtdier. De kolonel die op hem joeg had uiteraard eers gekeken of de bewijsstukken van de majoor niet in een van d holle ruimtes van de auto verstopt zaten.

Waar moest hij nu de nacht doorbrengen? Plotseling overvi hem een gevoel van onmacht, omdat hij zich diep in vijandelij gebied bevond, overgeleverd aan de troep honden van een man di niet zou aarzelen hem in een lijk te veranderen en dat in een met i bedekt havenbassin te dumpen of in een afgelegen bos onder d grond te stoppen. Zijn heimwee was primitief en allesdoordri gend. De aanleiding voor zijn dakloosheid in de Letse nacht, ee aan land gedreven reddingsvlot met twee dode mannen, leek v weg en vervaagd, als twijfelde hij of het ooit bestaan had.

Bij gebrek aan een alternatief keerde hij door de donkere, lege straten terug naar het hotel waar hij al eerder een nacht had doorgebracht. De buitendeur zat echter op slot en toen hij op de nachtbel drukte, ging er op de bovenverdieping nergens licht aan. De pijn in zijn hand maakte hem suffig en hij was bang dat zijn beoordelingsvermogen hem in de steek zou laten als hij niet gauw binnenshuis en in de warmte kwam. Hij liep door naar het volgende hotel, maar zijn poging om aandacht te trekken door op de nachtbel te drukken, leverde niets op. Bij het derde hotel, nog vervallener en nog minder uitnodigend dan de vorige twee, was de buitendeur niet op slot. In de receptie lag een man te slapen met zijn hoofd op een tafel en een halfvolle fles brandewijn aan zijn voeten. Wallander schudde hem wakker, wuifde met het paspoort dat hij van Preuss gekregen had en kreeg daadwerkelijk de sleutel van een kamer. Hij wees op de fles brandewijn, legde een Zweeds briefje van honderd op de balie en nam de fles mee.

De kamer was klein en rook doordringend naar muffe meubelen en van rook doortrokken behang. Hij liet zich op het bed vallen, nam een paar grote slokken uit de fles en voelde zijn lichaamswarmte langzaam terugkeren. Daarna trok hij zijn jack uit, liet koud water in de wasbak lopen en stopte zijn pijnlijke, gezwollen hand in het water. Geleidelijk aan nam de pijn af. Hij besloot de hele nacht bij de wasbak te blijven zitten. Zo nu en dan nam hij een slok uit de fles en doodsbang vroeg hij zich opnieuw af wat er met Baiba gebeurd was. Hij haalde de blauwe map onder zijn overhemd vandaan en opende die met één hand. Er zaten ongeveer vijftig getypte vellen papier in, verder nog een paar onduidelijke fotokopieën, maar geen foto's zoals hij gehoopt had. Het testament van de majoor was in het Lets en Wallander begreep er geen woord van. Hij zag dat vanaf bladzijde negen de namen Murniers en Putnis regelmatig terugkeerden. Soms werden ze in een en dezelfde zin vermeld, soms apart. Hij kon niet duiden wat dat te betekenen had, of beide kolonels aan de kaak gesteld werden of dat de opgeheven vinger van de majoor alleen op een van hen betrekking had. Hij probeerde het geheimschrift te duiden. Hij legde de map op de grond, liet weer koud water in de

wasbak lopen en leunde met zijn hoofd tegen de rand van de tafel
Het was vier uur en hij dommelde langzaam weg. Toen hij me
een schok wakker werd, had hij tien minuten geslapen.

Zijn hand was opnieuw pijn gaan doen, het koude wate
verschafte geen verlichting meer. Hij dronk het restant in de fle
op, wond een natte handdoek om zijn hand en ging op het bec
liggen.

Wallander had geen idee wat hij moest doen als Baiba niet ir
het warenhuis verscheen.

Hij had het gevoel dat hij verslagen was.

Slapeloos bleef hij zo liggen tot de dag aanbrak.

Het weer was opnieuw omgeslagen.

18

Instinctief bespeurde hij het gevaar toen hij wakker werd. Het was even voor zevenen in de ochtend. Hij bleef doodstil liggen luisteren naar het donker in de kamer. Toen realiseerde hij zich dat het gevaar niet van buiten kwam of vanuit de kamer. Het zat in hemzelf, het waarschuwde hem dat hij nog niet alle tegels opgelicht had en nog niet alles had blootgelegd wat eronder verborgen lag.

De pijn in zijn hand was wat afgenomen. Voorzichtig probeerde hij zijn vingers te bewegen, maar hij durfde nog altijd niet naar zijn hand te kijken. Onmiddellijk kwam de pijn terug. Hij zou zo niet veel langer door kunnen gaan, hij moest zijn hand door een arts laten behandelen.

Wallander was heel moe. Voordat hij een paar uur tevoren was ingedommeld, had hij geloofd dat hij verslagen was. De macht van de kolonels was te groot en zijn eigen mogelijkheden om de situatie in de hand te houden werden voortdurend kleiner. Maar toen hij wakker werd, zag hij in dat ook zijn vermoeidheid een beduidende rol speelde. Door zijn voortdurende gebrek aan slaap wantrouwde hij zijn vermogen tot juist oordelen.

Hij probeerde het knagende gevoel van gevaar te analyseren. Wat had hij over het hoofd gezien? Wat was er mis met de samenhang die hij had menen te ontdekken? Of had hij alles misschien niet helemaal tot aan het einde toe doordacht? *Wat zag hij nog steeds niet?* Hij mocht zijn instinct niet negeren, alleen dat kon hem in zijn versufte toestand de weg wijzen.

Wat ontsnapte hem nog steeds? Hij ging voorzichtig rechtop in bed zitten, nog altijd niet in staat die vraag te beantwoorden. Met afkeer keek hij voor het eerst naar zijn gezwollen hand. Hij liet opnieuw koud water in de wasbak lopen. Eerst doopte hij er zijn gezicht in, daarna zijn gewonde hand. Na een paar minuten ging hij naar het raam en trok het rolgordijn op. Er hing een doordringende lucht van bruinkool in de kamer. Een vochtige dageraad stond op het punt over de stad met haar vele kerktorens aan te breken. Hij bleef voor het raam naar de mensen staan kijken, die zich over de trottoirs voorthaastten, niet in staat zijn eigen vraag, wat hem toch ontging, te beantwoorden.

Daarna verliet hij de kamer, betaalde en liet zich door de menigte op straat opslokken.

Toen hij door een van de stadsparken liep, hij wist niet meer hoe het heette, realiseerde hij zich plotseling dat Riga een stad met veel honden was. Er waren niet alleen de onzichtbare honden die jacht op hem maakten, er waren ook andere honden, reële, aardige, waar de mensen mee speelden en die ze uitlieten. Toen hij door het park liep, bleef hij staan kijken naar twee honden die in een hevig gevecht verwikkeld waren. De ene was een herder, de andere een hond van een onbestemd ras. De eigenaars probeerden de honden uit elkaar te halen, ze schreeuwden tegen de beesten en begonnen plotseling ook tegen elkaar te schreeuwen. De herder was van een oudere man, terwijl de hond van het vuilnisbakkenras aan een vrouw van in de dertig toebehoorde. Wallander had de indruk dat hij een plaatsvervangende strijd gadesloeg. Als in een hondengevecht namen de tegenstellingen in dit land steeds heftiger vormen aan. De honden vochten net als de mensen en de uitkomst was onvoorspelbaar.

Hij arriveerde bij het Centrale Warenhuis op het moment dat het openging. Het was tien uur 's ochtends. De blauwe map brandde tegen zijn huid. Zijn instinct zei hem dat hij de map kwijt moest zien te raken, dat hij er ergens een plekje voor moest vinden.

Toen hij door de stad had gedwaald, had hij alle bewegingen zowel voor als achter hem, nauwlettend in de gaten gehouden en hij twijfelde er eigenlijk niet aan dat de kolonels hem weer ingesloten hadden. Er leek ook sprake te zijn van meer schaduwen dan de vorige dagen en somber voorvoelde hij dat er storm op til was. Hij bleef bij de deur van het warenhuis staan en deed alsof hij een informatiebord raadpleegde, terwijl hij naar een klantenbalie keek waar tassen en zakken afgegeven konden worden. De balie lag in een hoek. Dat had hij goed onthouden van zijn vorige bezoek. Hij liep naar een geldloket waar alleen buitenlands geld gewisseld werd, schoof een briefje van honderd Zweedse kronen naar de kassier en kreeg er een stapeltje Letse bankbiljetten voor terug. Daarna liep hij door naar de verdieping waar ze grammofoonplaten verkochten. Hij koos twee elpees met muziek van Verdi uit, de platen waren ongeveer even groot als de map. Toen hij betaald had en de platen hem in een papieren zak overhandigd werden, zag hij de dichtstbijzijnde schaduw zogenaamd geïnteresseerd bij een plank met jazzplaten staan. Hij ging terug naar de klantenbalie en wachtte even tot er wat mensen samendromden. Toen liep hij snel naar de achterste hoek, pakte de map en stopte die tussen de platen in de papieren zak. Het ging heel vlug in zijn werk, al had hij slechts één hand kunnen gebruiken. Hij gaf de papieren zak af, kreeg een nummertje en liep weg. De schaduwen stonden her en der verspreid in de buurt van de ingang van het warenhuis, maar hij wist zeker dat ze niet hadden gezien dat hij de map niet meer bij zich had. Het risico bestond natuurlijk dat ze toch nog in de zak zouden kijken, maar die kans achtte hij gering omdat ze met eigen ogen hadden gezien dat hij twee grammofoonplaten had gekocht.

Hij keek op zijn horloge. Over tien minuten zou Baiba naar hun alternatieve ontmoetingsplaats komen. Hij was nog steeds onrustig, maar nu hij de blauwe map kwijt was voelde hij zich veiliger. Hij ging naar de verdieping met de meubelafdeling. Hoewel het nog vroeg was waren er al veel klanten, die gelaten of dromerig de diverse bankstellen of slaapkamers bekeken. Wallander wandelde langzaam naar het gedeelte met de keukenuitrustingen. Hij wilde niet te vroeg zijn, hij wilde precies op het tijdstip dat ze afgesproken hadden op de plek arriveren en dus bleef hij een paar minuten op de lampenafdeling rondhangen om de tijd te rekken. Ze hadden afgesproken elkaar bij de fornuizen en koelkasten, allemaal van Russisch fabrikaat, te treffen.

Toen hij er aankwam zag hij haar onmiddellijk. Ze stond naar een fornuis te kijken en hij merkte automatisch op dat het maar drie kookplaten had. Tegelijk zag hij dat er iets mis was. Er was iets met Baiba aan de hand, iets wat hij al vermoed had toen hij 's ochtends wakker werd. Zijn onrust groeide en scherpte zijn zintuigen.

Op dat ogenblik zag ze hem. Hij glimlachte tegen haar, maar haar ogen verraadden dat ze erg bang was. Wallander liep op haar toe zonder te controleren welke posities de schaduwen ingenomen hadden. Hij wilde duidelijkheid hebben over wat er gebeurd was, daar was al zijn aandacht nu op gespitst. Hij ging naast haar staan en samen lieten ze hun blikken over een glanzende koelkast dwalen.

'Wat is er gebeurd?' vroeg hij. 'Vertel alleen het allerbelangrijkste. We hebben weinig tijd.'

'Niets', antwoordde ze. 'Ik kon alleen de universiteit niet uit, omdat die bewaakt werd.'

Waarom liegt ze, dacht hij koortsachtig. Waarom probeert ze zo goed te liegen dat ik het geloof?

'Heb je de map?' vroeg ze.

Hij aarzelde of hij de waarheid zou zeggen, maar opeens had hij schoon genoeg van alle leugens om hem heen.

'Ja', antwoordde hij. 'Ik heb de map. Mikelis was betrouwbaar.'

Haastig keek ze hem aan.

'Geef maar aan mij', zei ze. 'Ik weet een plek waar we hem kunnen verbergen.'

Toen begreep Wallander dat hier niet langer Baiba sprak. Het was haar angst die haar de map deed opeisen. Ze was bedreigd. 'Wat is er gebeurd?' vroeg hij opnieuw, op zeer besliste toon, misschien ook met iets van kwaadheid erin.

'Niets', zei ze weer.

'Lieg niet', zei hij, zonder te kunnen verhinderen dat zijn toon zowel harder als scherper was. 'Je krijgt de map. Wat zal er anders gebeuren?'

Hij zag dat ze op het punt stond in elkaar te zakken. Niet vallen, dacht hij wanhopig. Zolang ze er niet heel zeker van zijn dat ik werkelijk het testament van de majoor gevonden heb, hebben we een voorsprong.

'Dan moet Upitis sterven', fluisterde ze.

'Wie heeft je daarmee bedreigd?'

Ze schudde afwerend haar hoofd.

'Ik moet het weten', zei hij. 'Voor Upitis maakt het niet uit of je het vertelt.'

Ze keek hem ontsteld aan. Hij pakte haar arm en schudde haar heen en weer.

'Wie?' zei hij. 'Wie?'

'Sergeant Zids.'

Hij liet haar arm los. Het antwoord maakte hem razend. Zou hij dan nooit te weten komen wie van de kolonels hier achter zat? Wie in het centrum van de samenzwering zat?

Plotseling zag hij dat de schaduwen dichterbij gekomen waren. Ze schenen nu toch aangenomen te hebben dat hij het testament van de majoor in zijn bezit had. Zonder zich te bedenken, trok hij Baiba met zich mee en rende in de richting van de trappen. Niet Upitis zal als eerste sterven, dacht hij, maar wij, als we er niet in slagen te ontsnappen.

Hun onverwachte vlucht had de troep honden verrast en had verwarring gezaaid. Hij twijfelde eraan of het zou lukken, maar het viel te proberen. Hij trok Baiba mee de trap af, gaf een man die geen kans zag weg te komen, een duw en ze renden de kledingafdeling op. De verkopers en klanten keken met verbazing naar hun dolle vlucht. Wallander struikelde over zijn eigen voeten en viel voorover in een rek met herenkostuums. Toen hij aan de colbertjasjes rukte, viel het rek op de grond. In zijn val had hij zich met zijn gewonde hand afgezet en de pijn sneed als een mes door zijn arm. Een van de bewakers van het warenhuis kwam aangehold en greep hem bij zijn arm, maar Wallander had geen scrupules meer. Met zijn niet-gewonde hand sloeg hij de bewaker recht in het gezicht en trok vervolgens Baiba mee naar een gedeelte van het warenhuis, waar hij hoopte een achtertrap of een nooduitgang te vinden. De schaduwen waren hen nog dichter genaderd, ze jaagden nu heel openlijk op hen. Wallander rukte en trok aan deuren die niet opengingen. Ten slotte zag hij een deur die op een kier stond. Erachter lag een achtertrap, maar van beneden hoorden ze al weer voetstappen. Mensen waren op weg naar hen toe en het enige wat er nog overbleef was de trap naar boven te nemen.

Hij rukte een branddeur open en ze bevonden zich op een met grind bedekt dak. Hij keek om zich heen, zocht naar een nieuwe vluchtroute, maar ze zaten hopeloos vast. Vanaf het dak restte alleen nog de grote sprong in de eeuwigheid. Hij merkte dat hij Baiba's hand vasthield. Wat ze nu nog konden doen, was afwachten. Hij wist dat de kolonel die aanstonds het dak op zou komen, de man was die de majoor vermoord had. Eindelijk zou de grijze branddeur het antwoord spuien en bitter bedacht hij dat het nu geen rol meer speelde of hij het bij het juiste eind had gehad of niet.

Maar toen de deur openging en kolonel Putnis met enkele van zijn bewapende mannen het dak opkwam, was hij toch verbaasd. Ondanks alles was hij tot de conclusie gekomen dat Murniers het monster was dat zich zo lang in de schaduwen schuil had gehouden.

Putnis kwam langzaam en met een ernstig gezicht op hen toe. Wallander voelde Baiba's nagels in zijn hand snijden. Hij kan zijn mannen toch niet het bevel geven ons hier neer te schieten, dacht Wallander vertwijfeld. Of wel? Hij herinnerde zich de wrede executie van Inese en haar vrienden. De angst had hem nu volledig in zijn greep en hij kon het beven niet bedwingen.

Toen verscheen er opeens een glimlach op het gezicht van Putnis en Wallander besefte verward dat daar geen roofdier tegen hem grijnsde, maar een man die heel vriendelijk voor hem was.

'U hoeft niet zo verschrikt te kijken, meneer Wallander. Het lijkt wel alsof u denkt dat ik achter deze smeerpijperij zit. Maar ik moet wel toegeven dat u een lastig man bent om te beschermen.'

Een moment liet Wallanders brein hem in de steek. Toen drong het tot hem door dat hij het toch bij het juiste eind had gehad. Murniers en niet Putnis was de trouwe handlanger van het kwaad, naar wie hij zo lang gezocht had. Bovendien was zijn vermoeden nu bevestigd dat er nog een derde mogelijkheid was, dat ook de vijand een vijand had. Plotseling was alles glashelder. Zijn oordeel had hem niet in de steek gelaten. Hij stak zijn linkerhand uit om Putnis te begroeten.

'Een nogal ongebruikelijke plaats voor een ontmoeting', glimachte Putnis. 'Maar u bent kennelijk een man van verrassingen. Ik moet bekennen dat ik me afgevraagd heb hoe u ons land binnen bent gekomen zonder dat de grensbewaking het ontdekt heeft.'

'Dat weet ik zelf nauwelijks', antwoordde Wallander. 'Dat is een lang en ten dele verward verhaal.'

Putnis keek bezorgd naar Wallanders gewonde hand.

'Die moet zo snel mogelijk behandeld worden', zei hij.

Wallander knikte en glimlachte tegen Baiba. Ze leek nog altijd gespannen, zonder te begrijpen wat zich om haar heen afspeelde.

'Murniers', zei Wallander. 'Hij was het dus?'

Putnis knikte.

'Majoor Liepa was terecht wantrouwig.'

'Er is veel wat ik niet begrijp', zei Wallander.

'Kolonel Murniers is een zeer intelligent man', antwoordde Putnis. 'Hij is door en door slecht, maar dat bewijst helaas alleen dat een scherp stel hersenen er vaak de voorkeur aan geeft om zich in het hoofd van wrede mensen te nestelen.'

'Bent u daar zeker van?' vroeg Baiba opeens. 'Dat hij het was, die mijn man vermoord heeft?'

'Hij heeft niet zelf de schedel van de majoor ingeslagen', zei Putnis. 'Dat heeft zijn trouwe sergeant gedaan.'

'Mijn chauffeur', zei Wallander. 'Sergeant Zids. De man die Inese en de anderen in het pakhuis vermoord heeft.'

Putnis knikte.

'Kolonel Murniers heeft nooit iets om Letland gegeven', zei Putnis. 'Hij speelde weliswaar de rol van de politieman die de politiek op een afstand hield, die hij overliet aan beroepspolitici, maar toch is hij met hart en ziel een aanhanger van het oude regime. Voor hem zal God altijd in het Kremlin wonen. Op die manier had hij de garantie dat hij ongehinderd een goddeloos verbond met allerlei misdadigers kon sluiten. Toen majoor Liepa hem te dicht op de hielen zat, heeft hij geprobeerd aanwijzingen rond te strooien, die in mijn richting wezen. Ik moet bekennen dat het lang geduurd heeft voordat ik ook maar een vermoeden had van wat er aan de hand was. Toen heb ik besloten dat ik net zo goed door kon gaan met de rol van onwetende te spelen.'

'Toch begrijp ik het niet', zei Wallander. 'Er moet meer aan d
hand zijn. Majoor Liepa had het over een samenzwering, over iet
waardoor heel Europa zou begrijpen wat er hier aan de hand is.

Putnis knikte nadenkend.

'Natuurlijk is er meer aan de hand', zei hij. 'Veel meer dan da
een hooggeplaatste, corrupte politieman alleen zijn privilege
beschermde, met alle wreedheden van dien. Er was sprake va
een duivels complot en majoor Liepa had het door.'

Wallander rilde van de kou. Hij had nog altijd Baiba's han
vast. Putnis' gewapende mannen stonden te wachten bij de brand
deur, waar ze zich teruggetrokken hadden.

'Het was allemaal heel slim bedacht', zei Putnis. 'Murniers ha
een idee en hij was er al gauw in geslaagd dat idee in het Kremli
en in de leidende Russische kringen in Letland ingang te doe
vinden. Murniers had een mogelijkheid gezien om twee vliegen i
een klap te slaan.'

'Door profijt te trekken uit het nieuwe Europa zonder muren
om via de georganiseerde drugssmokkel geld te verdienen', ze
Wallander. 'Onder andere naar Zweden. Maar die smokkel wer
ook gebruikt om de Letse nationale beweging in diskrediet t
brengen? Klopt dat?'

Putnis knikte.

'Ik heb vanaf het begin geweten dat u een bekwaam politiema
was, hoofdinspecteur Wallander. Zeer analytisch, zeer geduldig
Ja, zo had Murniers het gedacht. De schuld voor de drugshande
zou in de schoenen van de vrijheidsbewegingen in Letland ge-
schoven worden. Zeker in Zweden zou dat tot een radicale wijzi-
ging van de publieke opinie geleid hebben. Wie wil een vrijheidsbeweging steunen, die als dank voor alle hulp een land met drug
overspoelt? Men moet toegeven dat Murniers een gevaarlijk e
uitgekookt wapen had gesmeed dat voor eens en altijd de vrijheidsbeweging in dit land de nek om had kunnen draaien.'

Wallander dacht na over wat Putnis gezegd had.

'Begrijp jij het?' vroeg hij aan Baiba.

Ze knikte langzaam.

'Waar is sergeant Zids?' vroeg ze.

'Zodra ik de nodige bewijzen heb, zullen Murniers en de sergeant gearresteerd worden', antwoordde Putnis. 'Murniers zal zich op dit moment bepaald niet op zijn gemak voelen. Hij wist niet dat wij zijn mannen al die tijd in de gaten hielden, die op hun beurt u in de gaten hielden. Men kan natuurlijk kritiek op mij hebben, omdat ik u aan een overbodig groot gevaar heb blootgesteld, maar zoals ik het zag was het de enige mogelijkheid voor u om de papieren te vinden die majoor Liepa nagelaten moet hebben.'

'Toen ik gisteren de universiteit verliet, stond Zids me op te wachten', zei Baiba. 'Als ik hem de papieren niet gaf, zou Upitis moeten sterven.'

'Upitis is natuurlijk onschuldig', zei Putnis. 'Murniers heeft de twee kleine kinderen van Upitis' zuster gegijzeld. Die zouden gedood worden als Upitis niet de rol van moordenaar van majoor Liepa op zich nam. Er zijn geen grenzen aan Murniers' slechtheid. Het is voor het hele land een ware opluchting dat hij ontmaskerd is. Hij zal uiteraard ter dood veroordeeld en terechtgesteld worden. Net als sergeant Zids. We zullen het onderzoek van de majoor openbaar maken. Het complot aan de kaak stellen, niet alleen in de rechtszaal, maar voor het hele volk. Bovendien zal het zijn uitwerking buiten onze landsgrenzen zeker niet missen.'

Wallander merkte hoe de opluchting zich door zijn hele lichaam verspreidde. Het was voorbij.

Putnis glimlachte.

'Het enige wat we nu nog moeten doen, is het rapport van de majoor lezen', zei hij. 'En u kunt eindelijk echt naar huis gaan, hoofdinspecteur Wallander. We zijn u natuurlijk dankbaar voor alle hulp die u ons gegeven hebt.'

Wallander haalde het nummertje uit zijn zak.

'Het is een blauwe map', zei hij. 'Hij zit in een papieren zak bij de klantenbalie. Maar de twee grammofoonplaten wil ik graag terug hebben.'

Putnis lachte.

'U bent heel slim, meneer Wallander. U begaat geen onnodige fouten.'

Was het iets in Putnis' toonval dat hem ontmaskerde? Wallander slaagde er niet in erachter te komen waar dat gruwelijke wantrouwen vandaan kwam. Maar op het moment dat Putnis het nummertje in de zak van zijn uniform stopte, zag Wallander met zelfvernietigende helderheid in dat hij geen grotere fout had kunnen begaan. Hij wist zonder te weten, intuïtie en denken smolten samen en zijn mond werd kurkdroog.

Putnis bleef glimlachen terwijl hij een pistool uit zijn zak haalde. Tegelijk kwamen zijn manschappen dichterbij, ze verspreidden zich over het dak en richtten hun machinegeweren op Baiba en Wallander. Baiba scheen niet te begrijpen wat er aan de hand was en Wallander kon niets uitbrengen, uit vernedering en uit angst. Op dat moment ging de branddeur open en sergeant Zids stapte het dak op. In zijn verwarring meende Wallander dat sergeant Zids achter de deur had staan wachten tot hij zijn entree kon maken. Nu kon de voorstelling beginnen en hoefde hij niet langer in de coulissen te wachten.

'Eén enkele fout', zei Putnis met uitdrukkingsloze stem. 'Alles wat ik zojuist verteld heb klopt natuurlijk. Het enige wat mijn woorden van de werkelijkheid doet verschillen, ben ikzelf. Alles wat ik zojuist over Murniers gezegd heb, gaat over mezelf. U had het dus zowel goed als fout, hoofdinspecteur Wallander. Als u marxist was geweest zoals ik, zou u begrepen hebben dat men van tijd tot tijd de wereld op haar kop moet keren om haar weer op poten te zetten.'

Putnis deed een paar stappen achteruit.

'Ik hoop dat u begrijpt dat u niet naar Zweden terug kunt keren', zei hij. 'Daar staat tegenover dat u, als u hier op het dak sterft, dicht bij de hemel bent.'

'Baiba niet', smeekte Wallander. 'Baiba niet.'

'Helaas', zei Putnis.

Hij hief zijn wapen en Wallander zag dat hij van plan was Baiba als eerste dood te schieten. Hij kon niets doen, er restte hem niets dan op deze dag in het centrum van Riga te sterven.

Weer ging de branddeur open. Geschrokken draaide Putnis zich om naar het onverwachte geluid. Aan het hoofd van een groot aantal bewapende politieagenten stormde Murniers het dak op. Toen hij Putnis daar met getrokken pistool zag staan, aarzelde hij geen moment. Hij had zijn eigen wapen al in de hand en schoot Putnis snel achter elkaar drie kogels in de borst. Terwijl Wallander zich over Baiba heen wierp om haar te beschermen, brak er op het dak een hevig vuurgevecht uit. De mannen van Murniers en Putnis zochten dekking achter schoorstenen en ventilatiepijpen. Wallander merkte dat hij midden in de vuurlinie terecht was gekomen en hij probeerde Baiba mee te trekken om achter het levenloze lichaam van Putnis dekking te zoeken. Plotseling zag hij sergeant Zids, die gehurkt achter een schoorsteen zat. Hij ving zijn blik op en daarna keek Zids naar Baiba. Wallander had onmiddellijk door dat hij wilde proberen haar of hen beiden als gijzelaar te nemen om zo zijn leven te redden. Murniers' mannen waren in de meerderheid en verscheidene mannen van Putnis waren al gevallen. Wallanders oog viel op het pistool dat naast Putnis' lichaam lag, maar voordat hij erbij kon wierp Zids zich op hem. Wallander haalde met zijn gewonde vuist uit, trof Zids in het gezicht en schreeuwde het uit van de ongelofelijke pijn. Zids lichaam schokte, zijn mond begon te bloeden, maar Wallanders vertwijfelde uitval had hem niet echt gewond. Toen hij zijn hand ophief om de Zweedse politieman die hem en zijn superieur zoveel problemen had bezorgd, dood te schieten, stond er haat op zijn gezicht te lezen. Wallander besefte dat hij ging sterven en deed zijn ogen dicht. Maar toen het schot gevallen was en hij merkte dat hij nog leefde, sloeg hij ze weer op. Baiba lag op haar knieën naast hem. Ze hield het pistool van Putnis met beide handen vast en ze had met een enkel schot sergeant Zids midden tussen de ogen geraakt. Ze huilde, maar dat was van woede en opluchting, niet langer vanwege de angst en de vragen die haar zo lang gepijnigd hadden.

De schotenwisseling op het dak was even snel voorbij als ze begonnen was. Twee van Putnis' mannen waren gewond, de anderen waren dood. Murniers keek bezorgd naar een van zijn eigen mensen, die een aantal kogels door zijn borstkas had gekregen. Daarna kwam hij op hen toe.

'Het spijt me dat het op deze manier moest gaan,' zei hij verontschuldigend, 'maar ik wilde weten wat Putnis te zeggen had.'

'Maar dat staat vast allemaal in de nagelaten papieren van de majoor', antwoordde Wallander.

'Hoe kon ik zeker weten dat die überhaupt bestonden? En dat u ze gevonden had?'

'Door ernaar te vragen', zei Wallander.

Murniers schudde zijn hoofd.

'Als ik met een van u beiden contact had gezocht, zou ik in een openlijke oorlog met Putnis verwikkeld zijn geraakt. Daarna zou hij het land uit zijn gevlucht en hadden we hem nooit kunnen arresteren. Ik had in feite geen andere keuze dan u te bewaken door voortdurend Putnis' bewakers dicht op de hielen te blijven.'

Wallander voelde zich opeens veel te moe om nog langer te luisteren. Zijn hand bonsde vanwege de enorme pijn. Hij hield zich aan Baiba vast en stond op.

Toen viel hij flauw.

Toen hij wakker werd, lag hij op een brancard in een ziekenhuis. Zijn hand zat in het gips en eindelijk was de pijn verdwenen. Kolonel Murniers stond in de deuropening met een sigaret in zijn hand glimlachend naar hem te kijken.

'Gaat het nu wat beter?' vroeg hij. 'Onze artsen zijn zeer kundig. Uw hand zag er trouwens niet uit. U krijgt de röntgenfoto's mee naar huis.'

'Wat is er gebeurd?' vroeg Wallander.

'U bent flauwgevallen. Dat zou mij in uw toestand ook overkomen zijn.'

Wallander keek om zich heen in de behandelkamer.

'Waar is Baiba Liepa?'

'Thuis. Toen ik een paar uur geleden bij haar wegging, was ze heel rustig.'

Wallander merkte dat hij een droge mond had. Hij ging voorzichtig op de rand van de brancard zitten.

'Koffie', zei hij. 'Kan ik een kop koffie krijgen?'

Murniers lachte.

'Ik heb nog nooit iemand ontmoet die zoveel koffie drinkt als u', zei hij. 'Natuurlijk krijgt u koffie. Als u zich wat beter voelt, zou ik voor willen stellen dat we naar mijn kantoor gaan om deze zaak af te ronden. En ik vermoed dat u en Baiba Liepa daarna heel wat te bepraten hebben. Als uw hand weer pijn gaat doen, kan onze politiearts u een spuitje geven. De dokter die uw hand in het gips gedaan heeft, zei dat dat heel goed kan gebeuren.'

Ze reden in de auto van Murniers door de stad. Het was al laat in de middag en het begon te schemeren. Toen ze onder de kolossale poort van het hoofdbureau van politie door reden, dacht Wallander dat dit nu voor de laatste keer zou zijn. Op weg naar zijn kamer nam kolonel Murniers de blauwe map uit een brandkast die op slot zat. Naast de grote kluis zat een gewapende wacht.

'Het was misschien inderdaad verstandig om haar achter slot en grendel op te bergen', zei Wallander.

Murniers keek verbaasd naar hem.

'Verstandig?' zei hij. 'Noodzakelijk, meneer Wallander. Ook al is Putnis verdwenen, daarom zijn we nog niet van alle problemen verlost. We leven nog steeds in dezelfde wereld. We leven in een land dat door tegenstellingen verscheurd wordt. En daar ben je niet vanaf door drie kogels in de borst van een kolonel van politie te schieten.'

Wallander dacht over de woorden van Murniers na, terwijl ze doorliepen naar diens kamer. Een man met een koffieblad in zijn uitgestrekte handen stond voor de deur. Wallander herinnerde zich zijn eerste bezoek aan het donkere vertrek. Het was als een verre herinnering. Zou hij ooit begrijpen wat er in de tussentijd allemaal gebeurd was?

Murniers nam een fles uit een van de laden van zijn schrijfbureau en vulde twee glazen.

'Eigenlijk stoot het me tegen de borst om te toosten nu een aantal mensen is gestorven,' zei hij, 'maar ik vind wel dat we iets verdiend hebben. En u zeker, hoofdinspecteur Wallander.'

'Ik heb alleen maar fouten gemaakt', protesteerde Wallander.

'Ik heb de foute dingen gedacht. Ik heb veel te laat door gehad hoe het allemaal in elkaar zat.'

'Integendeel', antwoordde Murniers. 'Ik ben onder de indruk van uw inzet. En helemaal van uw moed.'

Wallander schudde zijn hoofd.

'Ik ben geen dapper mens', zei hij. 'Het verbaast me dat ik nog leef.'

Ze ledigden hun glas en gingen aan de tafel met het groene viltkleed zitten. Tussen hen in lag het testament van de majoor in zijn blauwe map.

'Ik heb eigenlijk maar een vraag', zei Wallander. 'Upitis?'

Murniers knikte peinzend.

'De doortraptheid en wreedheid van kolonel Putnis kenden geen grenzen. Hij had een zondebok nodig, een geschikte moordenaar. En wat hij in de eerste plaats wilde, was een reden om u naar huis te sturen. Het viel me op dat uw deskundigheid hem meteen al niet aanstond en hem bang maakte. Hij heeft twee kleine kinderen laten kidnappen. De kinderen van Upitis' zuster. Als Upitis de schuld voor de moord op majoor Liepa niet op zich nam, zouden de kinderen sterven. Upitis had nauwelijks een keuze. Ik heb me vaak afgevraagd wat ik zelf in zo'n situatie zou doen. Upitis is natuurlijk vrijgelaten. Baiba Liepa weet al dat hij geen verrader is. We hebben ook de gegijzelde kinderen gevonden.'

'Het begon met een vlot dat bij de Zweedse kust aan land dreef', zei Wallander na een bedachtzaam zwijgen.

'Kolonel Putnis en zijn samenzweerders waren juist aan een grote operatie begonnen om drugs te smokkelen, onder andere naar Zweden', antwoordde Murniers. 'Putnis had een aantal van zijn agenten in Zweden gedropt. Ze hadden de verschillende Letse emigrantengroepen in kaart gebracht en stonden op het punt de drugs te distribueren. Dat moest ook tot gevolg hebben dat de hele Letse vrijheidsbeweging in diskrediet gebracht zou worden. Maar aan boord van een van de schepen die de drugs vanuit Ventspils smokkelden, moet iets gebeurd zijn. Kennelijk hebben mannen van de kolonel een geïmproviseerde paleiscoup gepleegd, omdat ze van plan waren voor zichzelf een grote partij amfetamine in te pikken. Ze werden ontdekt, ze werden doodgeschoten en in een reddingsvlot gegooid. In alle verwarring had men de drugs die in het vlot zaten vergeten. Wat ik ervan begrepen heb, hebben ze meer dan een etmaal naar het vlot gezocht zonder het te vinden. We mogen nu blij zijn dat het naar Zweden is gedreven, anders was het heel goed mogelijk geweest dat kolonel Putnis zijn doel bereikt had. Natuurlijk waren het ook handlangers van Putnis, die doortrapt genoeg waren om de drugs uit uw politiebureau te ontvreemden, toen ze erachter kwamen dat niemand de inhoud van het vlot ontdekt had.'

'Er moet nog meer gebeurd zijn', zei Wallander nadenkend. 'Waarom besloot Putnis majoor Liepa direct na zijn thuiskomst te vermoorden?'

'Putnis had zijn zenuwen niet meer in bedwang. Hij wist niet wat majoor Liepa in Zweden had gedaan. Hij kon het risico niet lopen hem in leven te laten als hij niet voortdurend na kon gaan wat de majoor deed. Zolang majoor Liepa in Letland was, kon hij hem in de gaten houden, of in ieder geval zien wie hij ontmoette. Kolonel Putnis begon zenuwachtig te worden. Sergeant Zids kreeg de opdracht majoor Liepa te doden. Wat hij ook gedaan heeft.'

Ze verzonken in een lang zwijgen. Wallander merkte dat Murniers moe en bezorgd was.

'Wat gaat er nu gebeuren?' vroeg Wallander ten slotte.

'Ik zal de papieren van majoor Liepa uiteraard grondig bestuderen', antwoordde Murniers. 'Daarna zien we verder.'

Het antwoord verontrustte Wallander.

'Ze moeten natuurlijk openbaar gemaakt worden', zei hij.

Murniers gaf geen antwoord en Wallander besefte plotseling dat zoiets voor Murniers niet vanzelfsprekend was. Zijn interesses vielen niet noodzakelijk samen met die van Baiba Liepa en haar vrienden. Voor Murniers was het misschien genoeg dat Putnis ontmaskerd was. Murniers kon er wel eens heel anders over denken, of het politiek gezien wel zo goed was om ruchtbaarheid aan deze zaak te geven. De gedachte dat het testament van majoor

Liepa het risico liep verdonkeremaand te worden schokte Wallander.

'Ik zou graag een kopie van het onderzoek van de majoor hebben', zei hij.

Murniers had hem onmiddellijk door.

'Ik wist niet dat u Lets kunt lezen', antwoordde hij.

'Men kan niet alles weten', zei Wallander.

Murniers keek hem een hele tijd zwijgend aan. Wallander wendde zijn blik niet af. Blijven kijken, dacht hij. Nu hij voor het eerst zijn krachten met Murniers mat, was het van groot belang om niet als verliezer uit de strijd te komen. Dat was hij de kleine, bijziende majoor verschuldigd.

Plotseling nam Murniers een besluit. Hij drukte op de bel die onder het tafelblad zat. Iemand kwam de blauwe map halen. Twintig minuten later kreeg Wallander de kopie die nooit in enig archief geregistreerd zou worden, een kopie waarvoor Murniers iedere verantwoordelijkheid van de hand zou wijzen. Een kopie die de Zweedse politieman Wallander zich had toegeëigend zonder daar toestemming voor te hebben, hetgeen in strijd was met de gebruikelijke gang van zaken tussen bevriende naties. Een kopie die hij vervolgens aan mensen had gegeven die geen recht op deze geheime documenten hadden. Door zijn handelwijze had de Zweedse politieman Kurt Wallander blijk gegeven van een gebrekkig beoordelingsvermogen, dat hem op een ernstige berisping kon komen te staan.

Zo zou het gaan, zo zou de waarheid beschreven worden. Als die ooit beschreven werd, wat niet erg waarschijnlijk was. Wallander dacht dat hij nooit zou weten waarom Murniers zo gehandeld had. Voor de zaak van de majoor? Voor die van het land? Of was hij van mening dat Wallander dit afscheidscadeau verdiend had?

Het gesprek was afgelopen, er viel niets meer te zeggen.

'Het paspoort dat u in uw bezit hebt, is van een zeer dubieuze kwaliteit', zei Murniers. 'Maar ik zal ervoor zorgen dat u zonder problemen naar Zweden kunt reizen. Wanneer wilt u vertrekken?'

'Morgen misschien nog niet', antwoordde Wallander. 'Overmorgen?'

Kolonel Murniers bracht hem naar de auto die op de binnenplaats gereedstond. Wallander herinnerde zich plotseling zijn Peugeot, die in Duitsland stond, in een schuur in de buurt van de Poolse grens.

'Ik vraag me af hoe ik mijn auto weer terugkrijg', zei hij.

Murniers keek hem niet-begrijpend aan. Wallander realiseerde zich dat hij nooit zou weten hoe dicht Murniers bij de mensen stond die zichzelf als garantie zagen voor een betere toekomst van Letland. Veel dieper dan het oppervlak, dat hij slechts vluchtig beroerd had, was hij niet gekomen. De tegels zou hij nooit lichten. Murniers wist domweg niet hoe hij Letland binnen was gekomen.

'Ach, niets', zei Wallander.

Die verdomde Lippman, dacht hij kwaad. Ik vraag me af of die Letse exil-organisaties over geheime fondsen beschikken om Zweedse politiemannen schadeloos te stellen voor auto's die ze nooit terug zullen zien?

Hij voelde zich gegriefd zonder zijn gevoelens helemaal te kunnen analyseren. Opnieuw meende hij dat het zijn oververmoeidheid was, die nog steeds het bevel voerde over zijn hersenen. Voordat hij uitgerust was, zou hij niet op zijn oordeel mogen vertrouwen.

Ze namen afscheid bij de auto die Wallander naar Baiba Liepa zou brengen.

'Ik breng u naar het vliegveld', zei Murniers. 'U krijgt twee tickets. Een van Riga naar Helsinki en een van Helsinki naar Stockholm. Voorzover ik weet, kan men binnen de Scandinavische landen zonder paspoort de grens over. Niemand komt er dus achter dat u in Riga bent geweest.'

De auto reed de binnenplaats af. Achter de rug van de chauffeur zat een dichtgeschoven ruit. Wallander zat in het donker aan de woorden van Murniers te denken. Niemand zou weten dat hij in Riga was geweest. Plotseling realiseerde hij zich dat hij er zelf ook nooit over zou praten, zelfs niet tegen zijn vader. Het zou een geheim blijven, omdat alles wat er gebeurd was zo onwaarschijnlijk was, zo ongelofelijk. Wie zou hem geloven?

Hij leunde achterover op de bank en deed zijn ogen dicht. Wat nu belangrijk was, was de ontmoeting met Baiba Liepa. Later zou hij wel nadenken over wat er ging gebeuren als hij in Zweden terug was.

Hij bracht twee nachten en een dag in de woning van Baiba Liepa door. Ondanks het feit dat hij de hele tijd wachtte op wat hij zich pathetisch voorstelde als het juiste moment, deed dat zich nooit voor. Hij liet niets blijken van de tegenstrijdige gevoelens die hij voor haar koesterde. Nader tot haar dan de tweede avond op de bank foto's kijken, kwam hij niet. Toen hij uit de auto was gestapt die hem van Murniers naar haar huis had gebracht, was ze hem gereserveerd tegemoet getreden, alsof hij weer een vreemde voor haar was geworden. Het had hem totaal van zijn stuk gebracht zonder dat hij wist waarom. Wat had hij eigenlijk verwacht?

Ze had eten voor hem gekookt. Een stoofschotel met als voornaamste ingrediënt een taaie kip. Baiba Liepa was bepaald geen begenadigde kok. Ik moet niet vergeten dat ze een intellectueel is, dacht hij. Ze is iemand die waarschijnlijk beter over een mooiere samenleving kan dromen dan een maaltijd kan klaarmaken. Beide types zijn nodig, ook al kunnen ze waarschijnlijk niet altijd harmonisch met elkaar leven.

Wallander leed aan een rustig soort melancholie, dat hij zonder moeite verborgen kon houden. Hij bedacht dat hij tot de eten kokende mensen behoorde, die de wereld bevolkten. Hij behoorde niet tot de dromers. Een politieman kon zich onmogelijk door dromen laten leiden. De neus van een politieman wees naar de vuile aarde, niet naar een toekomstige hemel. Maar hij kon evenmin ontkennen dat hij van haar was gaan houden en dat dat de oorzaak van zijn melancholie was. En met dat verdriet moest hij de vreemdste en gevaarlijkste opdracht die hij ooit had gehad, afsluiten. Het deed hem pijn. Toen ze vertelde dat zijn auto in Stockholm zou staan als hij daar arriveerde, reageerde hij nauwelijks. Plotseling had hij medelijden met zichzelf.

Ze maakte een bed voor hem op op de bank. Hij hoorde haar rustige ademhaling uit de slaapkamer. Hoewel hij moe was, kon hij niet slapen. Zo nu en dan stond hij op en liep over de koude plankenvloer om naar de verlaten straat te kijken, waar de majoor zijn dood had ontmoet. De schaduwen waren verdwenen, die waren met Putnis begraven. Wat overbleef was alleen de grote leegte, weerzinwekkend en smartelijk.

De dag voordat hij vertrok, brachten ze een bezoek aan het anonieme graf waar Inese en haar dode vrienden in gelegd waren door kolonel Putnis. Ze huilden openlijk. Wallander griende als een in de steek gelaten kind. Het was alsof hij voor het eerst besefte in wat voor afschuwelijke wereld hij leefde. Baiba had bloemen bij zich, bevroren, armzalige rozen, die ze op de opgeworpen hoop aarde legde.

Wallander had haar de kopie van het testament van de majoor gegeven, maar zo lang hij er was, las ze die niet.

De ochtend dat hij naar huis ging, viel er sneeuw in Riga.

Murniers zelf kwam hem afhalen. In de deur omhelsde Baiba hem, ze klampten zich aan elkaar vast alsof ze zojuist een schipbreuk overleefd hadden. Toen ging hij weg.

Wallander liep de vliegtuigtrap op.

'Goede reis', riep Murniers hem na.

Ook hij is blij dat ik verdwijn, dacht Wallander. Hij zal me niet missen.

Het vliegtuig van Aeroflot maakte een wijde bocht naar links over Riga. Daarna zette de piloot koers naar de Finse Bocht.

Voordat ze zelfs maar hun reguliere vlieghoogte bereikt hadden, was Kurt Wallander met zijn hoofd op zijn borst in slaap gevallen.

Die avond, de 26ste maart, kwam hij in Stockholm aan.

Een stem in de aankomsthal verzocht hem zich te melden bij de informatiebalie.

In een envelop lagen zijn paspoort en autosleutels op hem te wachten. De auto stond vlak achter de taxistandplaats. Tot zijn verbazing zag Wallander dat hij kort tevoren gewassen was.

Het was warm in de auto. Iemand had op hem zitten wachten.

Dezelfde avond nog reed hij terug naar Ystad.

Even voor het aanbreken van de dag betrad hij zijn appartement in Mariagatan.

Epiloog

Op een vroege ochtend in mei, toen Wallander op zijn kamer zorgvuldig, maar verveeld een voetbalformulier zat in te vullen, klopte Martinson op de deur en kwam de kamer binnen. Het was nog steeds koud. De lente had Skåne nog niet bereikt, maar Wallander had toch het raam opengezet, alsof hij er behoefte aan had zijn hersenen te luchten. Terwijl hij naar een vink luisterde, die in een boom zat te zingen, had hij verstrooid de kansen van de voetbalclubs om te winnen afgewogen. Toen Martinson in de deuropening stond, schoof Wallander het voetbalformulier opzij en stond op om het raam dicht te doen. Hij wist dat Martinson voortdurend bang was kou te vatten.

'Stoor ik?' vroeg Martinson.

Sinds zijn terugkeer uit Riga was Wallander afwijzend en kortaf tegen zijn collega's geweest. Onder elkaar hadden sommigen zich afgevraagd hoe hij zo totaal uit zijn evenwicht had kunnen raken door een onbeduidende wond aan zijn hand, opgelopen tijdens een skivakantie in de Alpen. Maar niemand wilde er rechtstreeks naar vragen en ze dachten dat zijn neerslachtigheid en nukkigheid mettertijd vanzelf wel over zouden gaan.

Wallander realiseerde zich dat hij zich tegenover zijn collega's verkeerd gedroeg. Hij moest hun werk niet zwaarder maken door zijn eigen onlustgevoelens en melancholie niet genoeg onder controle te houden. Maar hij wist ook niet wat hij moest doen om weer de oude Wallander te worden, de besluitvaardige maar goedmoedige politieman van het district Ystad. Het was of die man niet meer bestond. Hij wist zelfs niet of hij om die man rouwde. Hij wist überhaupt niet goed wat hij van zijn eigen leven moest denken. Maar zijn reisje naar de Alpen, dat alleen maar een smoes was geweest, had wel zijn gebrek aan waarachtigheid blootgelegd. Hij wist uiteraard best dat hij er de man niet naar was om zich opzettelijk achter leugens te verschuilen, maar hij was zichzelf wel steeds vaker de vraag gaan stellen of zijn gebrek aan kennis over hoe de wereld functioneerde toch niet iets leugenachtigs bezat, ook al vloeide dat uit argeloosheid voort en niet uit opzettelijk gecultiveerde verdringingen.

Iedere keer als er iemand zijn kamer binnenkwam, betrapte hij zich op een slecht geweten. Maar het enige wat hij wist te bedenken, was te doen alsof alles nog was zoals vroeger.

'Je stoort niet', zei hij geforceerd vriendelijk tegen Martinson. 'Ga zitten.'

Martinson nam plaats op Wallanders ongemakkelijke bezoekersstoel met de slechte veren.

'Ik wou je een eigenaardig verhaal vertellen', begon Martinson. 'Of liever gezegd, ik wou verslag uitbrengen over twee verhalen. Het lijkt wel alsof we bezoek gekregen hebben van geestverschijningen uit het verleden.'

Wallander hield niet van de manier waarop Martinson zich uitdrukte. De rauwe werkelijkheid waarmee ze als politiemensen om moesten gaan, leende zich volgens hem slecht voor poëtische omschrijvingen. Maar hij zei niets en wachtte op het vervolg.

'Herinner je je de man nog, die belde en zei dat er een vlot aan land zou drijven', vervolgde Martinson. 'Die man die we nooit te pakken hebben gekregen en die ook niets meer van zich heeft laten horen?'

'Er waren twee mannen', wierp Wallander tegen.

Martinson knikte.

'Maar laten we met nummer één beginnen', zei hij. 'Een paar weken geleden wilde Anette Brolin een man die van een buitengewoon grof geval van mishandeling verdacht werd, laten arresteren. Maar omdat hij geen strafregister had, mocht hij weer gaan.'

Wallander zat nu met stijgende interesse te luisteren.

'Die man heette Holmgren', vervolgde Martinson. 'Ik zag toevallig de papieren over die zaak op het bureau van Svedberg liggen. Ik zag dat hij de eigenaar was van een vissersboot die Byron heet. Toen begon er een belletje te rinkelen. En het werd helemaal interessant, toen bleek dat deze Holmgren een van zijn beste vrienden had afgetuigd, een man, Jakobson genaamd, die als bemanningslid op zijn boot voer.'

Wallander herinnerde zich de nacht in de haven van Brantevik.

Martinson had gelijk, ze hadden kennelijk bezoek gekregen van spoken uit het verleden. Plotseling besefte hij dat hij gespannen op het vervolg zat te wachten.

'Het eigenaardige is dat Jakobson geen aanklacht wegens mishandeling wilde indienen, terwijl er toch sprake was van grof geweld en dat blijkbaar zonder reden', zei Martinson.

'Wie heeft dan aangifte gedaan?' vroeg Wallander verbaasd.

'Holmgren had zich in de haven van Brantevik met de slinger van een lier op Jakobson geworpen. Iemand heeft hen gezien en de politie gebeld. Jakobson heeft drie weken in het ziekenhuis geleden. Hij was totaal in elkaar geslagen, maar hij wilde geen aanklacht tegen Holmgren indienen. Svedberg is nooit achter de reden voor die geweldsuitbarsting gekomen. Maar ik heb lopen denken of dat soms iets met het vlot te maken gehad kan hebben. Herinner je je nog dat ze voor elkaar niet wilden weten dat ze contact met ons opgenomen hadden? In ieder geval dat dachten we.'

'Ik weet het nog', zei Wallander.

'Ik wilde eens met die Holmgren gaan praten', ging Martinson verder. 'Hij woonde trouwens bij jou in de straat.'

'Woonde?'

'Precies. Toen ik erheen ging, bleek hij verhuisd te zijn. En nog ver weg ook. Hij is naar Portugal vertrokken. Hij heeft bij het bevolkingsregister formulieren ingeleverd, waaruit blijkt dat hij geëmigreerd is. Hij heeft een merkwaardig adres op de Azoren opgegeven. En de Byron heeft hij voor een habbekrats aan een Deense visser verkocht.'

Martinson zweeg. Wallander keek nadenkend naar hem.

'Ben je het met me eens dat dit een eigenaardig verhaal is?' vroeg Martinson. 'Vind je niet dat we die gegevens door moeten sturen naar de politie in Riga?'

'Nee', antwoordde Wallander. 'Ik denk niet dat dat nodig is, maar in ieder geval bedankt dat je het me verteld hebt.'

'Maar ik ben er nog niet', zei Martinson. 'Nu komt het tweede deel van dit verhaal. Heb je gisteren de avondbladen gelezen?'

Wallander kocht al heel lang geen kranten meer, behalve als hij bij een zaak betrokken was waar de journalisten een meer dan normale belangstelling voor aan de dag legden. Hij schudde zijn hoofd en Martinson ging verder.

'Dat had je wel moeten doen. Er staat namelijk in dat de douane van Göteborg een reddingsvlot opgevist heeft, dat later van een Russische trawler bleek te zijn. Die trawler troffen ze drijvend aan bij Vinga, en dat was vreemd omdat het die dag windstil was.

De kapitein van het schip beweerde dat ze naar een werf moesten om een schade aan de schroef te laten repareren. Ze hadden bij Doggersbank liggen vissen. Het vlot hadden ze zonder dat ze er iets van gemerkt hadden, verloren. Het was puur toeval dat er een narcoticahond in de buurt van het vlot kwam die blijk gaf van grote belangstelling. De douane vond een paar kilo prima amfetamine in het binnenste van het vlot en ze waren er al gauw achter dat het afkomstig was van een Pools drugslaboratorium. Hier hebben we misschien het ontbrekende bewijs. Dat er in het vlot dat die lui bij ons uit de kelder gehaald hebben, iets zat wat wij hadden moeten vinden.'

Wallander voelde dit laatste als een regelrechte aantijging vanwege de fatale fout die hij gemaakt had. Martinson had natuurlijk gelijk. Het was een onvergeeflijke slordigheid geweest. Hij voelde de verleiding om aan Martinson, om aan *iemand*, het eigenlijke verhaal van wat er gebeurd was te vertellen. Dat het een smoes was geweest dat hij met vakantie naar de Alpen was gegaan. Maar hij zei niets, hij kon er niet toe komen.

'Je hebt gelijk', zei hij, 'maar waarom die mannen vermoord werden en nog wel zonder hun colbertje aan, daar zullen we wel nooit achter komen.'

'Dat moet je niet zeggen', zei Martinson, die opstond. 'Wie weet wat de dag van morgen voor ons in petto heeft? Ondanks alles zijn we toch een stapje dichter bij het einde van deze geschiedenis gekomen.'

Wallander knikte, maar hij zei niets.

Martinson bleef in de deuropening staan en draaide zich om.

'Weet je wat ik denk', zei hij. 'Mijn hoogst persoonlijke mening? Dat Holmgren en Jakobson zich bezighielden met smokkelen. En dat ze toen toevallig het vlot gezien hebben. En dat ze daarom een goede reden hadden om niet te veel met de politie in aanraking te willen komen.'

'Dat verklaart die mishandeling nog niet', wierp Wallander tegen.

'Misschien hadden ze afgesproken dat ze geen contact met ons op zouden nemen? Misschien geloofde Holmgren dat Jakobson op de roddeltoer was.'

'Misschien heb je gelijk, maar dat zullen we nooit weten.'

Martinson verliet de kamer. Wallander zette het raam weer open. Daarna ging hij verder met het invullen van zijn formulier.

Later die dag nam hij de auto en reed naar een pas geopend café bij de haven.

Hij bestelde een kop koffie en begon een brief aan Baiba Liepa te schrijven.

Maar toen hij na een half uurtje las wat hij geschreven had, verscheurde hij de brief.

Hij verliet het café en liep het havenhoofd op.

De papiersnippers strooide hij als broodkruimels over het water.

Nog wist hij niet wat hij haar wilde schrijven.

Maar zijn verlangen was heel sterk.

Nawoord

De revolutionaire gebeurtenissen in de Baltische landen zijn van beslissende betekenis geweest voor de totstandkoming van deze roman. Een boek schrijven, waarvan handeling en milieu verlegd zijn naar een voor de schrijver vreemde omgeving, is op zich natuurlijk een gecompliceerde zaak. Nog problematischer wordt het als je door een politiek en sociaal landschap probeert te reizen waar *niets vanzelfsprekend is.* Afgezien van zuiver concrete moeilijkheden, bijvoorbeeld om na te gaan of een standbeeld op een bepaalde datum nog op zijn sokkel stond of al omvergehaald en afgevoerd was of hoe een straat, die van naam veranderd is, op een bepaalde dag in februari 1991 heette, zijn er dieper liggende problemen waarmee rekening gehouden moet worden. Niet in de laatste plaats moet je er als schrijver op bedacht zijn geen misbruik te maken van het feit dat we vandaag de dag met betrekking tot de ontwikkelingen in de Baltische landen ondanks alles over een soort provisorisch antwoord beschikken. Natuurlijk is het de taak van een schrijver om gedachten en gevoelens te reconstrueren, maar hij kan soms hulp nodig hebben. En wat dit boek betreft ben ik heel veel mensen veel dank verschuldigd. Twee van hen wil ik noemen: een met name, de ander anoniem. Guntis Bergklavs heeft me zijn tijd onbeperkt beschikbaar gesteld om uit te leggen, zich dingen te herinneren en om suggesties te geven. Hij heeft me ook veel over de geheimen van de stad Riga geleerd. Daarnaast wil ik de rechercheur van de afdeling Moordzaken van Riga bedanken, die me met zoveel geduld wegwijs heeft gemaakt in de werkwijze van hem en zijn collega's.

De hele tijd moesten we ons te binnen brengen hoe het destijds was, nog maar een jaar geleden. Toen het allemaal heel anders lag, nog onduidelijker dan nu. Over het lot van de Baltische landen staat immers nog altijd niets definitief vast. Er zijn bijvoorbeeld nog steeds grote aantallen Russische soldaten op Lets grondgebied gelegerd. Hoe de toekomst eruit zal zien, is onderwerp van een hevig tweegevecht tussen oud en nieuw, tussen bekend en onbekend.

Enkele maanden nadat ik dit boek af had, in het voorjaar van 1991, vond in de Sovjet-Unie de 'herfstcoup' plaats, die beslissende gebeurtenis die de onafhankelijkheidsproclamaties in de Baltische landen in een stroomversnelling heeft gebracht. Uiteraard vormden die coup en de kans dat er zoiets werkelijk zou plaatsvinden een van de uitgangspunten van deze roman. Maar ik kon, net zomin als iemand anders, voorspellen dat die daadwerkelijk zou geschieden of wat de uitkomst ervan zou zijn.

Dit is een roman. Dat betekent dat alles misschien niet gebeurd is of eruitziet zoals in dit boek is beschreven, maar dat het wel op deze manier had kunnen gebeuren. En de vrijheid van de schrijver vindt men terug in de mogelijkheid een warenhuis een niet-bestaande klantenbalie toe te dichten om tassen in bewaring te geven. Of om een meubelafdeling uit het niets te scheppen. Indien dat nodig is. Wat het soms is.

april 1992
Henning Mankell

Henning Mankell bij Uitgeverij De Geus

De Inspecteur Wallander-reeks

Moordenaar zonder gezicht

Inspecteur Kurt Wallander probeert de voortgang van het onderzoek naar een wrede dubbelmoord zo veel mogelijk buiten de publiciteit te houden. Toch lekt er informatie uit over de mogelijke betrokkenheid van in de nabijheid gehuisveste asielzoekers.

Honden van Riga

In een rubberboot treft de Zweedse politie twee doden aan. De mannen blijken voor hun executie gemarteld te zijn. Inspecteur Kurt Wallander volgt het spoor naar de Letse hoofdstad Riga, waar hij een pion dreigt te worden in een Baltische intrige.

De witte leeuwin

Tijdens het onderzoek naar de verdwijning van de Zweedse makelaar Louise Åkerblom komt inspecteur Kurt Wallander op het spoor van geheime voorbereidingen voor een politieke aanslag in Zuid-Afrika. Is hij nog op tijd om de aanslag te verijdelen?

De man die glimlachte

De moord op advocaat Torstensson wordt korte tijd later gevolgd door de moord op zijn zoon Sven, een vriend van Kurt Wallander. Tijdens het onderzoek komt Wallander in een wespennest van fraude terecht. Zijn tegenstander is een machtig zakenman zonder nige scrupule.

Dwaalsporen

Kurt Wallander moet hulpeloos toezien hoe een jonge vrouw zichzelf door verbranding van het leven berooft. Drie afschuwelijke moorden volgen. Het spoor voert Wallander naar een netwerk van smokkel en seksueel misbruik.

De vijfde vrouw

Drie even bizarre als gruwelijke moorden schokken het zuiden van Zweden. Kurt Wallander concludeert al snel dat de misdrijven verband houden en bewust geënsceneerd zijn als openbare executies. De vraag is wat de dader ermee wil zeggen.

Midzomermoord

Kurt Wallander gaat op zoek naar drie jongelui die na midzomer nacht zijn verdwenen. Als hij met collega Svedberg wil overleggen blijkt ook hij aanvankelijk onvindbaar, tot hij vermoord word aangetroffen in zijn eigen woning. Er lijkt een verband te zijn me de drie verdwenen jongeren.

De blinde muur

Hackers hebben het voorzien op het computersysteem van d Wereldbank teneinde de wereldeconomie in een chaos te storten Inspecteur Kurt Wallander komt voor een geheel nieuw soor criminaliteit te staan: computermisdaad op internationale schaal

Overige romans van Henning Mankell

Daniël, zoon van de wind

Eind 19de eeuw ontfermt de Zweedse avonturier Bengler zich over een negerjongetje, dat hij Daniël noemt en meeneemt naar Zweden. Als Bengler onverwacht het land moet verlaten, blijft Daniël achter in de hoede van een eenvoudig boerengezin.

Verteller van de wind

Het tragische leven en sterven van de jongen Nelio, die, na zijn vlucht voor de rebellen op het Afrikaanse platteland, op tienjarige leeftijd de leider wordt van een groep straatkinderen in de stad. Eerder verschenen als *Comédia infantil*.

Tea-Bag

Een Afrikaans meisje komt via Spanje in Zweden terecht. Daar woont ze een lezing bij van de dichter Jesper Humlin. Zij en enkele van haar lotgenoten willen hun ervaringen opschrijven en Humlin besluit hen te begeleiden.